W9-AGT-975

Les Éditions du Boréal
4447, rue Saint-Denis
Montréal (Québec) H2J 2L2
www.editionsboreal.qc.ca

LE CRI
DES OISEAUX FOUS

DU MÊME AUTEUR

Comment faire l'amour avec un Nègre sans se fatiguer, VLB, 1985 ; Belfond, 1989 ; J'ai lu, 1990 ; Le Serpent à plumes, 1999 ; Typo, 2002.

Éroshima, VLB, 1991 ; Typo, 1998.

L'Odeur du café, VLB, 1991 ; Typo, 1999 ; Le Serpent à plumes, 2001.

Le Goût des jeunes filles, VLB, 1992 ; Grasset, 2005.

Cette grenade dans la main du jeune Nègre est-elle une arme ou un fruit ?, VLB, 1993 (épuisé) ; Typo, 2000 (épuisé) ; nouvelle édition revue par l'auteur, VLB, 2002 ; Le Serpent à plumes, 2002.

Chroniques de la dérive douce, VLB, 1994.

Pays sans chapeau, Lanctôt éditeur, 1996 ; Boréal, coll. « Boréal compact », 2006.

La Chair du maître, Lanctôt éditeur, 1997 ; Le Serpent à plumes, 2000.

Le Charme des après-midi sans fin, Lanctôt éditeur, 1997 ; Le Serpent à plumes, 1998 ; Boréal, coll. « Boréal compact », 2010.

J'écris comme je vis. Entretiens avec Bernard Magnier, Lanctôt éditeur, 2000 ; La Passe du vent, 2000.

Je suis fatigué, Lanctôt éditeur, 2001 ; Initiales, 2001.

Vers le sud, Boréal/Grasset & Fasquelle, 2006.

Je suis un écrivain japonais, Boréal/Grasset & Fasquelle, 2008 ; coll. « Boréal compact », 2009.

L'Énigme du retour, Boréal/Grasset & Fasquelle, 2009.

Dany Laferrière

LE CRI DES OISEAUX FOUS

roman

Boréal

Dépôt légal : 1er trimestre 2010
Bibliothèque et archives nationales du Québec

Diffusion au Canada : Dimedia

Catalogage avant publication de Bibliothèque et Archives nationales du Québec et Bibliothèque et Archives Canada

Laferrière, Dany

Le cri des oiseaux fous

(Boréal compact ; 211)

Éd. originale : Outremont, Québec : Lanctôt, 2000.

ISBN 978-2-7646-2030-4

I. Titre.

PS8573.A348C75 2010 C843'.54 C2010-940349-5

PS9573.A348C75 2010

À mon ami Gasner Raymond
dont la mort a changé ma vie.
D. L.

ANTIGONE

Je suis faite pour partager l'amour, non la haine.

CRÉON

Descends donc là-bas et, s'il te faut aimer à tout prix, aime les morts.

SOPHOCLE

La tasse blanche (12 h 07)

Ma mère est encore assise dans le coin gauche de notre minuscule galerie. Cette section a l'avantage d'être complètement protégée du soleil par un massif de lauriers-roses. C'est là que ma mère se cache pour réfléchir à sa vie, comme elle dit. Les mains entre les jambes et la tête bien renversée en arrière, comme si elle examinait au plafond un dessin si délicat qu'il exigerait un maximum d'attention d'elle. Dans ces moments-là, on ne doit la déranger sous aucun prétexte. Elle est ailleurs. J'aurais pu passer sans la voir si une sorte de lueur blafarde n'avait accroché mon œil gauche. La tasse blanche, pas loin de ses longs doigts si raffinés. Elle tourne lentement la tête vers moi, les yeux encore perdus dans ce monde auquel personne d'autre qu'elle n'a accès.

— C'est toi, Vieux Os ? Depuis quand es-tu là ?

— Je viens d'arriver.

— Où étais-tu ? Tout le monde te cherchait.

— Qui ?

— Tes amis... Appelle Marcus à la radio.

— Je dois le voir ce soir.

— Il voulait te parler de toute urgence.

— Que veut-il ?

— Je ne sais pas, dit ma mère d'une voix lasse avant de tourner la tête vers les lauriers-roses.

Je n'ai jamais su quel monde elle allait retrouver dans cet univers rose, ni à quoi elle voulait échapper en s'y rendant. Des fois, je m'asseyais tout doucement, à l'autre bout de la galerie, pour la regarder. Et je découvrais une femme que je ne connaissais pas, avec ce sourire éblouissant que j'ignorais totalement. Elle semblait baigner dans une étrange lumière. Comme hors de ce temps. La jeune fille d'avant ma naissance, peut-être même d'avant la rencontre avec mon père. C'est une image si aveuglante qu'elle m'est insupportable. Chaque fois, je suis obligé de quitter la galerie.

L'exil (12 h 10)

L'affaire est que je ressemble beaucoup à mon père, et parfois, j'ai l'impression que ma mère éprouve certaines difficultés à faire la différence entre lui et moi. Je suis le portrait craché de mon père et pas uniquement sur le plan physique. Ma mère me l'a souvent répété d'ailleurs. Quand j'étais un gamin, je pensais que mon père n'avait eu qu'à cracher dans le ventre de ma mère pour que je sois conçu. Aujourd'hui, à vingt-trois ans, je suis physiquement aussi grand que mon père, et il m'arrive de porter ses cravates (ma mère les a religieusement gardées au fond de son armoire, durant toutes ces années, pour un jour pouvoir contempler l'image parfaite de mon père) pour me rendre à une quelconque conférence de presse ou à la réception annuelle de l'Association des journalistes. Souvent, dans ces moments-là, ma mère s'adresse à moi comme à mon père. Il faut dire qu'en plus de lui ressembler, je porte son prénom. Cela n'arrange rien pour ma mère, qui tente désespérément d'oublier la souffrance causée par le départ de mon père. C'est un étrange ballet : d'une part elle fait tout pour retrouver mon père en moi, et d'autre part elle veut oublier cet homme dont la mémoire la fait tant souffrir. C'est son drame intime. Disons tout de suite que mon père n'a pas quitté ma mère pour aller vivre avec une autre femme plus jeune et plus belle, ce qui est assez courant dans notre société et le cas de la plupart de mes amis. Si c'était cela, connaissant ma mère, elle l'aurait détesté, ce qui aurait grandement simplifié les choses. Mais non, ces deux-là s'adoraient. Alors, comment oublier un homme que vous adorez et qui ne vous a pas quittée ? C'est la question à laquelle ma mère doit faire face chaque jour. Voilà : mon père vit en exil depuis près de vingt ans. Au début, on avait sans cesse des nouvelles de lui. Il utilisait toutes sortes de subterfuges pour prendre contact avec ma mère tout en évitant d'attirer la suspicion de ceux qui l'ont expulsé du pays. Pendant un bon moment, il pensait pouvoir revenir à Port-au-Prince. Curieusement, de son côté, ma mère n'a jamais nourri ce rêve. Et c'est elle la première qui a voulu prendre une certaine distance. C'était devenu trop dur pour elle. Elle commençait à parler toute seule, errait dans la maison comme un zombie et devenait franchement irritable. Elle n'arrivait plus à distinguer le rêve de la réalité, le jour de la nuit, le blanc du noir, l'absence de la présence. Ma mère avait des responsabilités trop importantes pour se permettre de perdre la tête. Il lui a fallu prendre une décision. Comment faire quotidiennement avec un homme qu'on est sûre de ne plus jamais revoir de sa vie ? L'exil est pire que la mort pour celui qui reste. L'exilé reste vivant bien qu'il ne possède aucun poids physique dans le monde réel. Plus de corps, plus d'odeur. Des traits de plus en plus vagues. Il s'efface tout doucement dans la mémoire des siens. Reste cette voix, le dimanche soir, vers onze heures. Ma mère ne pouvait rien contre ces appels dominicaux. Elle émergeait de ces conversations (si on peut appeler ainsi ces longs moments de silence entrecoupés de soupirs à peine audibles où l'on se demande si l'autre est encore au bout du fil) en respirant fortement de la bouche comme si elle avait refait surface après un long moment sous les eaux. Une noyade manquée, c'est tout ce que je peux trouver pour décrire ces conversations téléphoniques. Au début, on se raconte tout, j'imagine. Après quelques années, on n'a plus rien à se dire, on se contente d'analyser les moindres inflexions perçues dans la voix de l'autre. Curieusement, ma mère n'a jamais voulu me passer le téléphone, même au début pour un simple babillage (j'avais cinq ans quand mon père est parti), prétextant chaque fois que mon père était en train de lui révéler quelque chose de très important. Je pleurais. Je lui tirais la jupe. Mais elle restait insensible à mes larmes, préférant, je le comprends maintenant, avancer seule dans les marécages de la folie douce. Mon père, de l'autre côté, s'enfonçait lentement dans les eaux glauques et putrides du cauchemar éveillé. Ce genre de cauchemar où l'on se trouve toujours en face d'une porte qu'on finit par ouvrir pour tomber devant une autre porte qui donne sur une nouvelle porte, et cela pendant vingt ans. Voilà l'absence. Rien de concret. Tout est toujours ambigu, jamais définitif. C'est ce que j'ai compris, très tôt, en voyant ma mère sortir complètement groggy de ses étranges conversations téléphoniques avec mon père. Le désir physique sans possibilité d'étreindre l'être aimé, le palper, le sentir, le toucher. Le corps absent. La chair trop vive. L'autre, à jamais hors de portée. À partir de quel moment doit-on se résigner à ce fait impensable de ne plus jamais pouvoir serrer dans ses bras le corps de l'autre ? Le corps aimé. Un corps, un esprit et un cœur encore tout palpitants à l'autre bout du fil. Ce fil qu'il faudra se résoudre à casser un jour. Mais quand ? Voilà la question que ma mère se posait il y a encore quelque temps, à l'ombre des lauriers-roses.

La raison du pouvoir (1 h 25)

J'ai trouvé mon repas (une banane verte bouillie, une bonne tranche d'avocat et cette montagne de riz arrosée d'une sauce piquante de poisson) à la bonne place, près de la fenêtre. Ma mère sait que j'aime regarder le ciel en mangeant. Un morceau de ciel bleu en guise de dessert. D'un bleu si pur que ça me fend le cœur. J'ai brusquement envie de pleurer, sans raison. Pas une trace de nuage aujourd'hui.

Ma mère est toujours à la même place.

— Tu as mangé, chéri ?

— Oui, maman.

J'ai vingt-trois ans, mais ma mère me parle comme si je n'en avais que cinq.

— Tu sors ?

— Je vais voir ce que Marcus me voulait…

— Ne rentre pas trop tard.

Je ne dis rien. Elle sourit. Je regarde ses belles mains aux doigts longs et si fins. Ma mère voue un soin particulier à ses mains. Simplement à les regarder, je peux savoir si ma mère est inquiète. Dans ce cas, elle n'arrête pas de pianoter sur l'accoudoir du fauteuil tout en regardant devant elle d'un air vague.

— J'ai vu Mme Lucien hier, et elle m'a dit que le mauvais temps est revenu, qu'il faut faire bien attention ces jours-ci…

Je m'assois un moment sur le petit banc, juste en face d'elle. J'aime bien ces conversations improvisées avec ma mère, et je sais qu'elle y prend énormément de plaisir. Une façon de penser à autre chose qu'à ses problèmes personnels. Faut pas imaginer une conversation à bâtons rompus pleine de rires, de confidences et de complicité, ce n'est pas du tout notre genre. Ma mère et moi, et sur ce point nous sommes pareils, détestons afficher publiquement nos émotions. Ma mère passe la majeure partie de son temps, depuis l'exil de mon père, dans l'étrange univers des lauriers-roses, tandis que moi, je n'arrête pas de ruminer des réflexions. Des fois, l'après-midi, comme ça, si je n'ai rien d'autre à faire, nous restons ensemble sur la galerie, sans parler, pendant de longs moments. Un peintre, Philomé Obin par exemple, aurait pu faire notre portrait dans cette position. Comme à son habitude, le vieux peintre aurait donné un titre juste et simple à son tableau, et l'aurait écrit sur la toile même : *La mère et le fils, moment intime.* Aujourd'hui, c'est une mère inquiète qui me parle. Elle a vu Mme Lucien hier et cela l'a troublée.

— Maman, Mme Lucien te raconte la même chose chaque fois que tu la vois... Elle veut simplement te montrer qu'elle garde encore quelques liens dans les hautes sphères du pouvoir.

Ma mère sourit.

— Fais attention quand même...

— Tu sais que je ne m'intéresse pas à la politique.

— Oui, mais ces gens sont des fous. On ne peut pas prévoir leurs réactions.

— T'inquiète pas, je ferai attention...

— Tu ne rentreras pas trop tard, Vieux Os ?

— Je t'ai dit de ne pas t'inquiéter...

— D'accord, fait-elle d'une voix lasse avant de tourner lentement la tête vers les lauriers-roses.

C'est ainsi qu'elle termine généralement ses conversations.

La voix (1 h 37)

C'est une voix forte, musclée, tout en grondements. La voix de mon père. Elle pouvait se faire caressante, séduisante, sensuelle même. Dans ce cas-là, je revois ma mère, tête penchée de côté (le récepteur toujours collé à son oreille gauche), léger sourire au coin des yeux, caressant le fil noir de ses longs doigts. Certains soirs, leur conversation semblait étrange. Ils ne parlaient pas à voix claire comme d'habitude. Ma mère baissait le ton pour que je ne puisse pas entendre ce qu'elle disait. Si je n'arrivais pas toujours à entendre ce qui se disait, par contre je sentais bien ce qui se passait. Je ne peux pas expliquer mon sentiment à ce moment-là, mais tout cela était très clair et en même temps très ambigu pour moi, pas bien défini, avec des contours troubles mais un centre intense et dur. Je ne pouvais pas me tromper sur ce qui se passait, là, sous mes yeux d'enfant. C'est qu'on n'apprend pas uniquement avec notre esprit (ce que les adultes ont oublié) mais surtout avec nos sens. Je voyais les mains de ma mère trembler légèrement. Elle tentait de cacher son trouble à mes yeux d'aigle. Ma mère parlait si bas et d'une voix si douce que j'avais l'impression qu'elle était une nouvelle personne, quelqu'un que je ne connaissais pas du tout. Des années plus tard, j'ai vainement cherché cette voix, qui était devenue à mes oreilles la voix de l'amour absolu, chez les jeunes filles avec qui je partageais de tendres sentiments. Ma mère, me semblait-il, aurait aimé me voir ailleurs dans ces moments-là. Elle ne pouvait pas me demander d'aller jouer plus loin, comme elle le faisait à la maison quand je m'accrochais trop à sa jupe, puisqu'elle recevait ces appels chez Mme Ambroise le dimanche soir. Ma mère craignait surtout qu'en me laissant seul un moment je n'aille briser un vase ou un bibelot dans le salon si encombré de Mme Ambroise. Elle fronçait les sourcils et j'arrêtais de respirer. Je n'ai jamais vraiment entendu la voix de mon père. Je ne pouvais que l'imaginer en épiant le visage aux lueurs changeantes de ma mère. Visage tour à tour grave et gai. Brusquement, la lumière éblouissante de cette jeune fille pudique qu'une inflexion conquérante de la voix de mon père venait de faire surgir devant mes yeux éblouis. Un visage de ma mère que je n'ai plus jamais revu après. Je repense encore à la voix de mon père dont je ne connais que les effets sur ma mère. Cette voix terrifiante qui, d'une inflexion ensoleillée ou ennuagée, pouvait changer le cours de ma semaine. Ma mère sortait de ses conversations téléphoniques avec les reins cassés d'une petite vieille ou sa taille de jeune fille, selon les humeurs de la voix de mon père. Et rien ni personne ne pouvait modifier cette posture (la vieille ou la jeune fille) avant le prochain appel téléphonique.

La nouvelle (1 h 58)

Je file en taxi à la station de radio où travaille Marcus. Que me veut-il ? Je le croise dans le couloir, juste au moment où il sort de la salle des nouvelles. Grand, mince, la bouche arrogante, c'est bien lui. Toujours pressé. Il me pousse brutalement dans la petite pièce où sont enregistrées les annonces publicitaires.

— Où étais-tu ? Je t'avais demandé de venir tout de suite…

Avec Marcus, tout doit toujours aller très vite.

— J'avais faim…

— Je t'attendais avant d'annoncer la nouvelle.

— Quelle nouvelle ?

Je travaille dans un hebdomadaire politico-culturel. Marcus dirige la rédaction d'un grand journal radiophonique. On se consulte souvent, surtout quand il s'agit d'une information importante. Marcus est un impulsif, mais un reporter-né. Il a un sens extraordinaire de l'information et aussi quelques bons contacts dans le gouvernement. Bien qu'il soit plus âgé que moi, il fait totalement confiance à ma capacité d'analyse. Quand on travaille dans un hebdomadaire, on a le temps de réfléchir et on conçoit l'information différemment d'un journaliste qui doit trouver une information inédite chaque jour. Dans le journalisme quotidien, on est toujours pressé. Pas le temps de réfléchir en profondeur. Et c'est encore pire à la radio, où on doit intervenir plusieurs fois par jour. Toujours sur la corde raide. Si vous trébuchez, vous n'aurez même pas le temps de vous relever que déjà les tontons macoutes seront dans l'escalier, accourant pour vous dépecer vif. C'est quand même épuisant de jouer ainsi sa tête plusieurs fois par jour.

— Comment ! Tu ne sais rien !

Ah oui ! c'est vrai, j'aurais dû y penser, c'est un dossier que je couvre avec Gasner depuis près de trois semaines. Ce type, Marcus, est parfois trop rapide pour moi. Toujours le premier arrivé à la course aux nouvelles.

— Merde, Marcus, ne me dis pas que le gouvernement vient de briser la grève des ouvriers de Ciment d'Haïti.

Silence de Marcus.

— C'est terrible, dis-je, après un moment, mais d'une certaine manière, il fallait s'y attendre...

Nouveau silence de Marcus.

— D'accord, j'ai l'air cynique à parler comme ça après coup, mais Marcus, tu te doutais quand même que le gouvernement allait réagir d'une manière ou d'une autre. Il ne pouvait pas continuer à faire semblant de ne pas savoir. Pour lui, c'était très dangereux, le genre de truc à dégénérer facilement. Le pouvoir pouvait être déstabilisé à tout moment. Tu t'imagines ! La première grève sauvage en Haïti depuis vingt ans, il suffirait qu'une autre usine réagisse pour que ça fasse boule de neige... C'est une victoire, en un sens. Ils ont quand même tenu près de trois semaines.

Regard froid de Marcus durant tout mon petit discours. Je connais ce visage. Ça doit être du très sérieux.

— Qu'est-ce qu'il y a ?

— Gasner est mort.

Trois mots. Marcus vient de me les jeter à la face d'une voix blanche.

— Qu'est-ce que tu racontes ? je finis par balbutier.

— On l'a trouvé sur une plage, à Braches, près de Léogâne. Ils lui ont fracassé le crâne.

— D'où tiens-tu ça ?

— Un tonton macoute m'a appelé pour revendiquer le meurtre et me menacer en même temps.

— Où est-il ?

— À la morgue.

— J'y vais. Quand vas-tu annoncer la nouvelle ?

— C'est toi que j'attendais… Qu'est-ce que tu vas faire à la morgue ? On ne peut plus rien faire pour lui. C'est fini.

— L'as-tu déjà vu toi ?

— Non, dit Marcus.

— Il faut que je le voie. Il n'est pas mort tant que je ne l'ai pas vu. C'est peut-être de la propagande. Ils annoncent sa mort et si tu ne réagis pas, ils le tuent le lendemain.

Sourire triste de Marcus.

— Non… Il est mort.

— Comment peux-tu en être si sûr ?

— J'ai un contact à l'hôpital. Selon lui, ils ont joué au baseball avec sa tête.

— J'y vais.

— Fais attention. Ils ont sûrement placé des espions là-bas pour identifier toute personne qui arrive à la morgue. Selon un contact que j'ai au Palais national, ils sont complètement dépassés par les événements.

— Depuis le temps, ils doivent bien me connaître. Ils savent que je ne me mêle pas de politique.

— Des conneries ! Leur règle est simple : tous ceux qui ne sont pas avec eux sont contre eux.

— Je file… Laisse-moi le temps d'arriver à l'hôpital avant d'annoncer la nouvelle. Je ne tiens pas à avoir la foule autour de moi quand je vais le voir.

— Je ne peux pas te donner plus de sept minutes. Je dois faire mon premier *flash* exactement dans sept minutes.

— D'accord.

L'hommage du peuple (2 h 03)

Nous sommes près d'une dizaine de personnes à bouillir littéralement dans cette cuve montée sur quatre roues. Taxi déglingué. Un énorme trou au plancher par où je vois l'asphalte. L'odeur du goudron en train de fondre au soleil. Les gens causent, comme toujours, des mêmes problèmes dans tous les taxis de Port-au-Prince. Le prix exorbitant du riz, le prix élevé des médicaments périmés, le prix incroyable du loyer, le prix absurde de l'électricité. Prix, prix, prix, prix. L'argent, l'argent, l'argent, l'argent. Le chômage, le chômage, le chômage. Quelle vie ! Personne ne dit un mot à propos de la grève de Ciment d'Haïti. Ce serait dangereux d'en parler avec des inconnus. La presse en parle très peu, d'ailleurs. Marcus le fait régulièrement dans son journal de 13 heures. Et Gasner, qui couvrait jusqu'à ce matin la grève pour notre hebdomadaire. La semaine dernière, il s'était fait photographier avec les grévistes devant la grille d'entrée de l'usine, ce qui avait provoqué la colère de Marcus. « Ce n'est plus du journalisme, c'est du militantisme », lui avait lancé Marcus. Ce à quoi Gasner avait répondu qu'il n'a jamais prétendu faire du journalisme, et qu'on ne peut pas faire du journalisme dans un pays où les gens crèvent de faim et de peur. « Dans ce cas, lui a craché un Marcus rouge de colère, tu dois te protéger mieux que ça parce qu'en ce moment tu n'es qu'une cible vivante. » Gasner a ri car il aimait bien l'idée d'être une cible mobile. Comment discuter avec un type qui se moque de la mort ? Le chauffeur de taxi allonge la main droite vers le bouton de la radio et, soudain, la voix de Marcus (une diction presque métallique à force de précision) annonce la mort du jeune journaliste. Un courant d'air glacial traverse cette cuve pourtant fumante. Le chauffeur du taxi freine brusquement au beau milieu de la rue Monseigneur-Guilloux. Comme ça. La voiture reste une longue minute immobile au milieu du carrefour. Étonnement. Aucune des voitures qui nous suivaient n'a klaxonné, ce qui est incroyable dans un pays où les chauffeurs ne communiquent qu'à coups d'avertisseur. La voiture repart sans que personne ne commente la nouvelle, ce qui est totalement anormal dans un pays où le moindre fait divers est passé au peigne fin. Simplement un silence assourdissant. Les images choquantes du texte bref et cinglant de Marcus pour annoncer la mort de Gasner ont atteint leur cible. On a tous l'impression, en écoutant Marcus, d'assister en direct à l'exécution de ce jeune homme de vingt-trois ans (nous avons le même âge) tué à cause de son idéal de justice et de liberté. « Sa liberté, poursuit Marcus, était liée à celle des autres. Et cette liberté était d'abord, pour ce journaliste, celle de l'information. » On entendrait voler une mouche dans le taxi. Les mâchoires serrées, ils écoutent. Et Marcus qui n'arrête pas de leur taper sur la gueule comme un boxeur enragé. Ses phrases sèches partent comme des projectiles pour s'enfoncer dans la chair des auditeurs. Pas un cri, même étouffé. Je suis sûr que Gasner aurait tout donné pour entendre son oraison funèbre, et surtout pour assister à l'hommage que lui rend son peuple. Un hommage muet. Un discours sans bruit. Tout est vécu jusqu'au fond. Aucun spectacle. Uniquement du vrai. Tous ces gens qui, il y a quelques minutes encore, semblaient englués dans le puits noir et huileux de leurs peines et misères, les voilà brusquement forcés de penser à autre chose qu'à leur drame personnel. On avait dans ce taxi minable, il y a à peine quelques minutes, un groupe de gens misérables, et voilà maintenant une nation souffrante. Un peuple en peine. Une collectivité pensante. Sacré Gasner ! Il a réussi enfin son coup. Le prix même pour un tel hommage n'était-il pas trop élevé (se faire fracasser le crâne par des tueurs sadiques) ? Musique. Pas la musique de circonstance. Plutôt du rara. Un rara bien pigmenté (avec bruits de sifflet, de fouet et de vaccines) qui met des fourmis aux jambes. Alors pourquoi personne ne fait bouger son corps ? Pourquoi ne danse-t-on pas dans le taxi ? Price-Mars a pourtant bien dit que c'est un peuple qui danse et qui chante, qui pleure et qui rit. Pourquoi ne parlent-ils pas ? Généralement, même dans des cas très graves, la conversation reprend toujours après un moment. La vie individuelle reprend ses droits. On recommence avec les histoires personnelles. Le fils qui se marie alors qu'on n'a pas un sou vaillant, la nièce qui va à New York, les rhumatismes de celui-ci, le mal de dos de celui-là (on commence toujours avec les hors-d'œuvre avant de passer au plat de résistance), on signale en passant que le mari est en prison et la fille en train de crever à l'Hôpital général parce qu'il n'y a rien dans cet hôpital, et ça finit toujours par le prix de la nourriture qui devient chaque jour hors de portée des honnêtes gens. La mort de Gasner leur a cloué le bec. Pas un mot. Des visages longs comme des jours sans café.

Quelque chose de vraiment grave vient de se passer si on arrive même à oublier la chaleur insupportable qu'il fait dans ce taxi déglingué. Le peuple est hébété. Son enfant chéri vient de crever comme un chien sur cette plage, à Braches, près de Léogâne. Une ville sous le choc.

La boîte de glace (2 h 10)

Tout de suite en entrant dans la cour de l'Hôpital général, je tombe sur ce type que j'ai bien connu mais dont j'ai oublié le nom. On n'était pas dans la même classe, mais on se croisait souvent dans la cour de récréation. Il fait son internat ici. Je l'appelle. Il s'approche de moi, l'air soucieux. Il est sûrement déjà au courant. Qu'est-ce que je raconte là ? Bien sûr qu'il est au courant. Tout le pays est maintenant au courant de la mort de Gasner.

— Qu'est-ce que tu fais ici ? me lance-t-il tout de go… L'hôpital est truffé d'espions.

— Ne t'en fais pas pour moi, vieux frère, je suis déjà fiché.

— Je suppose que tu cherches Gasner… Va tout droit. La morgue sera sur ta gauche… Attends, je vais y aller avec toi.

— Ne t'expose pas trop.

— Et toi ?

— Moi, je travaille pour un journal. Un journaliste a le droit d'aller partout.

— Je suis interne ici. J'ai encore plus le droit d'aller où je veux, mon ami.

Nous marchons un moment sans nous presser, pour ne pas trop attirer l'attention des espions (faut jamais trop faire), en direction de la morgue.

— Tu vois tous ces malades…

En effet, j'en vois tout le long de notre route, le visage en douleur. Les grimaces de la souffrance.

— Laisse-moi te dire que ce sont de faux malades.

— Ils ont l'air tellement vrais.

— Bien sûr, ils ont besoin de soins, tout le monde a besoin de soins dans ce pays, mais ils sont en service commandé.

— C'est dingue, cette histoire ! Ce n'est pas ici que le gouvernement devrait placer ses sbires. Si j'étais lui, je ferais plutôt ceinturer les quartiers pauvres. Gasner connaissait tous les miséreux de cette ville.

— Merde ! lance le jeune interne d'un ton rageur, pendant que j'étudiais tranquillement durant toutes ces années, ce type tentait de changer quelque chose dans le pays.

— C'était un journaliste.

— Avec une conscience.

— Et toi, tu es un médecin avec une conscience aussi, je suppose.

Il me regarde un moment, silencieusement, l'air de réfléchir très profondément.

— Moi, tout ce qui m'intéresse, c'est d'aller soigner les vieux riches de la Floride, de me faire une montagne d'argent avant de revenir bâtir un château ici, sur la montagne Noire…

— Arrête ton cinéma. On veut tous un château sur

la montagne Noire. De toute façon, Gasner aurait adoré faire médecine. Le problème est que ça exige trop d'efforts, et Gasner était trop impatient pour de si longues études. Son corps est encore chaud et vous voulez déjà en faire un mythe.

Un temps.

— Oui, mais il est mort et moi je suis bien vivant.

— La mort de Gasner, mon vieux, n'a rien à voir avec le fait que tu deviendras un riche médecin en Floride. Il voulait que les gens soient bien informés de ce qui se passe dans leur pays, et il y a un prix à payer pour cela…

Le jeune interne se retourne pour me regarder en face. Je continue à marcher comme si de rien n'était. Je ne croyais pas un mot de tout ce que je venais de dire, mais je n'allais pas laisser passer l'occasion de botter le cul à quelqu'un qui barbote dans l'angoisse à bon marché et qui, quand il roulera en BMW, s'empressera d'oublier notre conversation.

— Voilà, c'est ici, dit-il d'une voix pâle.

Brusquement, je n'ai plus envie de voir Gasner dans sa boîte de glace.

— Merci, dis-je en retournant sur mes pas.

— Tu ne restes pas ? Je peux te le faire voir.

— Non, le type que j'ai connu ne se couchait même pas pour dormir. Du coup, je n'ai pas envie de le voir dans une de vos petites boîtes qui sentent le formol…

Il me jette un regard froid de professionnel.

— Tu as peur ?

Mon sang n'a fait qu'un tour. Je l'ai attrapé à la gorge.

— Arrête… Lâche-moi, tu es fou !

— Gasner n'est pas ici, je hurle. Il n'est pas ici, tu m'entends ? Sais-tu ce qu'il fait en ce moment ? Il fait ce qu'il aime le plus au monde : il marche dans la ville. Son corps est peut-être couché dans cette boîte, mais son esprit est ailleurs. Il parcourt la ville. Je peux même te dire où il est en ce moment. Il descend la rue Bonne-Foi, là où il y a ce petit restaurant où l'on mange un excellent poisson avec du maïs moulu arrosé d'une bonne sauce piquante (mon plat favori), et une large tranche d'avocat. Faut surtout pas oublier la tranche d'avocat. C'est important la tranche d'avocat mais, à voir ta tête, je suis sûr que tu te fous de la tranche d'avocat…

Je devenais hystérique. Je hurlais des stupidités sans desserrer ma main autour de sa gorge. Il a fini par se dégager.

— Tu es fou !

Je m'avance vers lui, les yeux rouges, complètement hors de moi. Il a raison : je suis devenu fou. Le voilà qui détale comme un lapin.

— Hé, ce sera une BMW ou une Mercedes-Benz ? Dur de faire un choix, hein ? Tu prendras les deux, comme ça, pas de danger de te tromper.

Déjà loin, il n'a pas dû m'entendre. Je continue vers la sortie. Les gens que je croise sur mon chemin se retournent vers moi avec un air étrange. Je suis blême de rage contre la mort.

La chasse (2 h 26)

La voiture freine derrière moi. La tête de Jean-Robert sort par la portière de gauche.

— On te cherche partout depuis une heure. On est passés chez toi. Ta mère nous a dit que tu étais à la radio. Et Marcus nous a dit que tu étais parti à la morgue… Monte !

Je monte dans la petite Honda noire, à côté de Carl-Henri. Ce sont mes copains de l'*Hebdo.* On a débuté dans le journalisme ensemble. Nous avons tous à peu près le même âge, sauf Clitandre qui n'a que vingt ans. La petite Honda noire appartient à Jean-Robert, mais nous nous cotisons pour l'essence et les réparations. Quand il y a une panne majeure, c'est notre salaire à tous qui y passe. On ne gagne pas beaucoup à travailler dans un hebdomadaire politico-culturel. Carlo m'a dit que les magazines sportifs offrent un meilleur salaire.

— Qu'est-ce que tu foutais dans la rue comme ça ? me dit Clitandre, assis en avant à côté de Jean-Robert.

— Je marchais.

La petite Honda file à vive allure, comme si on prenait en chasse une voiture beaucoup plus puissante que la nôtre. Mais il n'y a aucune voiture devant. Nous sommes complètement seuls dans la rue.

— Tu allais où ? me demande cette fois Carl-Henri d'une voix très douce.

Carl-Henri ne perd presque jamais son calme. Quand il est nerveux, son nez se couvre instantanément de gouttelettes de sueur, c'est tout.

— Tu veux savoir ce que je faisais ? Je marchais, je marchais, je marchais… Est-ce qu'il y a quelqu'un d'autre ici qui veut savoir ce que je faisais ?

— Calme-toi, mais calme-toi, me lance Jean-Robert tout en continuant à pousser le moteur à fond.

Il prend les virages sans lever le pied de l'accélérateur. Ce type est un vrai paquet de nerfs. Clitandre, comme toujours, fait semblant de réfléchir. Au fond, il dort. Les rues sont désertes. Dès qu'ils ont entendu la nouvelle de l'assassinat de Gasner, les gens se sont dépêchés de rentrer chez eux.

— Où va-t-on ? je demande.

Personne ne répond.

— Quelqu'un peut-il me dire où l'on va ?

Silence total dans la voiture.

— Alors, je descends.

Je tente d'ouvrir la portière de mon côté, au moment où la voiture allait aborder un dangereux virage.

— T'es fou ou quoi ! me lance Jean-Robert sans ralentir une miette.

La petite Honda déborde légèrement pour grimper une seconde sur le trottoir. Jean-Robert donne un brusque tour au volant afin de replacer la voiture au centre de la rue. On finit par s'arrêter devant le cinéma *Paramount.*

— Tu veux mourir ? me demande un Jean-Robert rouge de colère.

— Qu'est-ce que tu veux dire ?

— Tu ne sais pas qu'en ce moment il n'y a que des tueurs dans les rues, et tu te promènes comme ça. Tu joues à la cible ? Tu veux vraiment crever ?

— Et vous autres, qu'est-ce que vous faites dans les rues ?

— On est à la recherche de quelqu'un qui connaît le type qui a tué Gasner, jette Carl-Henri de sa voix calme.

Carl-Henri est le plus réfléchi d'entre nous. Sa voix basse et raisonnable a la faculté de me calmer. Cette fois, elle a sur moi l'effet contraire. Rien n'est plus paniquant que de découvrir qu'un type que l'on croyait calme et raisonnable est en réalité un fou doux.

— Ah, vous connaissez déjà l'assassin, je lance d'une voix que je suppose pleine de sarcasme.

— On suppose qui c'est, marmonne Clitandre sans daigner ouvrir les yeux.

— Et c'est qui ?

— Bon, ils étaient plusieurs, dit Jean-Robert, mais il y a sûrement un type dans le groupe que Gasner connaissait bien, sinon il ne serait jamais monté dans la voiture...

— Ah bon ! dis-je, complètement éberlué. Il était monté dans une voiture !

— Bien sûr, répond précipitamment Jean-Robert, afin de ne permettre à personne d'autre le soin de livrer une information si capitale. Sinon, comment aurait-il pu se retrouver sur cette plage déserte ?

— Peut-être qu'on l'a simplement forcé à monter dans la voiture... Je vois bien la scène : ils s'arrêtent près de lui, descendent promptement de la voiture et, revolver au poing, l'obligent à venir avec eux.

— Non, dit Clitandre, toujours les yeux fermés. Gasner ne serait pas monté dans la voiture, même sous la menace d'une mitraillette, et ils auraient été obligés de le tuer sur place.

C'est tout à fait juste quand on connaît le tempérament impulsif et colérique de Gasner. Il n'obéissait à personne, encore moins sous la menace d'une arme. Il y a des types comme ça. Moi, je suis plutôt lâche.

— Oui, tu as raison, Clitandre. Mais supposons qu'ils l'aient tué sur place avant de l'emmener là-bas, sur cette plage.

— Écoute, crache un Jean-Robert complètement excédé, tu veux venir avec nous ou non ? Tu te décides maintenant.

S'écoule un temps relativement bref.

— C'est non.

— D'accord, dit Jean-Robert sur un ton glacial. C'est ta décision.

Je m'apprêtais à descendre de la voiture quand Carl-Henri me touche légèrement l'épaule droite.

— Et pourquoi tu ne veux pas venir avec nous ? me demande-t-il, un brin de tristesse dans la voix.

— Écoutez, les gars, vous pouvez penser ce que vous voulez de moi, mais je ne crois pas à votre truc. Je pense que vous ne faites que remuer de l'air pour ne pas rester sans rien faire face à un tel drame. Je vous comprends mais ce n'est pas mon affaire.

— Ceux qui ont peur, crache Jean-Robert sur un ton fielleux, trouvent toujours de bonnes raisons pour se défiler.

— Toi, t'as de la chance de ne pas connaître la peur, dis-je en claquant la porte.

Carl-Henri me fait un sourire triste et amical. Clitandre n'a toujours pas ouvert les yeux. Celui-là mourra sans prendre la peine d'ouvrir les yeux pour accueillir la mort. Jean-Robert fait démarrer la voiture en trombe. Je regarde un moment la petite Honda noire filer toute seule sous le soleil implacable de ce jour maudit. Le jour de la mort de Gasner. Je viens de me séparer d'un groupe de copains avec qui j'ai contribué, d'une certaine manière, ces dernières années, à changer le visage de la presse haïtienne. J'applaudis leur tempérament, mais je suis trop lâche pour me précipiter sans analyse préalable dans ce qui est visiblement un piège à rats. Qui nous dit que le massacre est terminé ? La mort de Gasner n'est peut-être qu'un signal pour un bain de sang national.

Un billet d'amour (2 h 58)

Je suis entré machinalement dans l'édifice un peu vétuste du Lycée des jeunes filles. Le Conservatoire d'art dramatique emprunte les locaux du lycée, le soir, après les classes, pour les répétitions théâtrales. Mlle Paret, la secrétaire, comme dans tous les vaudevilles, est amoureuse du directeur du Conservatoire. Tout le monde est au courant de cet interminable feuilleton. Mlle Paret (elle insiste pour qu'on l'appelle mademoiselle, malgré ses soixante ans bien sonnés) me fait un pâle sourire. Je suis debout en face d'elle, attendant qu'elle ait fini d'écrire son fiévreux billet d'amour à M. Résil. Même le dernier arrivé ici connaît cette écriture pointue. Les lettres sont serrées les unes contre les autres comme si elles avaient peur d'avoir froid. Elle écrit d'un jet, sans rature. Finalement, elle signe d'un trait rageur, où se trouve concentrée toute sa frustration, Belinda. D'autres fois, il lui arrive de signer simplement Bébé. Faut dire que pour nous, les étudiants du Conservatoire, et cela depuis toujours, elle est la Rose Fanée, du titre de ce poème qui lui a permis de gagner le premier prix du Conservatoire il y a plus de quarante ans. Elle plie, comme toujours, le billet en quatre avant de vous le donner. Elle a quatre ou cinq messagers qu'elle appelle ses pages. Je suis l'un d'eux.

— Remettez-le en main propre à M. Résil. C'est une note à propos de la répétition d'hier.

M. Résil s'est contenté de la rouler en boule avant de la lancer au panier. Quelle vie cruelle ! Gasner est mort et Mlle Paret, qu'il aimait bien, continue à tricoter ses billets doux pour un M. Résil qui ne prend même pas la peine de les lire. Étant un des pages choisis par Mlle Paret, je connais parfaitement la pièce mais, je ne sais pas pourquoi, je me sens ému, aujourd'hui, jusqu'aux larmes. Alors que je n'en ai pas encore versé une seule sur la mort de Gasner. Peut-être est-ce la mort de Gasner (je dois répéter cette nouvelle plusieurs fois pour me convaincre de sa véracité) qui me rend si sensible. Je n'avais jamais trouvé émouvant le petit manège de Mlle Paret et là, je ne sais plus sur qui je pleure. Est-ce sur l'existence de Mlle Paret ou sur la mort de Gasner ? Je ne sais même pas qui mérite des larmes. Gasner qui a eu la tête fracassée ce matin, ou Mlle Paret dont on piétine le cœur, ici, depuis plus de trente ans. Des générations d'étudiants du

Conservatoire se sont moquées de Mlle Paret, dont le seul tort est d'aimer sans être aimée en retour. M. Résil se ridiculise lui aussi en faisant la cour discrètement (ce qu'il croit), chaque année, à une nouvelle fille. Je ne sais pourquoi l'action de M. Résil paraît, aux yeux des étudiants, moins ridicule que celle de Mlle Paret. Peut-être que le fait que Mlle Paret soit follement amoureuse d'un homme ridicule la rend-elle doublement ridicule. La seule question qui reste est celle-ci : quelqu'un qui aime peut-il être ridicule ? Pourquoi l'amour semble-t-il parfois ridicule, tandis que la mort ne l'est jamais ? Je suis donc allé, en présence de M. Résil, ramasser le billet doux du panier.

— Donnez-moi ça, dit-il.

— Non.

— C'est à moi.

— Ce n'est plus à vous, monsieur.

Qu'est-ce qui m'a pris d'affronter M. Résil ? Il fut, il y a quelques années, mon professeur de théâtre le plus passionné. Je lui garde encore un peu de respect de m'avoir fait connaître Musset, son favori. Et puis, ce n'est pas mon style d'affronter ainsi les gens, surtout quelqu'un d'assez respectable. J'analyse sans arrêt les gens, il est vrai, mais je porte rarement un jugement définitif sur eux. Disons que je n'en tire aucune conséquence. Suis-je lâche ? Peut-être, mais je sais aussi que je suis capable de grande colère en présence de ce que je pense être une injustice. Je déteste l'ironie, le sarcasme, ou qu'on se moque des gens dans leur dos. Ce trait de caractère, je le tiens de ma grand-mère. Pour elle, c'est simple : tout ce qui se fait dans la lumière est un acte de courage, et ce qui se fait dans l'obscurité ne peut être que de la lâcheté. Malgré toute cette éducation assez stricte sur la manière de se conduire dans la vie, il m'arrive très rarement d'oser affronter les gens face à face. Je ne suis pas un timide. Simplement, je n'aime pas lire la peur ou la lâcheté dans les yeux de mon vis-à-vis. Aujourd'hui, c'est plutôt exceptionnel, j'ai l'impression de devenir enragé. En un seul après-midi, j'ai attrapé un interne par le collet ; ensuite, j'ai confronté mes bons camarades de l'*Hebdo* ; et maintenant, j'attaque M. Résil sur une affaire qui ne regarde *a priori* que lui et Mlle Paret.

— Donnez-moi ce papier, jeune homme.

Il connaît parfaitement mon nom. Je déteste les gens qui, au moindre différend qui vous sépare d'eux, font immédiatement semblant d'ignorer jusqu'à votre nom.

— Ce billet doux (je veux lui faire sentir que je sais bien de quoi il s'agit) ne pourra jamais être à vous, monsieur, dis-je en le regardant droit dans les yeux.

Finalement, il baisse les yeux. Suis-je en train de changer de caractère ? Suis-je en train de devenir un redresseur de torts ? Suis-je en train de me transformer en Gasner ?

— Vous pouvez me le donner.

Son ton est beaucoup plus doux et ses yeux un peu tristes.

— Est-ce vraiment à vous ? je demande, pour ne pas céder trop rapidement même à la tendresse.

Il me tend simplement la main.

— Oui, il est à moi.

Je lui tends le billet et il le caresse un moment de la paume avant de le glisser dans sa poche.

Le duel (3 h 21)

J'ouvre cette porte avec douceur et tombe en pleine répétition de la pièce de Musset : *Il faut qu'une porte soit ouverte ou fermée.* C'est très léger et en même temps grave, Musset. Du champagne qui grise d'abord pour attrister ensuite. C'est aussi très difficile à jouer. On peut passer à côté si aisément. Il règne une excitation constante dans le théâtre de Musset. Et l'énergie ne doit jamais tomber. L'ivresse de la vitesse. Et aussi cette gaieté presque factice à cause de la tristesse sous-jacente. On marche toujours sur la corde raide avec Musset. C'est la pièce préférée de Mlle Paret. Quand on la joue, elle est toujours assise au premier rang. J'aime bien Musset. J'aime son mystère féminin. Au Conservatoire, ce sont plutôt les femmes qui aiment Musset. De même que Chopin, avec qui on le compare souvent. Trop féminin pour les mecs. Alors que c'est ce qui m'attire chez eux. Cette finesse d'esprit et de cœur. Je connais ce ton. J'ai été élevé par des femmes un peu excitées, toujours en attente de quelqu'un ou de quelque chose. C'est un univers très raffiné. De plus, Musset c'est la France. Je suis imbibé de culture française : raffinée, élégante, luxueuse, bien que la France ne soit pas bien vue en Haïti depuis quelque temps. La nouvelle génération veut retrouver ses racines. « Le français est plutôt un carcan pour nous, disent mes copains. C'est une langue qui ne sert qu'à nous aider à grimper l'échelle sociale. On parle français pour faire savoir à notre vis-à-vis qu'on n'est pas n'importe qui. Maintenant, on veut autre chose d'une langue. Un rapport différent. Plus authentique. » Authenticité : le mot est lâché. Auparavant, le français ne servait qu'à bien montrer qu'on était allé à l'école, qu'on avait été formé par une culture universelle, qu'on était quelqu'un de civilisé. Maintenant, on veut autre chose. Quelque chose de plus proche de nous. On veut aussi se retrouver entre nous dans une émotion vraie. On veut retrouver nos racines, notre culture et d'abord notre langue. C'est le débat de ma génération. Alors, Musset et sa musique si française ne conviennent plus. Mlle Paret continue, malgré tout, à nous l'imposer, avec bien entendu le soutien de quelques amateurs éclairés. J'ai toujours aimé Musset, et je l'ai défendu même durant la période la plus noire de « l'authenticité », cette variante de l'indigénisme. Mais que peut-on face à un raz-de-marée ? La seule chose raisonnable à faire est de laisser passer cette violente vague en se disant que Musset reviendra. Il y a à peine cinq ans, l'annonce de la répétition générale d'une pièce de Musset aurait suffi à remplir la salle d'une bande d'étudiants affamés de fantaisie, de poésie et de légèreté. On connaissait par cœur les répliques brillantes de ce jeune homme si doué. On arrivait même à s'identifier à Musset : sa beauté, sa grâce, son élégance et son esprit si terriblement fin. On sortait d'une pièce de Musset la joue toute chaude, comme si on venait de se faire gifler durant plus d'une heure. Les vieux aimaient Hugo. Nous, on adorait Musset. C'était une musique qu'on pouvait plus aisément comprendre. Aujourd'hui, la même excitation emplit une autre salle, celle où l'on joue *Antigone* en créole. Malheureusement, la répétition de la pièce de Sophocle se fait à huis clos, à cause de ce difficile problème. L'acteur qui joue Créon a été hospitalisé, hier soir, pour une grave angine de poitrine. Il paraît qu'Ézéquiel va tenter de le remplacer, comme ça, à pied levé, sans avoir jamais lu la pièce auparavant. Cette pièce a été adaptée en créole par le poète Félix Morisseau-Leroy, qui avait fait, il y a une vingtaine d'années, le pari public de prouver que le créole était une langue si complète qu'elle pouvait exprimer les sentiments puissants qui traversent l'une des œuvres les plus complexes du théâtre universel. Et cela fait des années qu'on n'avait pas joué, dans cette ville, l'histoire de cette ardente jeune femme qui a affirmé en face du pouvoir politique et de tous les pouvoirs que seul l'amour l'intéressait, que l'amour était au-dessus du devoir d'État, que l'amour est plus fort que la loi. L'amour d'une sœur pour son frère, d'une mère pour son fils, ou d'un homme pour une femme. Cette pièce avait rapidement trouvé sa niche dans notre répertoire national mais, à cause de son caractère hautement subversif et à cause aussi de la condition d'exilé de l'auteur (il aide Senghor, au Sénégal, à monter un théâtre national), *Antigone* n'a pas été jouée, ici à Port-au-Prince, depuis près de vingt ans. Morisseau-Leroy, où qu'il soit en Afrique en ce moment (c'est un voyageur impénitent), doit être loin de se douter que des jeunes gens audacieux et passionnés, au mépris de tous les dangers, sont en train de faire revivre son *Antigone*. Pour nous, la référence, ce n'est pas Sophocle, mais plutôt Morisseau-Leroy qui a placé la pièce du dramaturge grec dans la paysannerie haïtienne, ce qui lui donne tout son sens pour nous. Vaudou et paysannerie sont au goût du jour. Ce sont les étudiants de troisième année qui ont découvert *Antigone* et l'ont imposée à M. Résil. Voilà donc que se font face, ici même au Conservatoire national, le créole et le français. Musset face à Morisseau-Leroy. Ou plutôt Mlle Paret contre la nouvelle génération. La répétition de la pièce de Musset se passe bien. On l'a si souvent jouée ici. Pour ma part, je trouve la mise en scène un peu maniérée. Elle aurait pu être plus rapide, plus moderne. Musset est un esprit si vif. Il ne faut pas jouer Musset avec le pied sur le frein, mais plutôt sur l'accélérateur. Avec, bien entendu, de brusques coups de frein, pour mieux faire sentir la vitesse, le danger, la griserie. Je dois admettre quand même que ça roule bien, alors que de l'autre côté, c'est la pagaille. Perdre l'un des acteurs principaux le jour de la première n'est pas pour rassurer une troupe d'étudiants qui tente déjà une expérience assez dangereuse. Si on échoue, on risque de ne plus pouvoir monter, avant longtemps, une pièce en créole au Conservatoire. Disons, pas avant la prochaine génération. Tout le monde est sur les dents. Une activité fébrile envahit même les jardins du Lycée des jeunes filles. Dans certains groupes, plutôt pessimistes, on discute déjà des répercussions d'un possible échec. Personne ne parle de l'assassinat de Gasner. Je me demande s'ils sont au courant. Ce n'est pas possible qu'ils ignorent un tel événement. Tout le pays en parle. Font-ils semblant de l'ignorer pour pouvoir se concentrer sur la pièce? Ils sont enfermés ici depuis l'annonce de l'internement, pour cette angine de poitrine, du comédien qui joue Créon, le roi intraitable jusqu'à l'aveuglement. Ils veulent qu'*Antigone* soit malgré tout un succès. C'est important pour le créole et la culture haïtienne. Ils n'entendent pas lâcher la main que nous tend, par-delà les siècles, le vieux Sophocle. Je ne comprends pas comment on peut encore parler d'authenticité quand c'est un vieil auteur qui, par l'entremise de Morisseau-Leroy, nous permet de comprendre les rapports complexes du pouvoir dans la paysannerie haïtienne. Sophocle était peut-être un paysan haïtien. En tout cas, il a l'air d'en savoir, à propos de ma culture, beaucoup plus que moi. Peut-être qu'il n'y a pas une si grande différence entre ma culture et la sienne. Chaque fois que j'essaie de poser le problème sous cet angle, on m'accuse d'être un vendu qui refuse d'accepter la spécificité authentique de la culture haïtienne. Sommes-nous si différents des autres? Généralement, après une telle question, on me tourne le dos et je me retrouve dans ma situation préférée : seul.

Le passeport (3 h 48)

Je trouve ma mère debout sur la galerie, ce qui est exceptionnel.

— Qu'est-ce qui se passe, maman ? Tu sors ?

— Non… Je viens plutôt de rentrer… Et j'ai quelque chose d'important à discuter avec toi.

Elle se dirige vers sa chambre. Je la suis docilement. Nous nous assoyons sur le bord du lit toujours bien fait de ma mère. Je me tiens sur la pointe des fesses, faisant bien attention à ne pas trop froisser le drap blanc immaculé.

— Tu as appris la nouvelle, maman ?

J'attendais un peu avant de lui faire part de la mort violente de Gasner, étant certain qu'elle allait faire un lien entre Gasner et moi. Ce qui est normal puisque nous sommes toujours ensemble.

— Oui, dit ma mère d'une voix sèche.

Elle fait un rapide signe de croix.

— Pauvre femme...

— Je parle de Gasner, maman.

— Je pense à sa mère.

Au lieu de m'identifier à Gasner, comme je m'y attendais, elle s'identifie à la mère de Gasner. C'est tout à fait étonnant de sa part. Brusquement, elle ouvre son sac pour sortir un passeport neuf.

— Qu'est-ce qui se passe, maman ? C'est à qui, ce passeport ?

— Tu pars demain matin.

— Comment ça ?

Mes mains commencent à trembler, signe de grande nervosité chez moi. Le sourire douloureux de ma mère.

— Dès que j'ai appris la nouvelle, Vieux Os, je me suis rendue au bureau du colonel César pour savoir ce qui se passe.

Ma mère peut passer des jours, assise sur la galerie dans un état de prostration totale, mais, à la moindre alerte, elle est capable de remuer Port-au-Prince de fond en comble pour me sortir de n'importe quel guêpier.

— L'as-tu vu ?

— Il avait donné l'ordre qu'on ne le dérange pas. C'est ce que m'a dit l'officier de service, que je connaissais bien pour l'avoir souvent vu près de la cathédrale. Je lui ai demandé si je pouvais attendre le colonel. Il m'a fait comprendre que ce n'était pas possible. Je suis allée quand même m'asseoir sur le petit banc contre le mur. On m'a offert du café, mais je ne pouvais rien avaler. Ma gorge était trop serrée. À un moment donné, l'officier a dû sortir pour aller régler une affaire au quartier général et j'ai pu me faufiler jusqu'au bureau du colonel.

— Qu'est-ce que tu lui voulais, maman ?

— Laisse-moi finir... Quand je suis apparue devant lui, il semblait interloqué, mais il m'a souri tout de même. Je lui ai dit que je n'aurais jamais osé le déranger si ce n'était pas pour une affaire d'extrême importance. Une question de vie ou de mort. Il m'a regardée étrangement. Je lui ai alors parlé de cet assassinat et lui ai demandé carrément si tu étais en danger. Il m'a dit qu'il était étonné d'apprendre que tu écrivais dans un journal qui attaque le gouvernement.

— Maman, il sait cela depuis longtemps.

— Je sais... Finalement, après que je l'aie supplié, il a fait quelques coups de téléphone à droite et à gauche, a hurlé quelques ordres brefs, pour finir par recueillir toute l'histoire.

— C'est du théâtre, maman.

— Non, il m'a dit qu'il revient de voyage et qu'il

n'était pas du tout au courant de cette histoire. Est-ce vrai ? Je ne le sais pas et je n'ai pas cherché à le savoir. Seul ton sort m'intéressait.

— Je vais te dire. S'il ne savait pas que des hommes du gouvernement ont reçu l'ordre de massacrer pour ensuite jeter sur une plage comme un chien le journaliste le plus aimé des gens du peuple, à cause de son caractère intrépide, je regrette, maman, mais s'il ne sait pas cela, c'est qu'il est lui-même en danger.

Ma mère me regarde avec étonnement.

— Dans ce milieu, maman, il n'y a pas de hasard : si vous ne savez pas, c'est que vous avez été mis à l'écart.

Long soupir de ma mère.

— Il m'a finalement avoué que tu courais un danger mortel, qu'il y avait une liste d'ennemis du gouvernement à abattre, que tu étais un des premiers sur cette liste et qu'à ce stade il ne pouvait rien pour toi, donc qu'il fallait que tu partes le plus vite possible. Je lui ai dit que ça ne pouvait qu'être une erreur puisque, comme tu me l'as toujours dit, tu ne te mêles jamais de politique. Il m'a répliqué que, du moment que tu étais sur la liste, ça n'avait aucune importance que tu sois innocent ou coupable.

— Il a raison sur ce point.

— Il a terminé en disant que la seule chose qu'il pouvait faire pour moi, c'était de te faire obtenir un passeport confidentiel.

— C'est quoi, un passeport confidentiel ?

— C'est comme un sauf-conduit. C'est un passeport légal, sauf qu'il n'est pas enregistré au ministère de l'Intérieur. Il croit que c'est à cause de ton père que tu t'es retrouvé sur cette liste.

— Comme il dit, maman, ça n'a aucune importance de savoir pourquoi on se retrouve sur une liste. Je pars quand ?

— Je te l'ai déjà dit, chéri, demain matin.

Ma mère s'arrête brusquement de parler, totalement essoufflée, comme si elle venait de grimper le morne Nelhio.

— Et qui d'autre est sur leur liste ?

— Je ne le lui ai pas demandé.

— Maman ! Mes amis y sont peut-être.

— C'est une liste secrète. Il m'a bien fait comprendre que tu ne dois dire à personne que tu pars. C'est très important, Vieux Os. Il disait que sa propre vie pouvait être en danger à cause du passeport qu'il t'a préparé. Tu comprends, c'est très important : personne ne doit savoir que tu pars demain.

Un long moment de silence.

— Je me demande qui d'autre se trouve sur la liste.

— Tu n'y peux rien. On ne sait pas. Et si tu en parles, encore beaucoup plus de gens seront en danger. Peut-être que je ne suis pas la seule à faire une telle démarche. Peut-être que les autres sont au courant aussi et qu'ils ont des contacts dans le gouvernement. Tu verras qu'eux aussi ne te diront rien.

— Arrête, maman. Je ne peux pas me sauver seul. Je ne le pourrais tout simplement pas.

Le visage émacié de ma mère.

— Fais-le pour moi. S'il t'arrivait la moindre chose, je crois que je ne pourrais pas te survivre.

— C'est la même chose pour les autres mères, maman.

— Je le sais, mais j'ai juré au colonel, en ton nom, que personne ne saurait par ta bouche que tu pars demain matin.

Les larmes silencieuses de ma mère.

— D'accord, maman. Personne ne saura rien. Du moment qu'ils ne courent aucun danger.

— Qu'est-ce que tu veux dire ? me demande-t-elle sur un ton anxieux.

— Maman, si j'apprends qu'un de mes amis court un danger mortel, je regrette mais aucun serment ne m'empêchera de l'en avertir.

Elle me regarde un long moment dans les yeux avant de me caresser légèrement le bras gauche. C'est sa manière pudique de me manifester sa tendresse. Ma mère ne me touche presque jamais.

L'accent (3 h 59)

Ayant toujours eu le don des langues, mon père a appris assez vite quatre ou cinq langues. Il lui arrivait de parler à ma mère dans une langue qu'elle ignorait. Au début, cela la faisait rire. Cette musique si nouvelle à ses oreilles. Cet homme si nouveau aussi car, quand mon père s'exprimait dans une nouvelle langue, il changeait automatiquement de personnalité. Ma mère me chuchotait en riant : « Ton père me parle dans une langue que je ne comprends pas, et il ne le sait pas. » Un morne dimanche soir de juin, la voix de mon père perdit complètement son pouvoir de séduction. Malgré ses efforts désespérés, sa nouvelle voix, agrémentée de tant d'accents, n'arrivait plus à toucher ma mère. Même en parlant créole, mon père ne parvenait pas à se délester de cet étrange accent qui est le résultat d'une accumulation d'accents différents. Sans le savoir, il avait attrapé un accent mortel, comme d'autres attrapent une maladie infectieuse. Ce fut la fin. Mon père était devenu un étranger pour ma mère. Sa voix n'opérait plus. Elle ne le reconnaissait plus. Ce son ne pouvait sortir que d'un corps inconnu de ma mère. Elle ne reconnaissait plus son tambour venu du fond du corps. Le son du corps de mon père lui était devenu étranger, pour ne pas dire hostile. Un bruit ennemi. Je revois le visage effaré de ma mère au moment de ce drame. Ils ne vivaient plus dans le même bain sonore. Ils n'étaient plus sur la même longueur d'onde. La voix, c'était la dernière chose qui leur restait. La douleur inconsolable de ma mère. La folle dérive de mon père commença à cet instant précis. Mon père n'avait plus aucun repère dans le monde.

Le choix (4 h 03)

Avec Papa Doc au pouvoir, il est périlleux de garder contact avec un exilé. L'exilé est l'ennemi personnel de Duvalier. Et Duvalier, c'est l'État. Il s'identifie même au drapeau national. (« Je suis le drapeau haïtien, un et indivisible. ») On risque tout avec un malade pareil. C'était déjà un miracle qu'on n'ait pas encore jeté notre famille en prison. Bien sûr, il y a une raison à ce miracle. Si ma mère n'a pas été inquiétée, c'est surtout parce qu'elle ne se mêle jamais des affaires des autres, encore moins de celles de Papa Doc. Ma mère est quelqu'un d'extrêmement réservé, pudique, modeste. On n'entend presque jamais sa voix. Elle va travailler le matin vers huit heures, un peu après que la maison se soit complètement vidée, et ne revient que vers six heures du soir. Elle se lève tôt le matin, va assister à la messe à l'église Sainte-Anne ou à Saint-Gérard, et ne rentre que pour préparer le déjeuner avant d'aller à son travail aux archives de la mairie. Voilà le trajet de ma mère, du lundi au vendredi. Le samedi est jour de grande lessive. Elle nettoie la maison de fond en comble tout en chantant *Angelina*, sa chanson préférée. Vers dix heures, Mme Lucien, sa bonne amie, passe la chercher pour aller prier avec un groupe de veuves à la montagne Noire. Elle passe toute la journée là-bas et ne revient que tard le soir. Le dimanche, elle va à la messe à la cathédrale et passe le reste de l'après-midi au lit avec une boîte de carton pleine de photos jaunies. Voilà la vie de ma mère depuis le départ de mon père. Malgré cette vie monacale, ma mère aurait pu avoir des problèmes avec les sbires du régime si mon père n'avait pas quelques amis haut placés dans le gouvernement (notamment ce colonel César, un vrai tueur, qui a procuré à ma mère le passeport confidentiel qui me permettra de sortir de ce piège à rats) qui nous protégeaient discrètement. L'autre problème, c'est que je porte le même prénom que mon père. À tout moment, on pouvait craindre qu'un tonton macoute zélé et stupide puisse confondre le fils et le père, et me brûler la cervelle en pleine rue comme il est recommandé de le faire avec tout ennemi notoire du dictateur. Je n'avais que cinq ans et cette menace pesait déjà sur moi. À un certain moment, ma mère a senti le souffle de la bête pas loin de ma nuque. Un sentiment plutôt diffus. Pas clair. Indéterminé. Sans vrai signe avant-coureur. La dictature commençait à bien s'installer. Un certain calme (la paix du cimetière) régnait dans le pays. La panique de ma mère relevait uniquement de l'instinct maternel. De toute façon, le Palais national (par ses espions qui s'infiltraient déjà partout) était au courant des conversations téléphoniques du dimanche soir de ma mère. Et si on n'avait pas réagi, c'est tout simplement parce que ma mère ne représentait aucun danger. Une frêle femme qui ne se mêlait jamais des affaires des autres. Mais il suffisait qu'un agent SD (la police secrète de la préfecture) me découvre (l'héritier mâle d'un dangereux exilé) pour qu'on se retrouve à Fort-Dimanche, l'effroyable prison où le dictateur fait mourir à petit feu ses opposants ou toute personne s'étant placée en travers de son chemin. Une voisine a fait comprendre à ma mère que je courais un grave danger. Elle lui a expliqué qu'on pourrait s'emparer de moi afin d'obliger mon père à se constituer prisonnier. C'était une pratique courante, mais ma mère ne le savait pas. « Que dois-je faire ? » se lamentait-elle. Je l'entendais pleurer des nuits entières. Il lui fallait prendre l'ultime décision de sacrifier un des deux seuls hommes de sa vie. Sous peine de perdre les deux. En clair : pour sauver l'un, il lui faudrait sacrifier l'autre. Mais qui ? Ma mère n'a aucunement peur de mourir, mais était-elle prête à assister à l'agonie de son fils ou à la disparition définitive de son mari (ce qui se passerait sûrement si elle coupait le cordon téléphonique) ? Et pour cela, elle n'aurait qu'à ne pas répondre au prochain appel téléphonique. Mon père et ma mère avaient convenu, pour des raisons de haute sécurité, que si un jour ma mère venait à manquer à un appel, il ne devrait plus jamais la rappeler. Ma mère n'arrivait pas à dormir. Elle passait ses nuits à faire les cent pas dans la petite chambre où l'on s'était réfugiés, rue Magloire-Ambroise. Elle parlait toute seule, gémissait quand elle me croyait endormi et maudissait Dieu de l'avoir placée devant un tel dilemme. Au matin, le problème n'avait pas bougé d'un poil, malgré les pleurs et les prières de la nuit. Toujours ce choix intolérable : son mari ou son fils. L'effroyable dimanche de la décision arriva. Ma mère s'enferma dans la petite chambre tout l'avant-midi. Elle n'a même pas voulu ouvrir la porte à tante Renée qui lui avait préparé un bol de soupe fumante, son repas favori. Vers la fin de l'après-midi, elle sortit sans rien dire à personne. Elle revint assez tard, juste à temps pour l'appel téléphonique du dimanche soir. Tante Renée s'interposa au moment où elle partait chez Mme Ambroise attendre le coup de fil hebdomadaire.

— Si tu continues à les provoquer en gardant le contact avec un exilé, ils vont s'en prendre à ton fils.

Ma mère ne répond pas.

— Écoute, Marie, ton fils en grandissant va ressembler de plus en plus à son père, alors que dans vingt ans tu risques de ne plus reconnaître ton mari si tu le croises dans la rue.

Le douloureux quart de sourire de ma mère.

— Et alors ?

— Tu as tout à gagner, Marie. Épargner Vieux Os, c'est choisir les deux.

— Comment ça, les deux ?

— Ton fils et ton mari à la fois. Tu pourras retrouver plus tard ton mari dans ton fils quand celui-ci aura l'âge qu'a son père aujourd'hui.

— Tu as déjà dit ça, Renée.

— C'est ton fils qu'il faut protéger, Marie. C'est lui qui est le plus en danger. C'est lui qui vit dans la tanière de la bête.

— Ne crois pas cela, Renée, finit par dire ma mère d'une voix blanche. Sans ses appels téléphoniques, il deviendra fou sous peu.

Un long moment de silence dans la pièce. Les deux sœurs se font face.

— De toute façon, jette ma mère d'un ton sec, j'ai vu le colonel César tout à l'heure.

— Et...

— Il m'a confirmé que le Palais national est bien au courant de mes conversations téléphoniques et qu'il me faudrait faire un choix.

— Tu vois ce que je t'avais dit ! jubile tante Renée.

— Arrête, Renée, tu me soûles. Comme je n'arrêtais pas de pleurer, il m'a essuyé les larmes et m'a dit qu'il y avait peut-être une autre solution, mais qu'il fallait que je sois raisonnable.

— Tu me mets sur des charbons ardents, Marie.

— Eh bien, il m'a dit…

— Tu veux me rendre folle, Marie. Que t'a-t-il dit ?

— Si tu n'arrêtais pas de m'interrompre… Je vais te dire exactement ses paroles. Il a dit : « Et si ton fils partait plutôt… »

— Pas question ! hurle tante Renée.

— C'est ce que j'ai cru un moment. Il voulait simplement que j'éloigne Vieux Os de Port-au-Prince. Je vais l'envoyer retrouver Da à Petit-Goâve. Ma mère sera très contente.

Tante Renée reste bouche bée. Visiblement, elle n'avait pas pensé à cette solution. Ma mère en profite pour continuer.

— Il m'a demandé de ne dire à personne où il se trouve. Selon lui, les tontons macoutes son devenus pires que des bêtes sauvages.

— Et lui alors !

— Je sais, Renée, mais c'est lui que Dieu a choisi pour nous protéger.

— Quand doit-il partir ?

— Demain, à l'aube.

— Seigneur ! s'exclame tante Renée sur un ton nettement ulcéré, ce n'est qu'un enfant et il doit déjà partir en exil. Quel pays !

— Ce n'est pas un exil, Renée, dit tranquillement ma mère.

— Il n'a que cinq ans. De quoi ont-ils peur ?

— Il va simplement retrouver sa grand-mère.

— Il ne le fait pas de plein gré, Marie. Pour moi, c'est un exil.

Tante Renée me caresse tendrement la tête.

— Mon Vieux Os…

C'est alors que ma mère éclate en sanglots.

Le voyage à Petit-Goâve (4 h 08)

J'ai donc connu mon premier exil à l'âge de cinq ans. À Petit-Goâve, chez ma grand-mère Da. Ma mère m'a conduit très tôt le matin à la Station Sud. Bruits de camions en partance pour la province (Léogâne, Grand-Goâve, Petit-Goâve, Miragoâne, Jacmel, Bainet, Les Cayes, Jérémie, Port-Salut, Torbeck, Saint-Louis-du-Sud, Pestel, Corail, etc.). Foule en sueur. Je suis impressionné par le spectacle des marchandes vantant à tue-tête leurs marchandises. Ma mère me hisse sur le siège avant, à côté du chauffeur (cette place coûte le double du prix normal). Ensuite, elle se dirige vers la portière de celui-ci.

— Gros Simon, je te confie mon fils.

Gros Simon a été à l'école avec ma mère, je veux dire à la même époque. Gros Simon était à l'école nationale des garçons, tandis que ma mère allait chez les sœurs. Gros Simon était un ami de ses cousins.

— Ne t'inquiète pas, Marie.

— Tu le déposes chez ma mère.

— Pas de problème, c'est sur mon chemin, je dois

livrer de la farine chez le Syrien... De toute façon, je passe toujours par la rue Lamarre, devant la galerie de Da.

— Merci, dit ma mère tout en glissant une enveloppe dans la main du chauffeur.

— Tu peux dormir sur tes deux oreilles, Marie.

Ma mère s'amène vers moi, à l'autre portière. Elle grimpe sur le petit marchepied pour se mettre à ma hauteur.

— Tu te souviens bien de ce que je t'ai dit ?

Je ne réponds pas.

— Tu as déjà oublié, mon chéri ?

Je cherche fébrilement dans ma tête et ne trouve rien.

— Écoute bien, alors... Tu ne dois jamais dire ton nom à un étranger, tu m'entends ?

— Oui, maman.

— Les gens pourraient te faire du mal s'ils savaient ton nom.

— Pourquoi, maman ?

— Je t'expliquerai un jour. Maintenant, tu es trop jeune pour comprendre. Plus tard, mon ange.

— C'est pas vrai ! C'est toi-même qui as dit que j'étais un grand garçon.

— Tu as raison, mon ange. Je te promets que je t'expliquerai tout ça un jour.

— C'est pas vrai !

— Tu ne vas pas te fâcher avec ta maman le jour du grand voyage.

— Je ne veux pas partir.

— On a déjà discuté de ça hier soir. Tu sais que tu dois partir. Tu es un grand garçon maintenant.

— Si je suis un grand garçon…

Gros Simon klaxonne joyeusement pour annoncer son départ imminent. J'éclate en sanglots. Ma mère me caresse doucement la tête sans cesser de m'embrasser tout le visage. J'arrive à peine à respirer. Elle me presse contre son sein jusqu'à ce que je commence à tousser. Le camion bouge légèrement. Ma mère me relâche, sourit à Gros Simon. Elle pose un baiser sonore sur mon front avant de sauter par terre. Gros Simon donne quelques coups de klaxon pour essayer de m'amuser. Je ne souris même pas. Je suis fâché avec tout le monde. Vraiment tout le monde sur la Terre. Même ma mère. Je regarde ailleurs. Je regarde n'importe quoi, sauf elle. Chaque fois que je jette un coup d'œil dans sa direction, je la vois encore debout près du camion à me sourire. Je ne veux pas qu'elle me sourie, parce que je suis fâché contre elle. Gros Simon continue à faire klaxonner son camion. Le départ est irréversible. Finalement, je la regarde en m'efforçant de ne pas pleurer. Je suis un grand garçon, c'est ma mère qui l'a dit. Le camion démarre lentement. Tout le monde hurle autour de nous. Les marchandes tentent une dernière vente. Les gens se disent bruyamment au revoir. Ma mère est encore là. Elle me sourit. Je lui fais discrètement un signe de la main. Le camion roule. Ah ! c'est elle qui pleure, je l'ai vue sortir son mouchoir. Moi, je ne pleure pas. Ma mère demeure debout, à la même place, jusqu'à ce que le camion tourne au coin de la rue.

— Pleure pas, mon petit, me dit Gros Simon, tu vas faire un beau voyage et, surtout, tu vas passer de bonnes vacances.

Je n'arrive pas à parler tant je pleure maintenant.

— C'est pas des vacances, je finis par dire entre deux sanglots.

Gros Simon garde le silence pendant un long moment.

— Alors, tu vas retrouver ta grand-mère.

— Je veux ma mère, dis-je de nouveau en sanglotant.

— C'est que tu ne connais pas encore Da !

Je relève la tête.

— Da, c'est ma grand-mère.

— Je sais, dit Gros Simon, mais j'ai le soupçon que tu ne la connais pas encore.

Un oiseau s'écrase contre le pare-brise du camion. Il a l'air sonné, mais il réussit quand même à voler de nouveau. Je l'applaudis.

— Moi, je connais ta grand-mère, dit finalement Gros Simon. Et je parie que dans pas quinze jours, Da et toi, vous allez devenir de vieux complices.

— J'ai connu ma grand-mère quand j'étais bébé.

Le camion commence à grimper le morne Tapion en gémissant comme une chienne en chaleur.

— Tu vois, mon petit, Petit-Goâve se trouve tout juste de l'autre côté. On monte Tapion et, tout de suite après la descente, c'est Petit-Goâve. Et arrivé à Petit-Goâve, on prend la grand-rue jusqu'aux casernes pour tourner à gauche sur la rue Lamarre et s'arrêter au numéro 88. C'est là que Da habite. Et on la voit toujours assise sur sa dodine avec à ses pieds une cafetière remplie de bon café chaud. Et c'est ce qui m'attend tout à l'heure. Une bonne tasse du café de Da.

Il rit, d'un rire grave et sonore, durant toute la descente, lâchant même quelquefois le volant. Je suis terrifié à cause de la falaise que je peux voir sur ma droite. Quelques carcasses de camions gisent tout au fond du gouffre.

— Ne t'inquiète pas, mon petit, je connais cette route par cœur. Je pourrais conduire ici les yeux fermés. Une fois, je me suis endormi au volant et me suis réveillé à l'entrée de Petit-Goâve.

Il se tourne vers moi, fier de son effet.

— Je peux être mort de fatigue, continue-t-il, mais dès que j'arrive à Petit-Goâve, je me sens comme remis à neuf. C'est ma ville. C'est ici que je suis né, et c'est ici que je mourrai.

Il rit de nouveau tout en me caressant la tête. Qu'est-ce qu'ils ont tous à me caresser la tête ? Je ne comprends pas cette manie. Quand je serai grand, j'interdirai à quiconque de me caresser la tête. Je ne caresse la tête de personne, moi.

— Ne t'inquiète pas, mon petit. Notre-Dame protège ce camion. Et n'oublie pas que j'ai une importante mission à accomplir.

— Quelle mission ?

— Eh bien, je dois remettre en main propre son petit-fils à Da. Et je n'ai pas oublié non plus ma tasse de café.

Le soir est tombé tout de suite après la descente du morne Tapion. Gros Simon klaxonne joyeusement (trois coups brefs suivis d'un coup plus long) pour annoncer notre arrivée dans la ville. Je suis enfin à Petit-Goâve.

La photo (4 h 12)

Sur cette photo, mon père a exactement l'âge que j'ai aujourd'hui : vingt-trois ans. La photo n'est pas très bonne. Elle a été prise à contre-jour, sous un grand arbre très feuillu. On voit à peine les traits du visage de mon père, et pas du tout ceux des deux autres qui l'accompagnent. Les trois hommes (environ le même âge) sont debout, les bras ballants, comme s'ils faisaient face à un peloton d'exécution. L'un d'eux sourit radieusement à l'appareil, ce qui élimine tout de suite l'hypothèse de la fusillade. Le visage calme et grave de celui qui est au milieu (mon père). Il n'a rien d'un père. Ce n'est encore qu'un jeune homme passionné par son pays.

— Où sont-ils sur la photo, maman ?

— Quelque part dans les environs de Croix-des-Bouquets. C'était vers la fin du régime du président Magloire. La police les cherchait activement. C'est un ministre de Magloire, un bon ami de ton père, qui les a conduits là-bas.

— Ils lui ont fait confiance ?

— Bien sûr, c'était un ami. Certaines personnes, dont ton père, placent l'amitié au-dessus de tout.

— Ils sont restés là-bas longtemps ?

Ma mère sourit.

— Non, même pas un mois. Ton père enseignait l'histoire au lycée Pétion à l'époque. Il aimait trop les gens, l'agitation de la rue pour rester longtemps dans le maquis. Bon, il ne courait pas non plus un trop grave danger. On était vers la fin du régime de Magloire. Duvalier allait le suivre. Avec Duvalier, ce sera différent. Il ne faut pas croire non plus que Magloire était un mou. Magloire était très dur, mais ce n'était rien à côté de Duvalier.

— Tu étais allée le voir dans son maquis ?

— Oui, une fois seulement. Ton père était un homme qui ne pouvait vivre dans la crasse. Il pouvait passer des jours sans manger, mais il lui était impossible de rester trop longtemps sans changer de vêtements. Je suis allée lui porter du linge propre. Ses compagnons se sont gentiment moqués de lui. Eux, ils auraient préféré de la nourriture.

— Comment cela s'est-il terminé ?

— Comme tout en Haïti : en queue de poisson. Un jour, il en a eu marre et il est rentré à Port-au-Prince. Les autres sont restés là-bas. Ton père était comme ça, un impulsif. Il a repris son cours d'histoire au lycée, et personne ne lui a rien dit. Le gouvernement faisait semblant d'oublier qu'il était recherché. Quelque temps après, ça a recommencé.

— Comment ça ?

— Oh ! c'était devenu une routine. Je me souviens de la fois qu'ils sont venus chercher ton père, un après-midi. Je repassais son costume blanc qu'il attendait tout sagement assis sur une dodine que Da lui avait offerte en cadeau. C'était sa dodine, et c'est là qu'il s'asseyait toujours. Il ne ratait jamais une occasion pour dire que cette dodine lui venait de Da. Ton père s'habillait toujours de blanc, et il changeait de vêtements trois fois par jour. Donc, il était assis sur cette dodine, attendant que j'aie fini le repassage pour s'habiller.

— Était-il nu ? ai-je demandé, plus ou moins intéressé de surprendre un moment intime entre mon père et ma mère.

— Non, dit ma mère sans sourire, il était en sous-vêtements. Ton père était très à cheval sur l'étiquette vestimentaire.

C'est la première fois que ma mère me raconte une scène intime de sa vie avec mon père. Ma mère est très pudique. D'une certaine manière, je lui ressemble beaucoup. Mais selon ma mère, j'ai les traits et le caractère de mon père.

— Et après ?

— Il écoutait tranquillement les nouvelles à la radio, et toi, tu étais en train de manger ta soupe. Je me souviens très bien que tu étais debout sur ta chaise, ce qui amusait beaucoup ton père.

— Vous n'aviez pas peur que je tombe ? dis-je, horrifié.

— Non, dit ma mère avec un joli petit rire, tu avais de bonnes jambes et un bon sens de l'équilibre pour ton âge. Et puis, tu voulais toujours manger avec nous, à la grande table, et comme tu n'étais pas assez grand, tu te tenais debout sur ta chaise, ce qui faisait rire ton père.

— Qu'est-ce qui est arrivé, ce jour-là ?

— Justement, un officier militaire est arrivé, accompagné de deux gendarmes. L'officier m'a saluée très poliment ; dans l'armée, on gardait encore un certain décorum. Je ne savais pas quoi faire. Il m'a montré un mandat d'arrêt contre ton père. Je les ai laissés entrer. Et quand je me suis retournée, ton père n'était plus sur la dodine. Il avait disparu.

— En caleçon ?

Ma mère rit franchement cette fois. On voit bien que c'est un souvenir heureux pour elle.

— Non, il avait mis une de mes robes avant de filer par la fenêtre. L'officier, en entrant, a senti qu'il s'était passé quelque chose. Les gendarmes ont fouillé la maison de fond en comble. Ils n'ont rien trouvé. Finalement, au moment de partir, l'officier s'est rapproché de toi. J'ai eu un moment de panique. Il t'a demandé où était ton père. J'ai failli m'évanouir. On voyait bien que tu réfléchissais à sa question. Moi, j'étais sur des charbons ardents, mais je ne pouvais rien dire ni rien faire. Finalement, tu as dit : « Papa, il reviendra hier. »

— J'ai dit ça !

— L'officier a répété plusieurs fois ta réponse, essayant de lui trouver un sens, mais c'était impossible. On ne pouvait rien faire avec une telle réponse, lance ma mère dans un grand éclat de rire.

Je suis très heureux d'avoir confondu l'officier en mélangeant les temps. Le futur et le passé entremêlés. C'est exactement ça, ma conception du présent.

— Tiens, tu peux garder la photo. Elle est à toi.

Je la glisse dans mon portefeuille. L'unique souvenir que j'ai de mon père. Pour ma mère, c'est moi, son seul souvenir de son homme.

L'adieu (4 h 18)

Ma mère me tient par la taille pendant que nous marchons tranquillement vers la petite barrière verte. Peut-être qu'elle a eu le même geste envers mon père, le jour de son départ.

— Et maintenant que vas-tu faire, Vieux Os ? me demande ma mère d'une voix voilée de larmes.

Visiblement, elle fait des efforts surhumains pour ne pas pleurer.

— Je ne sais pas, maman. Tout est arrivé si vite.

— C'est vrai, dit ma mère tout bas. Je savais que ça devrait arriver un jour. Rappelle-toi que tu ne dois rien dire à personne, pas même à tes meilleurs amis, tu m'entends ? Personne ne doit savoir que tu pars demain matin.

Ma mère a attrapé, il n'y a pas longtemps, cette manie de répéter plusieurs fois la même chose, surtout quand elle est inquiète.

— Je te le promets.

Elle se retourne pour me regarder droit dans les yeux. Un regard étrange.

— Maintenant, embrasse-moi.

Nous nous embrassons très rarement, ma mère et moi. Presque jamais.

— Écoute, Vieux Os, quand tu franchiras cette barrière, tu sais que tu ne pourras plus revenir dans cette maison. Je ne voudrais pas qu'ils te trouvent ici.

— Ce serait trop bête, dis-je d'une voix rauque.

Nous n'arrivons plus à nous regarder. C'est le temps de partir.

— Prends soin de toi, mon fils bien-aimé. À partir de maintenant, tu ne me trouveras plus à tes côtés. Tu seras seul maître de ta vie, mais mes prières t'accompagneront partout où tu iras.

— Oui, maman...

— Ne m'oublie pas, tu m'entends ?

Le visage tendu de ma mère. Je n'arrive pas à parler tellement ma gorge est serrée. Sans un mot, je franchis la barrière. Je suis de l'autre côté. Droite, fière, sans un sourire, ma mère me regarde partir. Les hommes de sa maison partent en exil avant la trentaine pour ne pas mourir en prison. Les femmes restent. Ma mère a été poignardée deux fois en vingt ans. Papa Doc a chassé mon père du pays. Baby Doc me chasse à son tour. Père et fils, présidents. Père et fils, exilés. Et ma mère qui ne bouge pas. Toujours ce sourire infiniment triste au coin des lèvres. Je me retourne une dernière fois, mais elle n'est plus là. Que fait-elle ? À quoi pense-t-elle en ce moment ? Je donnerais tout pour le savoir.

Culture/politique (4 h 22)

On a l'impression de vivre dans une des jungles du peintre Philippe-Auguste. Tout est apparemment calme comme dans un univers naïf, sauf les léopards (ce nouveau corps d'élite entraîné à démanteler tout mouvement de contestation) qui nous attendent dehors. Depuis quelque temps, le pouvoir semble sur les dents. Je ne sais trop ce qui se passe dans ce pays. Pourtant, je travaille dans un hebdomadaire politico-culturel, m'occupant surtout de la section culturelle. Mon choix n'est pas définitif : disons que mon cœur penche ces jours-ci vers la culture. Le pouvoir fait-il une différence entre la politique et la culture ? Existe-t-il vraiment une différence entre ces deux aspects de la réalité humaine ? Voilà le débat du moment. Mes copains sont tous du côté de la politique. Moi, je bêche encore dans le champ culturel. On en a discuté, hier soir encore, chez *Madame Michel,* ce restaurant près de la place Carl-Brouard. On en discutera, j'ai l'impression, longtemps encore. On ne saurait épuiser pareil sujet en une soirée. Le rapport entre culture et politique. Surtout quand on vit à l'ombre d'une dictature ubuesque. Gasner a fait remarquer que, dans un tel débat, ce qui compte réellement, c'est l'opinion du pouvoir. Si le pouvoir pense que ton dernier recueil de poèmes (*Pensées du soir,* on dirait plutôt un nom de parfum) est subversif, eh bien, quelle que soit ton opinion, mon vieux, tu vas te retrouver à devoir expliquer chacun de tes vers au colonel Valmé. C'est ça, notre réalité. Si Gasner voyait les choses comme ça, je ne partage pas son avis. Je ne suis pas d'accord avec cette manière fataliste de voir les choses. Je ne veux pas faire partie, à vingt-trois ans, du groupe de gens (ce qui n'était absolument pas le cas de Gasner mais, dans une discussion, il faut faire feu de tout bois) qui passent leur vie à se plaindre de la conduite des gens au pouvoir. Cette fascination inquiétante pour tout ce qui a rapport avec le pouvoir que j'ai observé chez les hommes de plus de trente ans. Cette manière paresseuse de remettre leur vie complètement entre les mains des dirigeants politiques, même quand ils n'approuvent pas leur manière de conduire le pays. Comme s'il n'y avait qu'une seule manière d'être au monde. Et là, d'ordinaire, je monte la vois pour clamer : « Il n'y a pas que la politique ! Tout n'est pas que politique ! » Alors, tout le monde se retourne contre moi. Je deviens tout gonflé de rage. Ton passionné pour dire ma raison d'être. J'aimerais changer cet ordre des choses, bien sûr pas l'ordre de la dictature (je ne veux entreprendre aucune lutte au-dessus de mes forces), mais l'ordre de nos passions. Cette passion de la chose politique vue uniquement dans l'angle du pouvoir. L'interminable guerre entre le pour et le contre comme seule issue possible. Ça occupe surtout les esprits pendant que le vrai pouvoir continue tranquillement son chemin. Je suis simplement contre l'idée qu'il faut passer sa vie à toujours parler de la même chose : la dictature. Comme s'il n'existait que ce seul sujet de préoccupation. La pire prison est d'accepter cette limite. Comme si on n'avait pas le droit de penser à autre chose. Qui a dit ça ? Personne ne peut répondre. Précisément parce que personne n'avait posé la question. C'est le genre de torture, paraît-il, qu'il faut s'infliger soi-même. Je veux respirer. J'étouffe, coincé entre mes camarades qui ne parlent que de la dictature et un pouvoir qui ne s'intéresse qu'à sa survie. Y a-t-il autre chose ? Je veux croire que oui. C'est mon combat. Je ne m'agenouillerai devant aucun dieu. Je suis un prince sans terre ni couronne. Ma vie se passe maintenant. Je connais trop de types qui attendent la fin du régime pour vivre. À quand l'échéance ? Peut-on me donner une date ? Combien de temps d'ici le départ ou la mort du dictateur ? Et s'il fallait attendre encore vingt, trente ou même quarante ans, jusqu'à ce que le petit-fils du dictateur arrive au pouvoir ? Je n'arrive pas à respirer dans cet univers étroit. Ce ciel est bas. Autour de moi (à part mes camarades), je ne vois que des nains qui se terrent chez eux ou qui passent la journée à flatter un type d'à peu près mon âge, Baby Doc, qui aurait pu être leur fils. Dans notre société, les pères obéissent à un fils. Pour moi aussi, tout n'est pas clair. Je suis partagé entre le désir de faire une chronique légère, traitant des absurdités de la vie quotidienne, hors des sujets politiques si souvent explorés. Je veux aller voir ailleurs, montrer qu'un esprit indépendant peut survivre malgré tout dans ce pays. C'est uniquement pour cette raison que j'ai accepté de faire cette chronique en dehors de mes articles réguliers. J'ai vraiment envie de traiter d'autre chose que de politique dans cette nouvelle chronique, mais en même temps, je ne peux pas faire semblant d'ignorer ce qui se passe dans le pays. Des choses très graves. ON TUE DANS CE PAYS. Ça me frustre énormément de ne pas pouvoir emprunter le si soyeux chemin de la frivolité, simplement parce que je suis né dans un pays du tiers-monde gangrené par la dictature. Est-il simplement possible de travailler comme le ferait n'importe quel journaliste de n'importe quel pays normal ? Dans les magazines étrangers que je lis (mon oncle s'est abonné à *Jeune Afrique* et à *L'Express*, et c'est en lisant ces hebdomadaires que j'ai appris le métier), il y a de nombreuses sections : Monde, Ville, Loisirs (mot étrange et attirant), Culture (voilà !), Société moderne, Politique nationale, Sport, Jeux, Horoscope, Mots croisés, etc. Et les journalistes de se spécialiser dans la section qui les passionne. C'est ce que j'appelle un vrai magazine dans un vrai pays. Et dans un tel pays, on doit vivre une vie intéressante. Tout s'enchaîne, mon vieux. Chez nous, il n'y a qu'une section dans tous les journaux : la politique. Et la politique n'a qu'une adresse : le Palais national. C'est là que vit le dictateur. Le journalisme ne peut être qu'une lutte infatigable contre la dictature. C'est simple comme bonjour. Il y a ceux qui exercent le pouvoir, ceux qui le subissent et ceux qui, comme moi, s'ennuient à mourir dans un tel pays. Si je subis la dictature, je ne peux pas être celui qui doit la combattre. Faut pas trop demander. La même personne ne devrait pas faire les deux boulots à la fois. Le travail doit être divisé. On ne peut pas être à la fois la maladie et le remède. C'est pour cela que les dictateurs restent si longtemps au pouvoir. On demande à des éclopés de les combattre. Ce ne sont pas les gens qu subissent une dictature qui devraient la combattre (les affamés et torturés qui viennent tout juste de sortir de prison). On devrait charger d'un tel boulot des troupes fraîches de gens qui n'ont jamais connu la torture, la prison, la mystification, la faim ou l'angoisse de disparaître du jour au lendemain, de gens qui se spécialiseraient bénévolement dans des opérations de déracinement de dictateurs. Une unité internationale très compétente, un peu à l'image de ces sauveteurs qui vont aider spontanément les pays qui viennent de subir des cataclysmes naturels. De la dictature considérée comme un cataclysme naturel. Que peut-on faire d'un type comme moi dans un tel pays ? Je suis un élément dysfonctionnel, ainsi que l'a affiché un de mes camarades, un jour, dans la salle de rédaction. Je peux toujours penser à autre chose, mais l'obsédante question ne veut pas sortir de ma tête : La culture ou la politique ? Et je ne veux entendre personne me dire que c'est la même chose, que l'un ne va pas sans l'autre, enfin ce genre de connerie qui ne semble convenir qu'aux pays pauvres. Dans un pays riche, le théâtre n'est que du théâtre, le cinéma est avant tout un divertissement, la littérature peut servir à faire rêver. Ici, tout doit servir à conforter le dictateur dans son fauteuil ou à le déstabiliser. La politique est le but de toute chose. Même moi, en ce moment, je ne pense qu'à ça. Il n'y a pas moyen de sortir de ce cercle vicieux. Des fois, je me demande si je ne me suis pas trompé de pays. Je n'ai rien à voir avec les autres. Je fais des efforts, mais je n'arrive pas à considérer les choses comme eux. Pourquoi suis-je ainsi ? Cette façon de voir la vie ne m'est d'aucune utilité. Au contraire, cela me place directement sur la ligne de tir du pouvoir. Je suis un homme dangereux parce que je ne me suis pas encore décidé à être pour ou contre lui. On est forcé de prendre position sur le plus banal sujet. Au fond, rien n'est banal. Tout est une question de vie ou de mort. Même les mangues : vous les aimez ou pas ? Parce que si vous n'aimez pas les mangues, on mettra en doute votre identité nationale. Puis-je choisir librement ma cause ? Est-il possible de ne pas avoir de cause du tout ? Là, on est classé subversif. Vos camarades commencent à penser que vous êtes un espion et, malgré le fait qu'il le sache, le pouvoir se demande tout de même qui vous êtes. C'est qu'il n'a pas l'habitude de ne pas avoir un fichier précis sur un individu. Le pouvoir déteste les loups solitaires. Ne croyez pas que je suis en pleine crise nerveuse parce que je n'arrête pas de ruminer les mêmes idées depuis un certain moment. Si c'est une crise, elle est très ancienne parce que j'ai toujours été ainsi. Je suis un ruminant. Toujours en train de réfléchir. Je pense sans arrêt, en marchant, en mangeant, partout. Et ça aussi, le pouvoir n'aime pas. Tout compte fait, je suis en danger dans ce pays. Et personne ne prendra la défense d'un loup solitaire.

Les mots (4 h 37)

Ce que j'aime, c'est écrire. Rendre une ambiance avec des mots. Faire vivre une situation avec des phrases. Je suis fou des mots. J'ai un cahier plein de mots rutilants (mais les plus beaux sont les plus simples). Leur sens se trouve caché dans leur musique. Des mots comme *lune, mer, ciel, jaune* ou *cœur.* J'aime le mot *étincelle,* qui me fait penser à une pluie d'étoiles. Et tout de suite mon enfance m'éclate à la tête. Je ne sais pas pourquoi, je pense constamment à mon enfance. Souvent, dans la journée, je vois flotter devant mes yeux le visage si calme de ma grand-mère, et cela me repose. J'aime la discrète puissance du mot *étincelle* (une étincelle peut mettre le feu à la plaine). C'est un mot aussi élégant et féminin que le mot *libellule.* Ce n'est ni brutal ni grossier comme le mot *pouvoir.* Par contre, le mot *sexe* n'a pas de genre à mon avis. Pourtant, il n'est pas neutre. Plutôt explosif… Curieusement, je n'aime pas les dictionnaires. Je n'accepte pas l'idée qu'on puisse définir les mots. J'ai recopié ceux que j'aime dans un cahier et je leur ai donné, à chacun, un sens personnel. Cela peut varier selon mon humeur. Le mot *tristesse*, par exemple, m'a toujours semblé un mot très gai, d'une gaieté imbibée d'alcool. Alors que le mot *joie* me fait terriblement peur (un mot de deuil). La mort accompagne toujours la joie. Alors que je vois des pierreries dans le mot *tristesse*, la lettre *S* étant, pour moi, la plus raffinée de l'alphabet. Dès que je trouve un mot qui me plaît, je sors mon cahier noir pour le noter. Les mots pullulent. Ils sont partout et ils ont la vie dure. Certains ont traversé des siècles, certains ne vivent que le temps d'une saison. D'autres, morts il y a longtemps, reviennent un matin dans la bouche d'un gosse qui ignore leur signification. Je trouve mes mots partout. Dans la rue, dans les livres. Ou simplement dans l'air. Certains mots, même quand on ne les emploie plus, aiment rester dans l'air à flotter, attendant qu'un facétieux les attrape. J'aime surtout les mots simples que les gens emploient souvent. Des mots qui aiment se retrouver dans une bouche pour se faire manger, broyer, dévorer, mastiquer. Des mots bien domestiqués. Il m'arrive de prendre un de ces mots, un mot constamment utilisé par tout le monde, un mot qui a roulé sa bosse dans toutes les bouches (des bouches édentées de vieux grincheux, des bouches parfumées d'enfants, des bouches affamées de pauvres ou arrogantes de riches) et de me concentrer dessus jusqu'à ce qu'il devienne tout neuf. Comme un sou. Tiens, le mot *sou* par exemple. Trois lettres seulement et tu achètes ce que tu veux avec, enfin ce qui est achetable, car rien de ce qui a une vraie valeur n'est achetable (la mer, le ciel, la lune, la couleur jaune ou le cœur). Faut quand même pas cracher sur le mot *sou*. Ce mot, j'aime l'avoir dans ma poche. Je garde secrètement mon cahier noir parce que les gens que je côtoie ne comprendraient pas la passion naturelle que j'ai pour les mots. Un tel luxe pourrait les effrayer. Ils comprennent bien la passion du pouvoir, de la politique ou de l'argent. Même les gens un peu plus sensés finissent par me demander d'écrire un livre. Pourquoi ne pas rassembler mes mots pour en faire une histoire? Le problème, c'est que je n'aime que les mots, pas autre chose. Pas les phrases, ni les histoires. Un mot dit tellement plus qu'une phrase ou une histoire. Quand je pars dans de pareilles dérives, c'est toujours difficile de m'arrêter. Je vis surtout dans ma tête. Très peu de gens savent vraiment à quoi je pense. On veut tellement me confiner dans un seul sujet (la politique), comme si mon cerveau n'était pas plus vaste que leur univers. Je peux faire entrer l'Univers entier dans un coin de mon cerveau. Mes émotions m'épuisent tant elles sont riches. L'affaire, c'est que je suis un rêveur dans un pays où l'on n'aime pas les rêveurs. Et là je ne parle pas uniquement du dictateur. Tout le monde combat ici le rêve et les rêveurs. Je me demande s'il y a un endroit au monde où on les accepte. Je voudrais bien y aller. Sûrement sur une carte imaginaire. Vieux Os au pays des merveilles. Mon livre préféré : l'histoire de cette petite fille qui traverse le miroir. Je ne demande pas grand-chose pourtant, simplement qu'on me laisse rêver en paix. Je n'ai besoin de rien d'autre. La nourriture ne m'intéresse pas (depuis que je suis bébé, c'est la croix et la bannière pour me faire manger un morceau), le football ne me dit rien (je préfère au match l'ambiance de fête qui règne dans le stade). Les femmes, moyennement. Je veux dire que je ne regarde pas nécessairement une femme en pensant, comme tous mes camarades par exemple, comment je la caresserais, etc. Je ne suis pas un consommateur de femmes. Chez une femme, ce ne sont pas les fesses qui m'attirent en premier, mais le visage. Et dans le visage, les yeux. Les yeux révèlent l'univers intérieur d'une personne, sa vie intime, ce qu'elle est pour elle-même, ce que j'ai toujours cherché chez une fille et qui me permet de rêver d'elle à mon aise. La plupart des femmes détestent les rêveurs qui lisent dans leur âme au lieu de regarder leur corps. Elles n'aiment pas qu'on voie ce qu'elles tentent désespérément de cacher. Alors, j'évite de les regarder dans les yeux. Une fois, Sandra m'a demandé si j'étais homosexuel. Pourquoi ? Tu regardes les femmes comme un homosexuel. Ah bon !... Oui, tu veux voir autre chose que ce qu'on te montre. Et d'après toi ce sont les homosexuels qui font ça ? Je suppose, dit-elle dans un éclat de rire. Je ne comprends toujours pas, Sandra. Eh bien, tu me regardes comme si on était du même côté. Je ne comprends pas, Sandra. D'accord, dit-elle après un bref moment. Disons que tu vas voir une pièce de théâtre et que tu passes ton temps à ne voir que les défauts de la mise en scène au lieu de jouir du spectacle. C'est ce que je fais toujours, Sandra, parce que j'aimerais monter des pièces de théâtre. Voilà ! lance Sandra. C'est exactement ce que je voulais dire. Tu n'es pas un spectateur qui vient jouir sainement du spectacle, tu es un metteur en scène qui juge le travail d'un compétiteur. Tu es un voyeur, un pervers et un vicieux. Holà ! Sandra, tu n'en mets pas un peu trop ? Elle rit (un petit rire gorgé de séduction). Oui, mais c'est ce que je ressens vraiment quand tu me regardes dans les yeux. Et dans ces moments-là, je perds tous mes moyens. La relation entre un homme et une femme est très simple, et c'est toi qui compliques tout. Je ne vois rien là de simple, Sandra. Écoute, comme femme, je m'arrange pour t'exciter, et toi, en tant qu'homme, ton rôle est de marcher tête baissée dans l'affaire tout en espérant m'avoir au bout du compte. Ou encore je dois faire semblant que tu m'as eue. Tu vois, ce n'est pas la mer à boire, mais toi, tu compliques tout. Comment ça, Sandra ? Elle se met subitement à hurler comme si je venais de la gifler. Voilà, au lieu de me regarder avec ton sexe, tu me regardes avec ton cœur. C'est ça, le nœud du problème. Pas toujours avec mon cœur, Sandra. Garde ton cœur pour Lisa, continue Sandra en riant. Avec moi, c'est le corps qui parle. Pardonne-moi, Sandra, mais je n'arrive pas à bander si mon cœur ne bat pas plus vite qu'à l'habitude. Alors, va trouver Lisa. Ne t'en va pas, Sandra. J'essaie simplement de faire vivre ces deux organes, mon cœur et mon sexe, dans mon corps. Ça demande du temps. Justement, lance Sandra, je n'ai pas de temps à perdre ! Le corps, tu dois le savoir, vieillit plus vite que le cœur ! Étant timide de nature, je passe mon temps à imaginer des conversations avec des gens que j'ai peur de rencontrer. Je me demande tout de même si je ne devrais pas laisser tomber tout à fait les yeux pour les mots. Le jeu avec les yeux semble bien plus périlleux que celui avec les mots. Peut-être que c'est la même chose. Je ne me suis pas encore décidé à choisir. Il n'y a, me semble-t-il, aucun mal à rêver d'un mot. Un simple mot. Et pourtant, je sens qu'il me faut cacher ce cahier noir où je griffonne des phrases insensées, des phrases dont la seule raison d'être est de me donner la possibilité d'écrire des mots dont la sonorité me plaît. Je passe des heures à trouver un sens à un mot simplement à partir de sa musique ou de sa graphie. Je me noie complètement dans l'univers des mots. À quoi cela est-il dû ? Je ne saurais le dire. Pourquoi cette fixation ? En attendant d'être guéri d'une telle maladie, qu'on me laisse dire une dernière fois (ce ne sera jamais la dernière fois) que je les trouve vivants, drôles, chaleureux, troublants, inquiétants, sensuels. Il y a des mots dont la graphie est aussi amusante que la sonorité. Des mots qui charment à la fois les yeux et les oreilles. Remarquez qu'il y a des filles qui possèdent ces qualités-là (un plaisir pour les yeux et les oreilles). Ces mots, comme ces filles, sont rares. Pour les filles, je n'ai rencontré que Lisa. Da, ma grand-mère, dit toujours que le café (celui des Palmes, bien entendu) est la seule boisson dont le goût ne trahit pas l'odeur. J'allais oublier le mot *café*. Le mot fondamental de mon enfance. Son odeur m'habite. Tous mes amis se battent, avec raison, contre le pouvoir, tandis que moi (un chasseur de mots), j'ai l'impression de flotter comme une feuille légère et étourdie sur une mer de sang et de boue.

Je me sens si calme.

Les Frères-de-la-nuit (4 h 48)

Il vit au fond d'un long corridor, presque en face de la station Esso, un de ces corridors qui, si nous sommes poursuivis par des tontons macoutes, peuvent nous permettre de les semer. Ce corridor peut conduire jusqu'à la mer. Deux ou trois latrines branlantes infestées de punaises, un chien si maigre qu'il n'essaie même plus d'aboyer, des anophèles gorgés de malaria faisant la fête au-dessus d'une petite mare verte et puante, et enfin, cette montagne d'immondices. La maison de ce type dont j'ignore même le nom (Gasner l'appelait simplement « frère ») se trouve cachée derrière la montagne d'immondices. Il fait partie, m'a dit Gasner un jour, d'un groupe d'individus (des hommes et des femmes toujours habillés de noir) qui ne quittent jamais leur maison avant la tombée de la nuit. Ce sont les Frères-de-la-nuit. Je l'ai déjà rencontré plusieurs fois avec Gasner, souvent sur la place Carl-Brouard, pas loin du restaurant *Madame Michel*. Une fois, même, on a mangé ensemble au restaurant. C'est un type grand et maigre, aux yeux constamment rouges (il paraît, selon Gasner, que ce sont les séquelles d'une maladie grave des yeux qui n'a pas été traitée correctement). Il me donne l'impression d'être toujours en train de pleurer. De temps en temps, il sort de sa poche un minuscule mouchoir blanc avec lequel il s'éponge les yeux. Gasner m'a raconté que cet homme n'a peur de rien. Son passe-temps favori est d'aller provoquer les tontons macoutes sur leur propre terrain, dans un bar où ils passent la nuit à jouer aux cartes, à boire et à pincer les fesses des belles prostituées dominicaines, tout en préparant leurs raids criminels sur les modestes et paisibles maisons endormies sur les flancs du morne Nelhio. Selon Gasner, il vient les narguer en imitant le criaillement de la pintade (la pintade étant l'animal emblématique des tontons macoutes). Il paraît que les tontons macoutes en ont marre de le coffrer à répétition. En fait, ils ont plutôt peur qu'il soit le protégé d'un dieu puissant du vaudou. Dans cet univers étrange, un homme qui taquine la mort ne doit pas être un simple mortel. Qui veut se mesurer avec un dieu ? Personne. Les tontons macoutes ont fini par ignorer ses provocations en faisant semblant d'être trop absorbés par leurs parties de cartes.

Je m'approche de la petite case au toit de tôle galvanisée en faisant bien attention où je mets les pieds.

— Entre. N'aie pas peur.

Je pénètre dans une petite pièce surchauffée. Un homme est assis dans la pénombre.

— Ils ont eu Gasner, lance-t-il avant même que je ne m'assoie.

— Oui.

— Je le savais.

Aucune vanité dans le ton.

— Et Gasner n'a pas voulu vous écouter, j'ajoute sans ironie.

— Je ne lui en avais pas parlé.

Je n'ai pas le temps de maîtriser mon étonnement.

— Mais pourquoi ? Si vous saviez qu'on allait l'assassiner, pourquoi n'avoir rien fait ?

Il sourit tristement.

— Je ne lui ai rien dit parce que, si je peux savoir la date de la mort d'un homme, il m'est interdit d'intervenir d'une manière ou d'une autre dans le processus.

Il s'éponge de nouveau les yeux avec le minuscule mouchoir blanc qu'il tient serré dans sa main gauche.

— Je sais exactement quand je vais mourir et je ne peux rien faire pour cela, dit-il comme pour s'excuser.

— Qu'on le sache ou non, cela revient au même. On ne peut pas échapper à sa mort.

— Tu as peur, fait-il sur un ton très doux.

— Peur de quoi ?

— Peur que je te dise quand tu vas mourir.

— Je ne sais pas de quoi nous parlons, là, je lui lance, un peu excédé par son ton de mage.

— Mais nous parlons de la mort, mon ami.

— Écoutez, je suis ici parce que Gasner m'avait demandé de venir vous voir s'il lui arrivait quoi que ce soit.

Il semble totalement concentré pendant un long moment, observant avec une attention soutenue ses mains si décharnées qu'on les dirait osseuses.

— Tu as raison. Tout ce que je peux dire, c'est que tu n'es pas en danger en ce moment mais que tu marches au milieu du danger.

— Où avez-vous pris ça ? Dans une boule de cristal ? Dites-vous ça à quiconque se présente ici ?

— Non, dit-il après un moment qui m'a paru assez long, cela vient d'un informateur.

Je reste ébahi. Je suis impressionné par cette façon

tranquille d'assener une sordide vérité. Cet homme a des contacts en enfer. L'enfer de Papa Doc.

— Et on peut lui faire confiance ?

— C'est un de ceux qui tuent pour le gouvernement. Le gouvernement emploie généralement des mercenaires pour faire ce travail délicat. Les tontons macoutes n'ont pas assez de doigté. Ils ne savent que torturer dans une chambre fermée. Ils laissent surtout trop de traces.

— Depuis quand une dictature fait-elle tant de manières ?

— Oh ! les Américains leur demandent de faire un peu plus attention s'ils veulent recevoir l'aide économique. Parce qu'une dictature, ça ne se nourrit pas uniquement de sang humain, mais aussi d'argent.

Je ne suis pas venu ici pour recevoir un cours sur la dictature.

— Et votre informateur ?

— Il recrute ses tueurs sur notre territoire, chez les crève-la-faim, les miséreux et, comme dit Frantz Fanon, chez les damnés de la Terre.

Cette allusion à Fanon m'a poussé à regarder autour de moi. Un rapide coup d'œil circulaire. En effet, des livres un peu partout, des magazines et des journaux *(Jeune Afrique, Le Monde diplomatique),* la collection Maspero, beaucoup de bouquins de la collection « Que sais-je ? », *Les Misérables* de Hugo dans différentes éditions populaires, et une montagne de journaux jaunis empilés près de la porte.

— Au début, on les regardait faire. Puis on a formé

un petit groupe, jette-t-il avec une légère trace de fierté dans la voix, afin de limiter les dégâts, si tu vois ce que je veux dire.

— Hum…

— Notre nom : les Frères-de-la-nuit.

— Vous parlez des informateurs ?

— Oui.

— Et les tueurs ?

Il me regarde en souriant doucement. Un sourire dangereux.

— Ce sont les Frères-de-la-mort.

— Si je comprends bien : l'un sauve, l'autre tue.

— Tu as bien compris. Dauphins et requins.

Un temps.

— Comment faire la différence ?

Il rit brièvement, pour la première fois depuis le début de cette étrange conversation.

— Il n'y a aucune différence. On a tous grandi sur cette montagne d'immondices. On a tous joué au football dans cette boue noire et puante, et on sait tous qu'on ne fera pas de vieux os car si la balle de revolver nous rate, le paludisme ne nous épargnera pas.

— Il y a une chose que je ne comprends pas. Pourquoi l'un choisit de sauver et l'autre de tuer ?

Un petit rire sec de la gorge.

— Ne cherche pas à savoir, il n'y a aucune raison à cela. C'est comme ça, c'est tout. Nous sommes les fils de cette boue noire que tu vois dehors. N'oublie surtout pas que celui qui te sauve un jour pourrait être ton assassin le lendemain.

— Et vice versa.

— Non. Quand on a tué une fois, on ne peut plus revenir en arrière.

Je remarque maintenant qu'il était en train de manger à mon arrivée.

— Excusez-moi d'avoir interrompu votre repas.

Il sourit encore de ce sourire indéfinissable, ni triste ni gai.

— Oh ! j'avais terminé. Je mange très peu.

En effet, il avait à peine touché à son plat. Son manque d'appétit est exceptionnel dans une zone où les enfants meurent le plus souvent de malnutrition. Lui-même est assez maigre.

— Peut-on faire confiance à votre informateur ?

— Il fait partie, comme je te l'ai dit, de ceux qui tuent pour le gouvernement. C'est un fonctionnaire de la mort.

— C'est peut-être un de ceux qui ont tué Gasner ?

— Peut-être, fait-il avec cet étrange sourire qui commence à m'exaspérer.

Une mouche se pose sur le plat d'aubergine au porc devant lui. Il l'écarte d'un geste évasif de la main. La mouche s'envole, fait rapidement le tour de la pièce pour revenir exactement au même endroit. Il l'observe un moment et décide que cela ne vaut même pas la peine de la chasser de là. À quoi bon, de toute façon elles sont des millions qui attendent leur tour. Dès que l'une meurt, une autre accourt. C'est ce que le dictateur doit se dire certains jours. C'est une histoire sans fin. On tue un opposant et un autre arrive à toute vitesse. Il faut quand même en tuer quelques-uns, se dit-il, si on veut qu'ils sachent qui est le maître ici. C'est une question d'éducation. C'est ainsi qu'on éduque un peuple. En tout cas, ce peuple-ci.

— Donc vous saviez, pour Gasner ?...

J'utilise sa méthode. J'ai vite compris que ce n'est pas le genre de type qu'il faut presser de parler. Il a tout son temps, et c'est à vous de suivre son rythme.

— Oui.

— Et vous n'avez rien fait pour empêcher qu'il soit assassiné ?

— Je ne pouvais rien faire sans griller mon informateur.

— Ah ! c'est donc ça...

Je sens monter en moi une si grande colère que j'ai peur de ne pouvoir la maîtriser. Au moindre geste déplacé, je suis un homme mort. Visiblement, cet homme est un leader. Je suis sûr d'ailleurs que nous ne sommes pas seuls ici, que la maison est entourée de « frères » dont je ne saurais dire s'ils sont de la nuit ou de la mort.

— Tu sais, murmure-t-il, si Gasner n'était pas mort à l'heure qu'il est, tu le serais, toi. Toi et beaucoup d'autres.

Il a réussi à capter mon attention de nouveau.

— Comment ça ?

— Si on avait sacrifié notre informateur, on n'aurait jamais eu ces informations précieuses sur le déroulement des opérations.

— Quelle sorte d'opérations ?

— Je ne peux pas t'en dire plus.

Cet homme joue avec mes nerfs pour une raison qui m'échappe. Le mieux pour moi est de partir. Je me lève.

— J'ai un doute, dis-je, à la porte.

— Lequel ? me jette-t-il sans lever les yeux vers moi.

— Je ne sais pas à quel frère je viens de parler : celui qui sauve ou celui qui tue.

— Je ne peux pas t'aider là-dessus, me fait-il avec un sourire énigmatique qui me donne des frissons.

Le mouvement perpétuel (5 h 08)

Quelle chaude journée ! C'est toujours ainsi au début de l'été, mais je ne suis pas prêt à m'y habituer. Je suis allergique aux grandes chaleurs. On dirait un poisson hydrophobe. La ville a cet aspect sinistre des dimanches après-midi en province. Pourtant, on n'est pas en province et ce n'est pas dimanche. Je ne sais pas pourquoi, je n'arrive pas à avoir une pensée fixe. Mon esprit vagabonde. Mon corps aussi. Je bouge sans arrêt, la plupart du temps pour revenir au même endroit. J'ai l'impression que si je reste constamment en mouvement, j'échapperai à la douleur. Cette douleur qui me vrille la poitrine depuis que Marcus m'a annoncé la mort de Gasner. Douleur physique et mentale. L'une a sûrement un impact sur l'autre. Lequel souffre en premier : le corps ou l'esprit ? Lequel fait souffrir l'autre ? Celui qui souffre d'abord, j'en suis sûr, devient le tortionnaire de l'autre. C'est l'esprit. Le corps est trop bon enfant pour avoir des préoccupations sadiques. Le corps veut aussi trop jouir pour devenir masochiste. Alors, il résiste. L'esprit ne lâche pas prise facilement. Qu'est-ce que ça m'apporte de savoir cela ? Mon cerveau s'active tout seul. Je sens des millions de minuscules détails sans importance m'envahir la tête. Je pense brusquement (pourquoi ce souvenir remonte-t-il à la surface maintenant ?) à ce chien qui a failli me mordre un dimanche matin que j'allais à la messe avec ma mère (j'avais onze ans et un nouveau costume marron que m'avait confectionné tante Raymonde, dont Antoine est le saint patron). Pourquoi est-ce que je pense à ça puisque le chien ne m'avait même pas mordu ? Il semblait dormir quand je suis passé à côté de lui. J'avais fait quelques pas quand il s'est approché silencieusement de mon mollet droit. Heureusement que j'ai aperçu son ombre qui rampait vers moi ! Je lui ai alors asséné un coup de talon (un bruit sec) à la mâchoire. Il a gémi longtemps, mais je ne me suis pas retourné pour le regarder. Ma mère ne s'est évidemment doutée de rien. J'étais assez fier de moi quand, au moment même de la consécration, je fus pris d'un affreux doute : peut-être que ce pauvre chien ne voulait que se frotter contre ma jambe, en quête de chaleur humaine. Seigneur ! je ne survivrai pas à cette chaleur. Au fait, je ne pense presque jamais, ce sont les souvenirs qui m'assaillent. Toujours un fait, jamais véritablement une réflexion. Je n'arrive pas à garder assez longtemps mes idées dans ma tête pour les traduire en pensées. Simplement de brusques fièvres du cerveau. Jamais rien de sérieux. Toujours la tête dans les nuages. Un rêveur éveillé. Ah ! voilà un joli parc et, dans ce parc, un petit banc peint en blanc. Je m'y assois afin de mettre un peu d'ordre dans mes idées. Tout semble si flou dans ma tête. Rien n'arrive à se fixer. J'ai la sensation d'être soûl sans avoir bu une seule goutte d'alcool. Mes jambes sont bien solides, c'est dans la tête que cela ne va pas. Je n'ai pas l'impression d'avoir déjà vu ce parc. Pourtant, je connais parfaitement l'endroit. Je suis même passé par ici la semaine dernière. Je devais rencontrer ce type qui habite pas très loin. Il me doit des sous. J'avais rédigé pour lui une lettre qu'il devait envoyer à son oncle qui vit au Liberia, si je me souviens bien. Ils n'ont pas pu construire un si joli parc en si peu de temps. Et tous ces arbres (des saules pleureurs), ce plan d'eau, ces oiseaux, tout ça n'a pas pu être fait en une semaine. Surtout dans un pays où l'on détruit plus facilement qu'on construit. Je ferme un instant les yeux. Puis les ouvre pour voir le parc encore au même endroit. Donc, ce n'est pas un mirage. Peut-être ne suis-je pas dans le quartier où je crois être. Alors, je suis ailleurs. Mais où ? Est-ce vraiment important de savoir où l'on est ? Je ne sais plus. Suis-je dans un rêve ? Il n'y a que dans les rêves qu'on peut voir un paysage familier tout en se sentant dans un univers étranger. Mais je sais pertinemment que je ne suis pas dans un rêve. Alors, encore une fois, où suis-je ? Je reconnais bien les environs, sauf le petit parc où je suis. On dirait une toile de Manet. Que fait une toile de Manet dans un décor port-au-princien ? Pourquoi penser à cela ? Je n'arrive pas à m'arrêter de penser. Je suis assis sur un petit banc dans un joli parc dont je doute de l'existence. Le malheur est que, dès qu'on s'assoit sur un banc de parc, on se met automatiquement à réfléchir. C'est la dernière chose dont j'ai besoin. Gasner était contre le fait de penser. Pour lui, ça ne sert à rien. On n'a pas besoin de penser pour savoir si on a faim ou soif. On n'a pas besoin de penser pour ressentir la fatigue dans nos jambes (par contre, lui ne s'arrêtait que pour tomber comme une mouche dans le premier lit venu). D'après lui, tout est déjà inscrit dans notre corps. Les besoins comme les sentiments. Rien à apprendre. Tout ce qu'il y a d'important est déjà en nous. Malgré nous. Sans nous. L'idée d'un savoir à conquérir serait la plus grande supercherie du monde. Un marchand essaierait de vous vendre ce que vous possédez déjà. Pas besoin de penser pour sentir les flammes de l'amour, les lances du désir, la peur du danger. Pour Gasner, l'amour, le désir et le courage suffisent pour traverser la vie. Pour lui, dès qu'on a compris l'injustice, on a tout compris. La haine du riche indifférent. L'amour du pauvre. Et le corps bien ficelé des jeunes filles des quartiers populaires (Gasner n'était pas un ange). Une vision apparemment très simple du monde. Et pourtant, Gasner n'était pas un type simple, oh là là ! pas simple du tout. Plein de nuances. Tout en raffinements. Qu'il réussissait à camoufler derrière des manières brusques. Son refus catégorique de penser. Le mouvement perpétuel, comme il disait. Penser était un luxe qu'il refusait de se permettre. Son corps, disait-il, marchait toujours mieux que sa tête. Le poisson pourrit d'abord par la tête, ricanait-il. Pourquoi analyser ce que je comprends déjà ? Me lançait-il chaque fois que j'essayais de commenter un événement avec lui. Il faisait constamment confiance à son instinct. Pas de temps à perdre avec les jeux de l'esprit. Rester toujours en mouvement. Ne jamais arrêter de bouger. J'ai l'impression de l'avoir, en ce moment, à côté de moi. Cette présence si physique. Naturellement, il ne resterait pas assis si longtemps sur ce petit banc blanc dans ce joli parc immatériel. Pas son genre. Je revois sa démarche précipitée faite de petits pas rapides, le buste penché en avant et les mains esquissant d'expressives arabesques dans l'espace. Pour arrêter Gasner, il a fallu l'abattre. Pas moyen de discuter avec un type qui refuse de penser. On n'a pas à réfléchir à l'injustice, ricanait-il au visage de ceux qui tentaient d'entreprendre une discussion avec lui à propos de l'assassinat en pleine rue d'un étudiant de la faculté de droit. Sec et bref, le rire de Gasner. Et déjà, il passait à autre chose. Pas de temps à perdre. Il détonnait dans un pays où le moindre fait divers devient matière à des commentaires sans fin. Si Gasner refusait de penser, il n'arrêtait pas pour autant de parler. Au début de notre amitié, j'avais toujours l'impression qu'il ne s'adressait qu'à lui-même. Une façon de continuer le mouvement. L'œil toujours aux aguets. Les sens constamment en alerte. Toutes antennes déployées. Le voilà dans sa ville. S'adressant à n'importe qui, même à ceux qui sont hors de portée de sa voix. Cette ville inquiétante qui a tout de même engendré un Gasner. Cet instinctif pur. Au début, on se demande toujours s'il est en train de mâchouiller un chewing-gum, jusqu'à ce qu'on comprenne qu'il est en train de mastiquer des mots. Des mots pleins de jus. On n'entend pas tous les mots (la moitié d'entre eux restent collés à ses dents). S'il détestait tout commentaire politique, par contre, s'agissant du quotidien, il était dans son élément. Il commentait tout et intervenait sur tout. Plongé dans la vie jusqu'au cou. Un homme bien parfumé passait à côté de nous, il l'épinglait vite fait d'une réflexion empoisonnée. D'une ironie mordante. Souvent un seul mot suffisait. Une jeune fille nous croisait. Crac ! il la dévorait sans sel. Une voiture rutilante passait, un ami assis à l'arrière. Crac ! Un oiseau traversait son champ de vision. Tac ! il l'abattait. Rien n'échappait à son œil vorace. Il canardait tout et tout le monde avec des mots. Rien que des mots. Des mots à lui. Un déluge de mots cassés, de mots à moitié mangés, de mots qui se bousculaient dans sa bouche pour sortir. À peine la moitié d'entre eux parvenaient à l'air libre. Il fallait tendre l'oreille pour percevoir son humour dévastateur. Nous marchions ensemble. Brusquement, je me retournais pour découvrir qu'il n'était plus à mes côtés, entraîné par quelqu'un d'autre vers d'autres aventures. Gasner ne disait jamais au revoir. Subitement, il disparaissait de notre univers. Comme aujourd'hui. La mort met-elle un terme au mouvement perpétuel ? Elle entraîne peut-être vers autre chose. Le voyage immobile.

Où suis-je ? Dans quel parc ? Et où se trouve ce joli parc ? Je ne sais plus rien de quoi que ce soit. J'essaie de retrouver d'instinct (en laissant mes pieds me mener) le parcours que je faisais régulièrement avec Gasner.

Brise-de-Mer (5 h 26)

C'est un petit bordel, tout près de la mer, qui ressemble à une coquette maison de vacances. On le trouve sur la route de Carrefour, juste à la sortie de Martissant. Les taps-taps bariolés y circulent dans un vacarme assourdissant. Des cris. Des bagarres. D'interminables marchandages qui se terminent par de nouvelles bagarres. Tout le monde achète ou vend (souvent la même personne fait les deux opérations) dans cette zone totalement insalubre. La foule hurlante de la zone rouge. On n'a qu'à franchir cette petite barrière pour être accueilli, dans un nuage de parfum bon marché *(Bien-être, My Dream, Florida),* par des jeunes filles gorgées de rires et de promesses de bonheur terrestre. Et Ulysse s'arrête sur une île paradisiaque peuplée de jolies déesses, durant son étrange voyage de retour au pays natal. (Ulysse, ta femme t'attend !) On me conduit tout de suite à l'arrière. Et là, je tombe dans un univers féerique. Quelques tables et quelques chaises assez grossières placées sous un auvent. Une demi-douzaine de jeunes filles rieuses dansant entre les tables au rythme d'un merengue endiablé. Et la mer indécente tant elle semble vivante et nue, là sous mes pieds. L'odeur du poisson cru est si forte qu'on a l'impression d'être sur le pont d'un bateau aux planches pourries. Dans ce minuscule bordel tenu par une ancienne prostituée qui travaillait tout près d'ici, au *Copacabana,* l'accueil est véritablement chaleureux, et l'ambiance, très intime. Le *Brise-de-Mer* possède une clientèle très fidèle : qui est venu ici une fois reviendra à coup sûr. C'est ici que de nombreux étudiants préparent leurs examens du baccalauréat. Il arrive que des types en viennent aux mains, là sur cette petite terrasse, à cause d'une règle de grammaire. Les discussions, ici, tournent exclusivement autour de la politique et de la grammaire. Et les questions d'ordre politique proviennent souvent d'un problème de grammaire. Dans ce pays, on tient la grammaire en très haute estime. Un ministre peut perdre son poste à cause d'une faute de grammaire qui s'est glissée dans son discours. Par contre, les dimanches après-midi sont réservés aux débats philosophiques. J'ai assisté ici à une sanglante bataille à propos de *La République* de Platon. Nous, les étudiants, nous étions tolérés jusqu'à six heures du soir. À cette heure, les filles allaient se préparer pour la soirée. La séance de préparation pouvait durer, pour certaines, plus de deux heures. Le résultat valait la peine. Elles sortaient fraîches, belles, ensorcelantes de ces séances de maquillage. Dire que ces filles, qui ont commencé très tôt dans la vie, à l'âge où nos mères hésitaient encore à nous laisser aller seuls au cinéma, se servaient de nous pour rêver à un autre temps, au temps où l'amour était encore une affaire de cœur. Pour nous, c'était tout simplement le paradis (même sans faire l'amour) d'être là avec cette volée de filles rieuses et sensuelles, le bruit des vagues sous nos pieds, la musique entraînante et l'alcool qui étourdit. Que demander de plus à la vie ! C'est moi qui ai amené Gasner ici, mais c'est Frantz Piard qui m'a fait connaître ce monde. En quelques visites, Gasner était devenu un habitué. Il s'intéressait vraiment aux filles et ne tardait pas à connaître leurs secrets les plus intimes.

Elles lui racontaient durant de longs après-midi leur vie dans les moindres détails. C'était un des dons de Gasner : il pouvait amener les gens à lui dire ce qu'ils n'osaient même pas s'avouer à eux-mêmes. Les filles adoraient s'occuper de lui. Surtout Mercedes et Fifine. Fifine est une magnifique fille du Cap-Haïtien, dans le nord du pays. Une région qui fournit à la capitale des hommes fiers et des filles magiques. Et cela sans discussion. C'est ainsi. Mercedes vient, elle, du pays voisin : la République dominicaine. Elle est née plus précisément à San Pedro de Marcoris, disons dans un minuscule village, tout près de San Pedro. Elle dit toujours qu'elle vient de San Pedro, ayant un peu honte de ses origines paysannes. Ces deux filles se sont donc retrouvées dans ce petit bordel, à l'entrée de Port-au-Prince. Deux tempéraments nettement opposés. Autant Fifine est douce et apaisante, autant Mercedes est de feu. Avant l'arrivée de Gasner, les deux femmes ne se supportaient pas. Mercedes n'arrêtait pas de provoquer Fifine, tandis que cette dernière gardait le sourire angélique qui rendait Mercedes folle de rage. Mercedes, comme un cobra aveuglé par le soleil, pouvait réagir de manière imprévisible. Les autres filles (Mounia, Andrémise, Carla et Léonie dite Lili) passaient le plus clair de leur temps à les empêcher d'en venir aux mains. Il a suffi que Gasner arrive pour les réconcilier. Depuis, elles se tiennent constamment serrées l'une contre l'autre, comme des siamoises.

Dès mon arrivée, Andrémise est venue me dire qu'elle n'avait aucune nouvelle de Mercedes depuis l'annonce de la mort de Gasner à la radio.

— Elle est peut-être en train de le chercher à l'hôpital ou à la morgue.

— Non, dit sombrement Andrémise.

— Et Mercedes ?

— Fifine est partie à sa recherche, et elle non plus n'est pas revenue. Quel malheur !

Andrémise me regarde un long moment en silence, comme si elle attendait de moi une explication sur la disparition de Fifine.

— Je vais me reposer dans la chambre de Mercedes, finis-je par dire.

— Tu ne veux pas boire quelque chose ?

— Non, merci.

— As-tu mangé ?

— Je n'ai pas faim. J'ai simplement envie de me reposer un peu.

— Je comprends, dit-elle en s'éclipsant.

La ville souterraine (5 h 32)

La chambre de Mercedes est, comme toujours, très propre. Avec cette odeur fraîche de lavande. Un grand lit (le drap blanc bien tiré), une vieille armoire en acajou verni, une petite coiffeuse surchargée de bibelots, un grand miroir ovale, des photos partout. Surtout des photos d'elle, à différents âges, dans de petits cadres dorés. La tête à peine posée sur l'oreiller, je plonge, avec armes et bagages, dans un trou noir sans fond. Je ne parviens à m'agripper nulle part. Le vide total. Je continue à tomber, comme dans un dessin animé. Une légère odeur de brûlé flotte autour de moi, due sûrement à la vitesse avec laquelle j'effectue cette descente. J'ai l'impression terrifiante qu'il n'y a pas de fin, rien d'autre qu'une interminable plongée. Je commence à prendre panique, mais j'essaie de me raisonner : « Voyons, calme-toi, tout a une fin. » La chute continue, grignotant mon modeste capital d'espoir. Voilà que j'aperçois de la lumière tout en bas, au bout d'un tunnel vertical. Je touche le fond. Comment se fait-il que Port-au-Prince se retrouve au centre de la Terre ? Une ville est engloutie comme ça, sans aucun signe avant-coureur. Et Port-au-Prince étant beaucoup plus lourde que moi, elle est arrivée la première en bas. Non, ce n'est pas cela, sinon j'aurais devant les yeux un amas de pierres. Or la ville n'a pas changé d'un iota. Je me fais l'effet d'un archéologue visitant le site d'une ville enterrée depuis plus de mille ans et découvrant que la vie y continue comme avant. Les maisons sont fraîchement peintes, les rues bondées, les boutiques achalandées, la circulation intense, les appétits de pouvoir et les passions humaines plus exacerbés que jamais. Ça fait huit cents ans qu'on n'utilise plus ces moyens de locomotion et qu'on ne construit plus ces types de maisons, mais les habitants de la ville ne semblent pas être au courant. Je marche dans la ville et, subitement, Gasner se retrouve à mes côtés, en pleine forme, bavardant sans arrêt comme à l'accoutumée. On a le même âge, mais j'ai l'étrange sentiment que Gasner est beaucoup plus vieux que moi. Il me parle d'ailleurs comme un vieux maître le ferait à son jeune disciple. Je ne peux pas dire dans quelle rue nous sommes, je n'ai aucun repère, mais nous sommes bel et bien à Port-au-Prince. Je frissonne malgré le soleil éclatant dans un ciel sans nuage. Mon cœur est glacé. Gasner me sourit et me dit qu'il n'a pas froid. Nous croisons une personne que Gasner salue. Puis, il me chuchote à l'oreille qu'il s'agit de son père. Or son père est mort depuis fort longtemps. Je me demande même s'il l'a connu. Nous formons une génération de fils qui n'ont pas connu leur père et c'est ce qui nous relie les uns aux autres. Je ne me souviens pas du visage de mon père. Je regarde s'éloigner le père de Gasner. Son père et lui ont la même nuque. Ma mère dit que mon père et moi avons les mêmes mains. Nuque, mains. Des morceaux. Peut-on reconstruire un père avec une paire de mains et des anecdotes recueillies çà et là ? Je comprends subitement que je suis dans un rêve (je le savais dès le début mais, après un certain temps, je n'y ai plus pensé). J'essaie de rester le plus longtemps possible dans le rêve pour ne pas quitter Gasner. À peine cette pensée me traverse-t-elle l'esprit que tout commence à se désagréger. Je tente, dans un ultime effort, de résister, mais le décor se liquéfie sous mes yeux à une vitesse infernale. Et Gasner qui disparaît, me laissant comme dernier souvenir son sourire radieux.

La vie est un roman (5 h 46)

— Mon chéri…

C'est la voix de Mercedes. J'émerge tranquillement de mon sommeil troublé.

— Tu dormais comme un bébé, me dit doucement Fifine tout en me caressant le front, comme on fait à un enfant effrayé qu'on veut rassurer.

— Où étiez-vous ?

— En ville, lance Mercedes avec son accent chantant.

— Moi, dit Fifine, j'étais partie à la recherche de Mercedes.

— Andrémise me l'a dit.

— Je ne pouvais pas rester sans rien faire, jette Mercedes d'un ton hargneux. Dès que j'ai appris la triste nouvelle, j'ai voulu savoir qui a fait le coup.

Je m'asseois sur le lit tout en me frottant énergiquement le visage.

— Et tu l'as su ?

— Je suis allée voir le colonel (Mercedes est la maîtresse d'un des assistants du chef d'état-major). Il n'était pas là. C'est étrange, d'ordinaire, à cette heure, je le trouve toujours à son bureau.

— J'ai l'impression, dit Fifine en frissonnant, qu'il se passe quelque chose de très grave. De plus grave même que la mort de Gasner.

— Il n'y a rien de plus grave que la mort de Gasner, rugit Mercedes en éclatant du même coup en sanglots.

Elle se jette sur moi en pleurant. Fifine me fait, pardessus l'épaule de Mercedes, un sourire si terriblement triste que je ressens pour la première fois, depuis ma visite ratée à la morgue, l'absence définitive de Gasner.

— Tu ne vas pas mourir, toi aussi ? me murmure presque Fifine.

Les larmes coulent silencieusement le long de ses joues.

— J'espère que non...

— Ne plaisante pas, dit Mercedes en s'essuyant le visage avec la serviette blanche qu'elle garde toujours près du lit, à la disposition des clients.

— Tu dois avoir faim ?

— Pas trop.

— Il faut manger. Fifine, va lui préparer quelque chose.

Je connais la recette de Fifine : poisson en sauce, banane verte bouillie, tomate, laitue et une belle tranche d'avocat. Le poisson toujours frais et bien épicé. Et le tout accompagné d'un grand verre de jus de cachiman. Fifine part comme une flèche (comme une gazelle, plutôt). La cuisine, c'est ce qu'elle aime le plus faire. Plus que la musique. Plus que l'amour. Plus que tout. Pas pour elle. Son but dans la vie : nourrir son homme. Son rêve : trouver un homme qui apprécie sa cuisine. Quand elle parle des hommes qu'elle a eus, c'est toujours en rapport avec la nourriture. Chacun de ses hommes (ce ne sont pas des amants, car le sexe n'entre jamais dans ses confidences) est toujours identifié par son plat favori.

— Maintenant que Fifine est partie, je peux te le dire. C'est vrai que je n'ai pas vu le colonel, mais j'ai vu un jeune officier qui lui sert d'aide de camp. Il m'a confié qu'il sait qui a fait le coup. Ils étaient trois ou quatre sur Gasner.

— Ah bon ! Et il t'a dit qui ?

— Ce soir. Tu connais ces gens, ils veulent toujours quelque chose en contrepartie.

— Que veut-il ?

— Moi.

— Je ne voudrais pas t'insulter, Mercedes, mais pour t'avoir il n'a qu'à payer.

Mercedes éclate d'un grand rire.

— Je vois que tu as encore beaucoup de choses à apprendre, mon bébé. Il ne veut pas simplement coucher avec moi. Pour ça, il sait bien qu'on n'a qu'à payer. Je le connais depuis longtemps. Ce qu'il veut, c'est que je sois à lui. Il veut pour lui la maîtresse du colonel. De son colonel. Un colonel avec des cornes, c'est bien moins intimidant.

— Oh ! je ne crois pas beaucoup à ton truc, Mercedes. C'est trop raffiné. Ces types sont des bêtes sauvages.

Elle me regarde droit dans les yeux.

— Je vais te dire le secret de ce genre d'homme.

— C'est quoi ?

— De se faire aimer par une prostituée.

— Et pourquoi ?

— Si mon corps est à vendre, mon cœur n'a pas de prix.

— T'as lu ça quelque part.

Elle sourit.

— Si tu veux mon avis, Mercedes, je crois qu'il veut simplement coucher avec toi sans payer.

— Depuis deux ans que je suis avec le colonel César…

— Le colonel César !

— Pourquoi es-tu si étonné ?

— Tu as dit le colonel César ?

— Tu le connais ?

— Oui, je le connais.

— C'est pas ton père par hasard ?

— Non, mon père est en exil. Je te l'ai déjà raconté.

— Je sais, mais les gens d'ici, j'ai remarqué, ont toujours au moins deux pères. Un père officiel et leur vrai père.

— Je ne savais pas que c'était le colonel César quand tu me parlais de lui.

— Arrête. Ça fait deux ans que je te parle de lui, c'est pas aujourd'hui que tu vas en faire un drame.

— Et comment ça se fait que je ne l'ai jamais rencontré ici ?

— Tu pars très tôt et il arrive très tard. Je ne mélange pas mes affaires. Toi et Gasner, c'est pour l'affection. La nuit, je travaille.

— Excuse-moi, ça m'a pris comme ça. Je n'aurais jamais imaginé que le type dont tu me parlais était le colonel César. Excuse-moi, qu'est-ce que tu disais ?

— Eh bien, depuis deux ans que je suis avec le colonel et qu'il paie cette chambre, tout ce que je porte sur moi, ce que je mange, et même le loyer de ma mère à Santo-Domingo, je peux te dire qu'en deux ans on n'a pas couché ensemble plus de cinq fois, et toujours parce que j'ai insisté car j'aime bien gagner mon pain.

— Alors, pourquoi il est avec toi ?

— C'est ce que j'essaie de te dire depuis tout à l'heure. Il est avec moi pour qu'on sache qu'il est un homme.

— Ah ! Mercedes, on vit dans une époque moderne. Ce genre de raisonnement est trop ancien…

Elle sourit comme une chatte s'apprêtant à avaler une innocente souris. Sa souris, c'est moi.

— Il ne peut pas être plus ancien que le métier que je fais.

— Touché !

— Merci. Tu sais, il vient ici trois fois par semaine. Il gare sa voiture bien en vue, prend un doigt de rhum et on va se coucher. Je passe la nuit à l'entendre ronfler. Tout ça pour garder le respect de ses subalternes.

— Et pourquoi il ne prend pas une maîtresse régulière, sans vouloir te vexer, Mercedes ?

— T'inquiète pas pour moi. C'est encore plus sûr ici. Il ne viendrait à l'idée de personne qu'un colonel couche dans un bordel pour dormir. Quand il passe la nuit ici, le lendemain il me raconte toutes les plaisanteries qu'on lui fait au sujet de sa puissance. Ça le fait rire, et c'est pour ça qu'il paie.

— Et l'autre, le jeune officier ?

— Ce serait le jackpot pour lui si on apprenait que je suis sa maîtresse. Ce serait comme s'il avait deux sexes. En même temps qu'il me baiserait, moi, il baiserait le colonel. Tu vois ce que je veux dire…

— Oui, je vois. Mais c'est un jeu dangereux.

— Pas pour moi. Moi, je suis une prostituée. Pour eux, oui. À moi le sexe et l'argent. À eux le pouvoir. Ne parle pas de ça à Fifine, elle n'aime pas ces histoires. Moi, c'est tout ce que j'aime…

— Tu aurais aimé faire de la politique ?

Son visage s'éclaire.

— Oui. J'aime les intrigues, mais ça ne marcherait pas parce que je suis trop sensible.

— Ah bon ! je fais, complètement abasourdi, après ce que tu viens de m'expliquer, j'aurais cru le contraire.

— Je vais te montrer quelque chose.

Elle se dirige calmement vers un petit meuble près de la coiffeuse, l'ouvre et en retire un livre qu'elle m'apporte.

Je le feuillette un moment. Elle me regarde attentivement. C'est *L'Espace d'un cillement* de Jacques-Stephen Alexis.

— C'est un de mes romans préférés, dis-je après un temps.

— C'est Gasner qui me l'a donné, dit-elle, émue.

— L'as-tu lu ?

Un regard dur vers moi.

— Je ne sais pas combien de fois.

— Je sais toujours quand elle est en train de lire ce maudit livre, lance Fifine en entrant dans la chambre avec un plat fumant. Elle n'arrête pas de pleurer dans ce cas-là.

— Parce que c'est la plus belle histoire d'amour que j'ai jamais lue.

— Tu n'as pas lu tant de livres que ça, dit Fifine qui, visiblement, n'aime pas lire.

— Ce soir, je vais de découverte en découverte. Et maintenant, je découvre que tu es une romantique, Mercedes.

— Bien sûr que je suis une romantique. Je suis même très romantique.

Elle a les yeux embués de larmes.

— El Caoucho me fait frémir.

— C'est qui, El Caoucho ? Quel nom stupide !

— Laisse tomber, Fifine. Elle sait très bien c'est qui. Elle dit ça pour me faire enrager.

— C'est un beau personnage… Tu aurais aimé le rencontrer ?

Mercedes réfléchit un long moment.

— Non, c'est l'auteur qui m'intéresse. C'est lui qui a inventé ce personnage. Cet homme doit bien savoir ce qu'est l'amour pour plonger si profondément dans le cœur de cette femme.

— De cette prostituée, corrige Fifine, qui écoutait tout en servant mon plat.

— Je n'ai jamais vu une prostituée, mais une femme comme toutes les autres femmes avec un cœur fait pour aimer… Laisse-moi te dire que cet homme sait ce qu'est l'amour.

Fifine se met à danser pour se moquer de Mercedes.

— Il peut bien écrire des livres pour faire pleurer les femmes fragiles comme nous. (Elle fait encore quelques pas de danse.) Mais je n'oublierai jamais que c'est un homme et qu'il doit être comme les autres.

— Un homme qui a réussi à toucher le cœur d'une vraie femme comme moi ne peut être qu'un vrai, tu peux me croire, Fifine. Et il n'y en a pas tant que ça.

Elle se met à pleurer à chaudes larmes.

— Arrête de pleurer, dit Fifine en lui caressant la joue. Tout ça pour un livre…

Ce livre de Jacques-Stephen Alexis, le dernier qu'il a

publié avant sa mort (lui aussi a été assassiné comme Gasner par les tontons macoutes), se passe dans un bordel aussi : *Sensation-Bar.* Pas loin d'ici, dans le quartier rouge. Cela raconte l'histoire de la rencontre d'une petite prostituée très sentimentale, la Niña Estrelita, qui n'a jamais connu l'orgasme parce qu'elle n'a jamais connu l'amour, avec un jeune ouvrier révolutionnaire, El Caoucho (qui doit son surnom à sa démarche sautillante). Ces deux amoureux vivront une passion dévorante (presque sans se toucher) jusqu'à l'orgasme final. On a reproché à l'auteur d'avoir planté le décor de son livre dans un bordel. Ce n'était pas un sujet assez sérieux pour l'intelligentsia de l'époque. En réalité, c'est le livre le plus achevé de cet écrivain, mort à trente-neuf ans après avoir tenté de renverser la dictature de Papa Doc. L'auteur de *Compère général Soleil* a été torturé à Fort-Dimanche, la plus sinistre prison de la Caraïbe. C'est étrange que Gasner ait choisi de donner ce livre à Mercedes. Il ne me viendrait jamais à l'esprit de faire un tel cadeau à une prostituée. Peut-être qu'il trouvait qu'Alexis exprimait ses vues sur la question et qu'il voulait faire savoir à Mercedes ce qu'il pensait sincèrement de sa condition. C'était prendre le risque que cela l'indispose. Gasner était ainsi, il prenait des risques en tout. C'est que les professionnels n'aiment pas beaucoup les livres écrits sur leurs activités par des amateurs. Des erreurs très grossières viennent toujours gâter l'ensemble. Quand on y regarde de plus près, Gasner ressemble un peu à Alexis. Ils avaient la même vision romantique de la vie. Et la petite prostituée espagnole, pour Alexis comme pour Gasner, représentait le point ultime du romantisme : la fausse fête (« les femmes dites de joie » d'Alexis), l'éclatante beauté de type espagnol (rouge à lèvres, fleur au coin de l'oreille, éclats de rire), la nostalgie du pays natal (Cuba, Venezuela, Dominicanie), la musicalité de la langue espagnole, un tempérament chaud et prompt à la rébellion et une constante tristesse sous-jacente.

— Et toi, Fifine, l'as-tu lu ?

— Non, répond-elle rapidement. Ce n'est pas mon genre. Je n'aime pas les histoires qui font pleurer. J'aime les hommes qui me font rire. Mercedes aime pleurer. Moi, pas. On est totalement différentes.

— C'est vrai, dit Mercedes. Mais pourquoi tu ne manges pas ? Mange, mon chéri, mange.

Je n'ai pas faim, mais Fifine est une cuisinière vraiment bien. Et quel arôme ! Bien épicé. Le parfum du piment et du citron vert. Un bon poisson, c'est à la fois si simple et si difficile à réussir. Tout est dans l'assaisonnement. Plutôt dans l'art, ce truc impalpable. Fifine me regarde déguster son poisson en souriant. Le triomphe d'une cuisinière, c'est quand on dévore son plat bien qu'on n'ait pas faim. Elle m'observe. Attentive, pointue, aiguë. Ses lèvres se gonflent peu à peu. Sa poitrine se soulève légèrement. J'ai vu l'éclair de plaisir intense dans ses yeux. C'est comme ça qu'elle prend son pied.

— Bon, dis-je après un moment, je dois partir maintenant.

Mercedes se tourne vers moi.

— Tu repasses, car je dois te parler. Tu m'entends ? C'est important. L'officier viendra ce soir et je saurai pour Gasner.

J'embrasse les deux femmes sur les yeux (le baiser d'adieu) en pensant que je ne les reverrai peut-être jamais.

Tap-tap (6 h 08)

Le tap-tap slalome entre les flaques d'eau. Il a plu un peu tout à l'heure. À la moindre averse, cette ville est inondée. Pour éviter les trous d'eau, le chauffeur fait de si brusques embardées qu'il nous projette les uns sur les autres. Chaque fois, une grosse femme en robe violette, avec un étroit col blanc lui serrant la gorge, lance un cri perçant qui fait craindre le pire. Comme si la camionnette allait chavirer.

— Je ne peux pas entendre ce cri, dit l'un des passagers, ça me glace le sang.

Au même moment, le chauffeur, afin d'éviter une nouvelle flaque, se retrouve face à face avec une camionnette qui arrive à toute vitesse en sens inverse. Hurlement interminable de la femme. Le chauffeur esquive de justesse l'autre tap-tap.

— Je croyais qu'on allait y passer cette fois, dit la femme en robe violette après avoir lancé son cri.

Personne n'a pensé à lui reprocher ce dernier hurlement.

— Ce pays est devenu impossible, dit un homme bien mis, une toute petite pluie de rien du tout et c'est la catastrophe.

— Quand il pleut comme ça, c'est difficile d'éviter

les trous. On ne peut les voir qu'à la dernière seconde. Quand le sol est sec, on arrive à les distinguer de loin et à les éviter tout en contrôlant la circulation. Rien ne sert d'éviter un trou si c'est pour entrer dans une autre camionnette.

— Il faut dire aussi, ajoute son voisin sur ton professoral, que ce chauffeur est sûrement novice en la matière, car tout chauffeur expérimenté doit connaître par cœur son chemin. Je connais un chauffeur qui sait où se trouve le moindre trou sur la route.

— Bravo, dit la femme à la robe violette. Je me disais aussi que ce chauffeur est nul. Depuis que je fais cette route, c'est la première fois que j'assiste à une pareille affaire. Et je prends des taps-taps à longueur de journée.

Nous passons devant le cinéma *Cric-Crac*, à Martissant, qui projette encore *L'Égyptien*, le premier film que j'ai vu. Nous étions partis de Petit-Goâve, dans la petite Minor-Morris de mon oncle Jean. J'avais neuf ans à l'époque. Quelqu'un avait fait croire à mon oncle que c'était un devoir formel pour tout franc-maçon de voir ce film. Après la projection, il a entrepris de m'expliquer tous les secrets du film (enfin, pas les vrais secrets, ceux qu'il ne doit surtout pas divulguer), difficilement repérables par un œil profane. Je fus impressionné de découvrir qu'il y avait un autre film caché à l'intérieur du film que je venais de voir. Ce film est devenu un classique pour les spectateurs haïtiens, si friands de mysticisme. L'Haïtien est vaudouisant dans l'âme, m'a-t-il expliqué ce soir-là, catholique dans le cœur et franc-maçon dans l'esprit. Je me demande encore comment j'ai pu échapper jusqu'à présent à cette culture pseudo-mystique, qu'une amie a qualifiée de « pornographie ésotérique ». Un étonnant premier bilan, à vingt-trois ans. Je ne suis ni vaudouisant, ni catholique, ni franc-maçon. Et surtout pas athée. L'athée s'efforce de ne pas croire, alors que je suis totalement ouvert à la vie. Seulement, quand je regarde le ciel, je ne vois qu'une immensité bleue traversée par des nuages vagabonds (et les formes parfois inquiétantes, parfois joyeuses de ces nuages me permettent de rêver). Quand je croise un chat noir, je ne vois qu'un magnifique animal. Cela n'a rien à voir avec le vaudou, ni le catholicisme ou la franc-maçonnerie. Ce n'est que de la superstition. Mais je crois que toute foi commence par la magie, le surnaturel. Je suis totalement imperméable à toute forme de mysticisme. La raison en est que je suis constamment émerveillé par le spectacle de la vie. Les faits les plus banals m'étourdissent, impressionné que je suis par leur richesse, leur profondeur, leur éclat caché. Étant déjà absorbé par la simple réalité, si subtile et si abondante, je n'ai plus besoin de l'aide du surnaturel pour rêver. Je ne rêve pas d'un autre monde. Je rêve dans ce monde. Le seul que j'ai. Ah ! voilà déjà les lumières de Port-au-Prince.

À voix basse (6 h 17)

Je fais semblant de dormir dans le tap-tap mais, en réalité, j'écoute la conversation entre les deux hommes assis en face de moi.

— Je ne peux plus tenir, dit celui qui porte un chapeau de laine grise.

— Ne te laisse pas abattre, Félix. Tu as toujours été un résistant.

— Je tiens bon depuis des années, Marcel, mais cette fois, je crois que c'est la fin. Je n'ai pas de travail, pas un sou et aucun contact. Les gens que je connaissais quand je travaillais au ministère de la Santé font semblant de ne pas me voir quand on se croise dans la rue. Je passe le plus clair de mon temps à écrire des lettres à des gens bien placés pour essayer de trouver quelque chose, un travail quelconque, n'importe quoi, du moment que c'est honnête. J'ai trop de responsabilités pour faire la fine bouche.

— Tu verras, Félix, un jour ce sera ta chance.

Félix sourit tristement.

— Merci d'essayer de me remonter le moral, Marcel, mais je ne suis plus très jeune.

— Moi, je crois fermement que tu remonteras la pente.

— Non, Marcel. On m'a dit que quelqu'un de très haut placé a donné des ordres pour qu'on ne m'emploie plus.

— Ah bon ! Je n'étais pas au courant. Sais-tu qui c'est ?

— Non, l'homme qui m'en a parlé refuse de me dire le nom de mon tourmenteur. Il m'a simplement dit que c'est un homme très puissant au sein du gouvernement.

— Mais tu n'as jamais fait de mal à personne, Félix.

— Il paraît que cet individu a eu des démêlés avec mon frère aîné, mais comme je suis le plus vulnérable, c'est moi qui écope. Si ça continue, je vais devoir envisager de partir.

Marcel a un brusque mouvement de recul.

— Non, pas toi, Félix ! Si tous les hommes honnêtes de ce pays se mettent à partir…

— Je sais, Marcel, mais tu es témoin que j'ai tout tenté. J'ai trop de responsabilités pour assister, sans rien faire, à ma propre destruction. S'il n'y avait pas les enfants…

— C'est vrai, mais que comptes-tu faire là-bas ?

— N'importe quoi !

— Félix, tu ne vas pas quitter ton pays pour aller promener les chiens dans les parcs.

— Si ça peut me permettre de préparer l'avenir de mes enfants, je le ferai, Marcel.

— Tu as toujours été dévoué à ta famille. Remercie le ciel qu'ils puissent encore manger quelque chose.

Félix fait un rapide signe de croix. Marcel l'imite.

— C'est à ce morceau de terrain de Rivière-Froide que je dois de pouvoir ramener à la maison quelques fruits et légumes.

Un gros sac rempli de provisions alimentaires est placé entre les jambes de Félix. Celui-ci y plonge les deux mains pour sortir avocats, melons, aubergines, mangues, bananes et mirlitons qu'il dépose sur les genoux de Marcel.

— Non, mon frère, je ne peux pas accepter.

— Prends-les puisque je te les donne.

— Merci. Tu ne peux pas savoir ce que tu as fait là, Félix.

— C'est rien, mon frère, si on ne m'avait pas tendu la main à moi aussi, à l'heure qu'il est je serais déjà mort et ma famille à la rue.

— Ma mère avait l'habitude de dire : « Quand un pauvre donne à un plus pauvre que lui, Dieu veille sur sa maison et protège sa descendance. »

— Je vais descendre ici, Marcel, j'ai encore quelques courses à faire. Je dois acheter de l'huile et du sel chez mon ami Federne, le dernier à me faire crédit.

Le tap-tap s'arrête un bref moment en face de la clinique du docteur Samedi. J'allonge le cou pour voir si l'infirmière Georgette est de service. Quelques prostituées attendent encore sur la galerie, espérant voir le médecin pour leur certificat médical. Sans ce certificat, elles sont à la merci des inspecteurs sanitaires, qui peuvent leur faire payer de fortes amendes sous prétexte qu'elles mettent en danger la santé publique. La grosse femme en robe violette descend finalement du tap-tap.

— Si j'étais enceinte, gémit-elle, je crois que j'accoucherais sur place. Je n'ai jamais aussi mal voyagé de ma vie. Je ne remettrai plus jamais les pieds dans ce tap-tap.

— Si ce chauffeur fait l'amour à sa femme comme il conduit son tap-tap, on peut dire qu'elle méritera sa place au paradis, lance une autre femme en descendant.

Tout le monde rit. Félix descend péniblement du tap-tap.

— Mes arthrites, dit-il doucement pour s'excuser d'avoir fait attendre quelques passagers.

Marcel lui passe le lourd sac de jute rempli de provisions alimentaires. L'infirmière Georgette, qui descendait d'un taxi au même moment, s'empresse de venir aider Félix avec son sac. Ils ont l'air de bien se connaître. Le tap-tap repart dans un mouvement si brusque qu'il a fait hurler certains passagers, ce qui fait que je n'ai pas eu la chance de saluer l'infirmière Georgette, la marraine de toutes les prostituées de la zone rouge. C'est elle qui les protège contre les abus de toutes sortes. Quand elle va en Dominicanie, Mercedes ne manque jamais de lui rapporter un petit cadeau.

Éros et thanatos (6 h 30)

À quel moment commence-t-on à ressentir la mort d'un ami ? Pour le moment, c'est la vie qui me préoccupe. La mort m'a frôlé aujourd'hui et elle continue à rôder. Je peux sentir son odeur si sensuelle. Je frissonne rien qu'en pensant au baiser jaune de la mort rouge. La mort est blanche et froide dans le Nord. Elle est rouge et fumante dans le Sud. C'est l'âme qui meurt là-bas. Chez nous, c'est le corps. Un corps souvent jeune. La mort, toujours violente. Trahison. Coup dans le dos. Balle dans la tête. Sang. Rouge. Cris. Mort. Qui a trahi Gasner ? Qui est celui qui l'a embrassé avant de le livrer ? Qui est ce faux frère ? Un Frère-de-la-nuit ou un Frère-de-la-mort ? La mort jaune dans ce cas. Longtemps, je n'ai pensé qu'à la mort. Certains ne pensent qu'au sexe. D'autres qu'à l'argent. La vraie trilogie : sexe, argent et mort. La foi est l'eau qui nous aide à avaler la pilule de la mort. Malgré ce que l'on dit, je remarque que la pensée de la mort n'aide pas au désir sexuel. La mort fait plutôt débander. Dire qu'autrefois on appelait l'orgasme « la petite mort ». Dans ce pays, la mort ne ressemble ni à l'orgasme ni au sommeil. Ailleurs, on compare souvent la mort au sommeil. De quel genre de mort s'agit-il ? Sûrement pas la mort tropicale qui évoque les fruits exotiques et la mer turquoise des Antilles. Plutôt celle qui s'accompagne de la douleur du corps. La torture. Les coups reçus à la tête par mon frère Gasner. À la tête, à la nuque, aux reins et surtout au sexe. Pourquoi les bourreaux de ce pays s'attaquent-ils toujours en premier lieu à votre sexe ? La partie de vous la plus sensible. Le centre du plaisir le plus vif. Le lieu aussi de la plus intolérable des douleurs. Le sexe endolori. Chaque fois qu'avec des amis nous évoquons l'éventualité d'être torturé un jour (ce qui est tout à fait dans l'ordre des choses dans un tel pays) et qu'on arrive à cette forme de douleur (le sexe mouliné), je ressens un vif malaise. Comment un être humain pensant à un autre être humain de même sexe que lui a-t-il pu concevoir une telle forme de torture ? Quelle sorte de plaisir peut-on ressentir à infliger une douleur si inusitée à l'autre ? Qui bande le premier dans ce cas-là ? Le bourreau ou la victime ? Le masochiste bande-t-il sous la torture ? Fait-on bander son bourreau ? Ces questions m'angoissent depuis que j'ai commencé à écrire pour ce magazine et, plus précisément, depuis qu'un jour un type rencontré près de la cathédrale m'a glissé qu'écrire dans ce pays était une activité hautement dangereuse, et que j'ai su par la suite que cet homme a été longuement torturé à cause d'une vague allusion, dans un de ses articles, à la virilité de Papa Doc. On lui a mouliné le sexe. Un ami plus expérimenté m'a fait comprendre qu'il n'était pas nécessaire d'aller si loin (la vague allusion à la virilité de Papa Doc) pour finir dévoré par les crabes dans la terrible prison de Fort-Dimanche. Même les poètes les plus hermétiques (les disciples de Magloire Saint-Aude) ne sont pas à l'abri des lecteurs zélés de la préfecture chargés de déceler toute critique subjective, même bien cachée à l'intérieur des textes.

Je suis un individu (6 h 38)

Je suis assis sur un banc de la place Sainte-Anne, en face du lycée Toussaint-Louverture, me demandant ce qu'il faut faire de cette dernière nuit que je passe dans cette ville où je vis depuis mon départ de Petit-Goâve. Quoi que je fasse, je sais que, dans vingt, trente ou quarante ans, tous les événements de cette dernière nuit, dans leurs moindres détails, remonteront à la surface de ma mémoire comme un bouchon de liège. Dans quel état ? Ah ça ! je l'ignore. Pour l'instant, je vis ce moment dans ma chair et mon esprit. Étrangement vivant. Tout étonné d'être là, assis sur ce banc, dans cette ville où Gasner n'a pas encore été enterré. En même temps, je ne me sens pas ici. Je suis encore ici, mais déjà là-bas. Ou mieux : je ne suis plus ici, mais pas encore là-bas. J'essaie de trouver où je suis pour savoir qui je suis. Mon espace n'étant pas certain, je me rabats sur le temps. Je découpe mon temps en heures, minutes, secondes. Je regarde ma montre sans arrêt. Je deviens un obsédé du temps et je note mentalement à quel moment j'ai fait ceci ou cela. L'espace est mort, vive le temps ! Je ne peux même pas imaginer à quoi ressemble l'endroit où je serai demain. Je n'ai jamais quitté mon pays, même pour aller en Dominicanie, le pays voisin qui partage avec nous ce caillou au soleil. Je n'ai pas souvent rêvé de partir, contrairement à la plupart de mes copains. Je suis ici. Je vis ici. S'il le faut, je mourrai ici. Non, je ne veux mourir nulle part, encore moins dans mon pays de malheur où la mort nous frappe si jeunes et de manière si violente. Je ne suis pas assez nationaliste pour souhaiter mourir dans cette saloperie de pays, aux mains de ces gens qui ont tué mon frère Gasner. Il y en a qui disent que c'est toujours mieux de se faire maltraiter chez soi plutôt que dans un pays étranger. Un dictateur noir vaudrait-il mieux qu'un fasciste blanc ? Je ne me pose pas ce genre de question. Je ne partage pas trop l'idée de pays, de drapeau ou de nation. En tout cas, pas autant que mes compatriotes. Je dirais plutôt que c'est ici que je suis né, c'est ici que j'ai connu l'amour pour la première fois, c'est ici que vivent ma mère et mes tantes, et c'est ici que vient de mourir mon meilleur ami. Une accumulation. Cette masse de faits produit une émotion. Et cette émotion m'appartient en propre. C'est mon identité. Je ne crois pas que les gens soient plus intéressants ailleurs qu'ici, ni même que la vie y est meilleure. C'est sûrement différent, même si je ne sais pas de quoi est faite cette différence. Je pense avoir le droit, si tel est mon désir, d'aller voir ce qui se passe de l'autre côté de la colline. C'est tout. Un désir personnel. Le mien. C'est ce que le pouvoir déteste le plus. C'est ce qui lui fait montrer les dents. Il nous veut à sa merci. Nous sommes obligés de l'aimer. Ou de le détester. Du moment que nous ne sortons pas du cercle de feu. Si je meurs cette nuit, on fera de moi peut-être un héros, comme Gasner est en train de le devenir dans la conscience populaire, alors que je ne fais que penser à moi. Je suis un individualiste-né. Et fier de l'être. C'est ma dernière cartouche contre le pouvoir. Ne penser qu'à moi. Moi contre eux tous. Tous ceux que je connais ne pensent qu'au pouvoir. Pour l'adorer ou le détester. D'après eux, il n'y a pas d'alternative. Faux ! Le droit de penser à moi. Ah ! j'y tiens à ce droit. Mon ultime refuge. Mon dernier carré de résistance. Je ne laisserai personne pénétrer ici. Il leur faudra venir me combattre sur mon propre terrain. Pour m'avoir, il leur faudra détruire mon essence. Mon être intime. Mon intériorité profonde. Ils ne m'auront pas à la surface (le combat se fera sous les eaux) avec leur propagande de merde, leurs paroles mielleuses, leurs séductions de rêve (les jeunes mulâtresses déclassées qu'on vous jette dans les bras) et l'argent. Chez mes amis, ce n'est guère mieux. Ils veulent ardemment que je rejoigne leur groupuscule, dont la moitié des membres sont des informateurs de la préfecture. Il suffit d'assister à une seule réunion pour tout comprendre. Je les vois planchant si sérieusement sur *Le Matérialisme dialectique* (la bible des jeunes petits-bourgeois de Port-au-Prince qui veulent afficher leur conscience sociale), rêvant du dépôt d'armes que le dictateur fait déplacer tous les quinze jours, croyant dur comme fer qu'ils sauraient renouveler l'exploit de Guevara (en plein Port-au-Prince avec un groupuscule truffé d'espions), et rentrant chez eux la nuit pour, en passant, sauter la petite servante suivant les bonnes vieilles manières coloniales. Sur ce banc, je suis en train de penser à moi. À moi seul. Je me confesse de cet acte obscène, mais c'est ainsi. Je me préfère à eux, résistant au chant des sirènes. N'écoutant personne. Pas plus la voix du bien que celle du mal. Le bourreau veut que je pense à lui. La victime veut que je pense à elle. Refusant l'un comme l'autre. Faisant le vide total. Immobile. De pierre. Les nerfs tendus. En ce moment, je ne pense ni à Papa Doc (ou à son fils qui n'est que son ombre au pouvoir), ni au tonton macoute à qui on a déjà passé l'ordre de me tuer, ni à ma mère en train de prier pour que cette nuit ne soit pas la dernière de ma vie, ni à mon père que je n'ai jamais vu vraiment mais qui occupe par son absence même une place immense dans mon cœur, ni même à Gasner. Je dis bien : à personne. Personne. Personne. Personne. Que cela soit écrit quelque part : Un Haïtien a réussi à ne penser qu'à lui-même (pas dans le sens physique du terme, mais plutôt métaphysique). C'est l'une des opérations les plus épuisantes de ma vie. On devrait mettre une plaque sur ce banc : Ici, ce premier juin 1976, un jeune Haïtien de vingt-trois ans est parvenu à sortir de ce grouillement humain pour oser penser à lui-même. Un individu est né. J'en suis tout étourdi.

Un minimum d'inconfort (6 h 43)

Je ne me sens à l'aise que dans un minimum d'inconfort. C'est mon seul souci par rapport à ce voyage (je déteste le terme « exil »). C'est que je ne tiens nullement à garder pour le reste de ma vie une identification qui me reliera à ce pouvoir de Port-au-Prince, que je veux justement sortir de mon esprit. Pourront-ils me garantir, là-bas, un minimum d'inconfort ? La petite étincelle de peur qui fait vivre. C'est un drogué qui parle. Je sais, je sais, je suis bourré de contradictions. Je veux filer d'ici pour ne plus avoir à faire face à la mort à chaque coin de rue, et en même temps je me sens incapable de vivre dans un pays où la vie des citoyens semble être réglée sur du papier à musique. Un pays où aucune tragédie ne plane sur la tête de ses citoyens me glacerait le sang. La glace. Le froid du Nord. « Je reviens des giboulées du Nord, et le soleil que j'ai bu là-bas était froid comme la mort », s'exclame le poète René Philoctête à son retour de Montréal. Je suis resté pétrifié la première fois que j'ai lu ce poème (« Ces îles qui marchent »). Voilà ce poète haïtien (un type avec qui j'ai déjà pris quelques verres, pas un poète mort depuis cent ans) qui ramène de son voyage dans le nord de l'Amérique l'idée insoutenable, pour un Caraïbéen comme moi, de la mort par le froid. Soleil froid. Le contraste annonce une tragédie collective. Un peuple dont les pieds restent figés dans la glace. Je n'ai que ce vers pour visualiser mon avenir. Je connais le chaud. Le froid n'est peut-être pas simplement l'opposé du chaud. Je suis ce tiède, dans tous les sens du terme, pris entre le feu du

Sud et la glace du Nord. N'y a-t-il pas toujours, et cela, n'importe où, de souterraines tragédies personnelles ? Toute tragédie n'est-elle pas forcément personnelle, même quand elle devient un drame collectif ? *Antigone*, c'est d'abord le drame personnel d'une jeune femme du nom d'Antigone. Quand un tonton macoute vous pourchasse avec un .38 à cause de vos opinions, est-ce une tragédie personnelle ou une tragédie nationale ? Qui est le plus en danger, dans une telle situation, vous ou votre pays ? C'est le genre de devinettes qu'on ne vous pose que dans les pays pauvres. Le Sphinx, dans ce cas-là, c'est le dictateur. Voilà une situation détestable : votre mort ne vous appartient pas. La chose la plus intime devient une affaire publique dans un pays où la mort est la chasse gardée du pouvoir. C'est pourquoi il y a si peu de cas de suicide en Haïti puisque c'est le gouvernement qui s'occupe de votre mort. L'État arrête, interroge, emprisonne, torture, fusille. En droite ligne. Le suicide suppose un divorce, une irréconciliation entre soi et soi-même. L'individu n'existant pas, ici, un tel divorce devient impensable. La quête inlassable de mon individualité me pousse à choisir un pays avec un taux de suicide très élevé. En même temps (on ne peut pas échapper totalement à sa culture), je sens que j'aurai du mal à vivre dans un pays où votre mort ne dépend que de vous (accident, maladie, suicide). Votre vie s'y réduit à votre simple personne. Hé là ! mais c'est ce que j'ai toujours voulu ! Avoir la garde de ma vie et la maîtrise (si possible) de ma mort. Mourir simplement parce que j'aurai rendu mon dernier souffle après une longue vie. C'est ce qui arrive, je pense, à des millions de personnes dans le Nord. Alors pourquoi ce doute, cette interrogation, cette hésitation ? Je sens que quelque chose ne va pas. Qu'est-ce qui ne va pas, mon vieux ? Bon, je n'arrive pas à faire un choix définitif entre la vie risquée d'ici et le confort possible de là-bas. Ici, on parle sans cesse de la mort. Là-bas, on parle sans arrêt de la vie. Parler de la mort me fait vivre plus intensément, tandis que je trouve un peu ennuyeux de parler tout le temps de la vie. La vie, il me semble qu'il faut plutôt la vivre. C'est inquiétant de passer tant de temps dans l'organisation de sa vie. Ah ! la question du temps. Quand on a trop de temps devant soi, on perd le spasme de la vie. Gasner, qui est mort à vingt-trois ans, n'a pas eu le temps de s'asseoir sur un banc, comme moi maintenant, pour réfléchir sur la vie. Je me souviens d'avoir lu, une fois, dans un magazine international cette étrange expression : « l'art de vivre ». Qu'est-ce que cela peut bien être ? Un tel art est-il possible ? Je peux à la rigueur comprendre l'art de mourir. Ou l'art de jouer à cache-cache avec la mort. Mais l'art de vivre, c'est quoi ? Cela doit être un très vieil art, bien rodé par les siècles et les générations successives dans ces pays où l'on a depuis longtemps réglé le problème du manger et du boire. En quoi cette histoire me concerne-t-elle ? Pourrai-je apprendre à bien vivre ? Où est l'improvisation ? Quelle est la part de la surprise ? Quelle place fait-on à la douleur ? Je ne prends nullement la défense de la douleur. On finira par l'éliminer, et je ne m'en plaindrai pas. Je me sens un peu hésitant à choisir entre le grand désordre de la vie d'ici et l'ordre de ceux qui considèrent la vie comme un art. Je parle, je parle, simplement parce que je commence à avoir plus peur de l'inconnu incolore et inodore que de l'effroyable connu si touffu et nauséabond (les vagues d'odeurs suffocantes venant de la foule en sueur, de sels humains, de la boue noire et puante, des eaux usées des égouts à ciel ouvert). Un ami m'a soufflé que si, ici, l'eau de Cologne a une odeur de sang, là-bas, même le sang a une odeur d'eau de Cologne. Le sang de mon frère depuis ce midi. Rien ne dit que je dois quitter ce pays où n'importe quelle tuile peut vous tomber sur la tête à n'importe quel moment. Choisir entre une balle dans la nuque tirée à bout portant et un cancer de la prostate… Qui aurait cru que j'aurais à faire face, un jour, à un tel dilemme ! Il y a à peine vingt-quatre heures, ma vie était plutôt simple. Je me contentais de dériver dans cette ville étrange et mystérieuse que je ne suis jamais parvenu à maîtriser, tout en notant mentalement les petits faits absurdes du quotidien. Chronique d'un promeneur solitaire. Je passais le reste du temps à flirter avec les jeunes comédiennes du Conservatoire d'art dramatique, à discuter sans fin avec Gasner de la fine frontière qui existe entre la vie et la mort dans ce curieux pays (le rire sarcastique de Gasner), à dévorer un bon plat de spaghettis au poulet chez *Beau-bœuf* avant d'aller terminer le repas en face, au *Daddy's Bar*, par un grand verre de jus de papaye, pour finalement rejoindre quelques copains au *Brise-de-Mer*, où je finirais, sur un coin de la table, par griffonner mon article. Généralement, ce n'était qu'en rentrant, à l'aube, que je croisais ma mère qui courait assister à la messe de quatre heure à l'église Saint-Gérard. Tout cela sans jamais perdre conscience que les grands fauves chassent de préférence la nuit. Les prières de ma mère m'accompagnent partout. Des fois, durant mes pérégrinations nocturnes, il m'arrivait de passer près de la maison et de voir son ombre sur la galerie, toujours assise dans le même coin, près du massif de lauriers-roses. Je sais qu'elle ne dort jamais depuis que j'ai pris l'habitude de vivre la nuit. J'aurais bien aimé rentrer tôt, comme font tous les bons fils, mais la nuit m'attirait trop fortement. L'alcool de la nuit. J'aime sa couleur, son odeur, ses ombres, ses cris, ses éclats de rire, ses terrifiants hurlements. J'aime tout de la nuit. Même le danger, que je sais constant. J'aimais l'idée d'être une proie dans la nuit de Port-au-Prince. Je marchais tranquillement tout en sachant qu'un léopard m'épiait derrière chaque fourré. Le ciel étoilé, le chant incessant des cigales, les arabesques des lucioles dans le noir. Dans ce paysage naïf, sentant l'ilang-ilang, chaque individu que l'on croise peut être le messager de la mort.

Un combat personnel (6 h 52)

La mort ne vous montre son visage qu'une fois. Pendant un certain temps, je ne pensais qu'à elle. Je rêvais de l'impossible dans ce pays : une mort légère. La mort du papillon, dans un ultime bruit d'ailes. La mort qui vous effleure à peine. Filer droit vers les astres. Devenir soi-même un astre. Même une étoile filante. Le rêve de Gasner était de laisser sa trace. De ne pas passer inaperçu. Et c'est là que le bât blesse. Nous avons été élevés dans ce pays pour devenir des héros. Un vivier de héros. La moitié des gens qui habitent cette ville pensent qu'ils ont un destin national, et qu'ils ont pour mission de changer ce pays. L'autre moitié, armée jusqu'aux dents, refuse qu'on y apporte le moindre changement. Une bonne partie des membres du premier groupe finissent avec une balle dans la nuque (la nuque des femmes est le centre du désir tandis que celle des hommes attire la mort). Cette vision de la vie qui finit par une éclaboussure de sang contre un mur, même en criant « Vive la démocratie ! », m'a toujours fait gerber. Pour dire la chose franchement, je préfère vivre sous une dictature plutôt que de mourir pour la liberté. Je déteste l'idée de mourir. Je suis surtout rétif aux grands idéaux creux qui circulent dans les pays pauvres (je remarque que moins on a à manger, plus on a des principes). Si au moins ces idéaux nous venaient spontanément, innocemment, naïvement. Mais non. Qui pousse ces jeunes gens à affronter ainsi la bête ? Celui qui tirera plus tard les marrons du feu. Pour le savoir, il suffit de lever les yeux vers la montagne Noire et d'y découvrir les luxueuses villas brillant comme des palais ottomans. Là, mon vieux, vivent les riches de ce pays, assistant, avec un sourire satisfait, au carnage qui se déroule au pied de leur montagne. Pourquoi, partout au monde et surtout dans les grandes villes, les riches occupent-ils toujours le flanc des montagnes ? À cause de la douce brise qui vient de la mer, m'a dit, un jour, un riche. Les riches et les paysans. Les paysans pour être plus près de cette clientèle dorée capable de leur acheter leurs légumes par sacs entiers. Tandis que la classe moyenne crève de chaleur et de pollution dans la cuvette. Et quand le soleil leur tape trop fort sur la tête, ils s'énervent et se foutent des torgnoles sur la gueule. Il fait chaud, on a faim, on a soif et on pue. Près d'un million de personnes vivent dans des baraques bourrées d'enfants que des hordes de punaises dévorent, avec, plantée au milieu, comme dans un rêve, cette magnifique demeure spacieuse : le Palais national. Tout blanc au centre d'un grand parc. Tous les regards convergent vers lui. Comment ne pas y penser constamment ? Peut-on résister à une telle tentation ? Le rêve à la portée du pauvre. Toutes les mères se mettent à élever leur fils aîné pour en faire le maître des lieux. Le président de la république. Et toutes les filles rêvent d'être la femme du président. Les mères, la mère du président. Les jeunes frères, les frères du président. Les jeunes sœurs, les sœurs du président. Les cousins, les cousins du président. Les amis, les amis du président. Et le carnage peut commencer. Comment échapper à une histoire si sordide ? Mon rêve le plus fou ces dix dernières années. Ma résolution fut de ne pas me mêler de cette affaire. La question : Comment éviter ses compatriotes ? Comment leur faire comprendre qu'on ne partage pas leur rêve de présidence ? Qu'on est un poisson hydrophobe ? Il me faut réfléchir à cette décision. Est-ce possible dans une ville large comme un mouchoir, occupée par près de deux millions d'individus qui ne vous laissent pas un instant de répit ? C'est bien ça, le truc. Vous empêcher de réfléchir à votre propre situation, à votre propre vie. Ne pas vous laisser la possibilité de prendre du recul face aux vagues incessantes d'émotions qui n'arrêtent pas de déferler sur vous. Que faire au milieu de deux millions d'hystériques affamés et armés ? Les affamés se battent héroïquement contre une bande de sanguinaires armés. Et vous devez choisir un camp. C'est une obligation. Si vous refusez, alors les deux groupes se retournent contre vous. Et c'est le riche sur la montagne (le mont Olympe) qui commanditera votre mort. L'espace est occupé. Le temps ne vous appartient pas. Le seul espace disponible est celui qu'occupe mon corps. Le même que j'occuperai dans le cercueil. L'espace du corps. Il ne me reste qu'à plonger dans mon corps, dans ma chair, dans mon esprit pour retrouver mon être intime. N'accepter que ce combat personnel : celui entre moi et moi-même. Résister à tous ceux qui me demandent de les aider, même les appels à l'aide les plus pathétiques. Comment refuser son aide à un homme en détresse ? Je reconnais que c'est difficile, mais si vous faites un seul geste, vous êtes frit. Et le riche sourira d'aise dans sa luxueuse villa juchée sur le flanc de la montagne Noire. Il aura remarqué que vous avez pris part à l'affaire. Vous serez devenu partie intégrante du système. Le riche sait qu'il peut continuer à jeter les pauvres à la rue (ils sont tous propriétaires d'une ou de plusieurs des misérables baraques qui encerclent le Palais national), du moment qu'il reste des imbéciles pour les secourir. Qui est le plus coupable, celui qui a jeté un homme avec sa nombreuse famille à la rue ou celui qui ne lui a pas tendu la main ? Grave question qui se trouve au cœur même du système de cette mécanique sociale. Voilà ce qu'on appelle vous flanquer entre les jambes un problème qui n'était pas le vôtre. J'ai passé des nuits entières à discuter de ce sujet brûlant avec Gasner dans notre petit bordel de bord de mer. Mercedes nous écoutait toujours avidement pendant que Fifine préparait son fameux poisson. Cela se passait l'après-midi, avant l'arrivée des clients. Mercedes remplissait les verres tout en me faisant la gueule. Fifine partageait souvent mon point de vue. Mercedes hurlait à m'entendre, se bouchait les oreilles et m'accusait de cynisme. Fifine me jetait des regards à la dérobée, sa façon de me faire savoir qu'elle était de mon côté. L'odeur du riz blanc. Le parfum du piment fort. Le bruit des vagues se fracassant contre les récifs escarpés, juste sous nos pieds, plus tranchants que la lame aiguisée des rasoirs. L'année dernière, un type soûl a basculé sur les récifs. Il est resté deux mois à l'hôpital, profondément entaillé aux cuisses, au dos, aux bras et au thorax. Par miracle, sa tête avait été épargnée. On quittait les lieux, Gasner et moi, à l'arrivée des premiers clients, vers sept heures du soir. La discussion ne s'arrêtait pas pour autant. On la continuait dans le tap-tap. Et la même lancinante question revenait : Qui est le plus coupable ? Celui qui a jeté le pauvre à la rue ou celui qui ne l'a pas secouru ? Souvent, les passagers se mêlaient au débat. Pour eux, le monstre est toujours celui qui passe à côté d'un homme en difficulté sans tenter de le secourir. Une seule fois on a rencontré une femme qui partageait mon point de vue, mais elle était si hargneuse, accusant tout le monde d'être des imbéciles, que les autres passagers ont dû la faire descendre du tap-tap, comme on me fera sortir un jour de ce pays. Demain matin ? Quand j'y pense aujourd'hui, ce genre de débat était beaucoup trop théorique pour Gasner. Il était un instinctif. Je suis un intellectuel. Il avait besoin d'agir. J'ai besoin de réfléchir. Gasner ne serait jamais passé devant un homme par terre sans tenter de l'aider à se relever. Il était comme ça et aucune idéologie n'aurait pu y changer quoi que ce soit.

L'amour (7 h 15)

D'abord ce que j'aime. En premier lieu lire, ensuite rêver, et enfin flâner. J'aime rêver en flânant. Mais j'aime pardessous tout Lisa. Cela fait un certain temps que je garde en moi ce secret. Rien ne m'interdit de l'aimer ni même de lui dire que je l'aime, mais je n'arrive pas à le faire. Et ce sentiment mêlé de frustration m'occupe tout entier. Vrai, c'est un truc qui m'empêche de dormir. Je vois Lisa partout. Tout le temps. Je suis en train de manger un hamburger au *Rex-Café* et, subitement, sans raison, je la trouve en face de moi, souriante comme à l'ordinaire. Son visage est d'une telle fraîcheur que je vacille un bref instant. Je ne connais rien d'autre au monde qui pourrait m'apporter une telle plénitude. Elle surgit devant moi et tout devient superflu. Rien d'autre n'existe. Lisa n'est jamais pressée. Elle vous écoute attentivement comme si vous étiez le seul être au monde, vous laissant parler longuement, jusqu'à ce que vous ayez dit tout ce que vous avez à dire (ou presque, parce qu'on n'arrivera jamais à lui dire tout ce qu'on a dans le cœur) et, quand vous avez fini, alors, seulement, elle relève la tête pour vous regarder droit dans les yeux. Avec ce sourire. Vous avez l'impression qu'une trombe d'eau fraîche vous est tombée dessus en pleine canicule. La plénitude. Elle ne répond jamais directement à ce que vous lui demandez. La séduction ultime, chez Sandra, c'est de vous pousser à révéler ce désir secret que vous teniez caché derrière votre indifférence affichée. Le désir ne concerne pas Lisa. Elle va bien au-delà du désir. Elle ne touche qu'au rêve. Malgré tout, il y a un secret que je n'ai jamais même abordé avec elle. Un secret que nous partageons peut-être. Je ne pourrai le savoir que si je consens à mettre mon cœur complètement à nu. Mais le risque est trop grand. Je préfère vivre avec cet espoir, si minime soit-il. L'espoir que peut-être elle m'aime plutôt que de prendre le risque de me voir chasser définitivement du paradis. Je survivrais difficilement à un tel drame. Je n'ose même pas imaginer une pareille perspective. Apprendre que Lisa ne m'aime que comme un frère. Je préférerais une bonne haine à ce sentiment sain. Je ne suis son frère en aucun cas. Ce n'est sûrement pas comme son frère que je me vois. Son sourire (je n'arrête pas d'y penser) est si radieux que j'oublie tout en sa présence pour ne penser qu'à vivre. L'instant présent. La seconde où elle me tend son visage si pur, si présent, aussi évident qu'une tornade en plein midi. On a l'impression qu'elle se donne totalement à vous, dans l'immédiat. Par simple générosité. Je l'ai vue agir ainsi avec tant de gens. Sans jeu. Un mouvement sincère vers l'autre. On ne peut être jaloux avec une fille comme Lisa. Mais c'est dur. Heureusement qu'elle n'est pas comme cette petite garce manipulatrice de Sandra. Une vraie salope, celle-là. Elle vous envoûte, s'applique à vous rendre fou d'elle (avec ses yeux froids comme ceux des tueuses asiatiques dans les films de James Bond) pour vous laisser tomber tout de suite après, sans un mot, comme si vous n'étiez qu'un sac de linge sale. Quel est cet animal de la jungle qui tue sa proie même quand elle n'a pas faim ? Ce que j'ai souffert sous les griffes de cette tigresse de Sandra ! Les affres de la jalousie. Les plus noires tentations. Combien de fois l'ai-je découpée en morceaux ? Le pire, c'est ce petit rire de gorge qui ne la quitte jamais, vous donnant l'impression qu'elle détient un secret (le secret du désir) que vous ne pourriez même pas imaginer. Lisa est tout autrement. C'est un ange. La sainte et la putain. Tous les clichés ne sont pas faux. Mais si je dis que Lisa est une sainte, cela n'implique pas qu'avec elle on souffre moins. Au contraire. Mais jamais par sa faute. Toujours à cause de cette tare nichée dans notre âme qui nous pousse à toujours vouloir posséder l'autre. Peut-on accepter que celle que l'on aime jette sur tous les autres ce même regard doux, si doux qu'il nous enflamme à coup sûr le cœur ? Comment dire à Lisa que je l'aime ? C'est une partie de poker au-dessus de mes forces. Combien de fois ai-je tourné cette question dans ma tête ? Le soir, dans ma chambre, couché sur le petit lit de camp, dans la chaleur étouffante (je dors dans l'étroit couloir sans fenêtre). Sur le chemin qui mène chez elle (tous les chemins mènent chez Lisa), je la vois subitement en pleine conversation avec Gasner. Partout, elle surgit devant moi, pour disparaître sans un mot. Au bordel, je la vois aussi. Il m'arrive de penser à elle même en sa présence. Si par hasard je lui frôle le bras et qu'elle tourne vers moi ce visage si lumineux, je me dis toujours que c'est le moment de lui confier ce que j'ai vraiment sur le cœur, de lui raconter longuement mes nuits blanches passées à penser à elle, en un mot de lui dire que je l'aime, que je l'ai toujours aimée et que je l'aimerai toujours. Voilà le vrai secret du monde. Le secret des secrets. Le secret que je sais qu'elle sait, mais que je n'arriverai pourtant jamais à formuler. J'ouvre la bouche et aucun son ne sort. Comme toujours. Il faut un seul mot : *amour.* Mais ce mot est trop grand pour moi. Il ne peut sortir de moi puisqu'il est plus vaste, plus puissant, plus magnifique que moi. C'est le mot vraiment magique que nous connaissons tous depuis la maternelle, mais que personne n'arrive jamais à prononcer au moment voulu. Celui qui le prononce aisément ne doit pas savoir de quoi il s'agit. Celui qui connaît sa gravité n'arrive pas à le dire. Et le mot reste là, toujours neuf, jamais utilisé, comme une pépite d'or dans l'herbe haute. Il y a le mot, et il y a le moment où il devient utilisable. Vraiment, on ne peut le prononcer qu'une fois. Et si on laisse passer un tel moment, il faut attendre très longtemps avant qu'une pareille occasion ne revienne. Il faut attendre que le mot trouve son moment. Souvent, on a le mot, mais pas le moment. On sent tout de suite qu'à prononcer le mot magique à ce moment-là on courrait tout droit à la catastrophe. Plus souvent encore, on a le moment mais le mot n'arrive pas à sortir de notre cœur, de nos tripes, de notre ventre, de nos poumons, de notre bouche. L'instant devient trop intense pour notre pauvre cœur qui s'affole, perd la raison et ne comprend plus ce qu'on attend de lui. On cafouille, on bafouille, pour finalement se taire. Bien sûr, Lisa et moi, nous nous voyons presque chaque jour, mais ce n'est pas chaque jour qu'il y a dans l'air ce mélange explosif de désir, de douleur et de joie secrète. On ne peut ni prévoir ni fabriquer un tel moment. Il faut attendre simplement qu'il revienne. Parfois, ça prend des semaines ou même des mois. Et subitement, une fois de plus, sans crier gare, comme la mort, il nous tombe dessus. Alors, je n'arrive plus à respirer. Mes mains deviennent soudain moites. Ma langue, lourde. Tout est confus dans ma tête. Je n'arrive plus à formuler une simple pensée. J'ai l'impression que nous sommes en train de flotter, comme dans un tableau de Chagall. Je sens que c'est le moment. Il est là, enfin. Il faut que je lui parle. Mon cœur veut sortir de mon corps pour sauter sur son cœur. Mais rien ne peut se faire sans le mot. Alors ? Rien. Encore une fois, il n'arrive pas à franchir le seuil de ma bouche. Tout ça est arrivé parce que mon bras a frôlé le sien. Parce que ma peau a caressé le satin de celle de Lisa. Depuis cette seconde, l'affolement s'étant emparé de mon être, mon cerveau a arrêté brusquement de fonctionner. Et, mon cerveau ne fonctionnant plus, aucune information n'a été transmise à ma langue. Ma langue reste donc sans bouger dans ma bouche, pour mon plus grand malheur. Je ne peux que regarder Lisa avec des yeux fous. J'imagine que la même chose se passe peut-être pour elle aussi. Je sais ce qu'elle ressent. Elle sait ce que je ressens. Mais elle ne pourrait m'ouvrir son cœur que si je prononçais le mot de passe. Je me demande si les autres sont ainsi. J'en doute fort, car s'ils étaient tous comme Lisa et moi, il n'y aurait, à l'heure qu'il est, plus un seul être sur la Terre. La race humaine disparaîtrait d'un seul coup à cause de cette impossibilité à prononcer un seul mot. Je pars demain. C'est cette nuit ou jamais.

La mère (7 h 37)

La petite barrière jaune et rouge est encore entrouverte, ce qui est étonnant à cette heure. Mme Villefranche la ferme généralement dès le crépuscule. Je me faufile entre les lauriers et les bougainvilliers tout en jetant un rapide coup d'œil sur la minuscule roseraie si chère à la mère de Lisa. Je ne l'avais pas aperçue assise dans la pénombre.

— Lisa n'est pas là, me lance-t-elle de sa voix forte.

— Bonsoir, madame Villefranche.

— Je t'ai dit qu'elle n'est pas là.

Son ton abrupt m'intimide tellement que je n'ose rien lui demander, pas même où Lisa pourrait être en ce moment.

— Elle est partie au Conservatoire avec l'autre. Il était passé la chercher.

J'ai l'impression que c'est un jour faste. C'est la première fois qu'elle me donne si spontanément autant d'informations.

— Elle est partie avec qui, madame Villefranche ?

— Le grand maigre avec un sac de paysan en bandoulière.

Ézéquiel, mon autre grand ami. Comme lui et Gasner ne se supportaient guère, je m'arrangeais pour les voir séparément. J'ai toujours caché à Gasner que je voyais Ézéquiel, et à Ézéquiel que je fréquentais Gasner. C'est dommage que ces deux-là n'aient pas pu faire équipe. Deux caractères extrêmement puissants et opposés. Des types qui se sont forgés, déjà à la sortie de l'adolescence, une vision personnelle du monde. Alors que certains d'entre nous en étions encore à nous étonner devant la magie de l'Univers se déployant sous nos yeux, ils entretenaient déjà une conscience lucide des choses et des gens. Ézéquiel peut facilement repérer le faux, le toc derrière une façade brillante. L'or lui-même, métal précieux par excellence, ne l'impressionne nullement. Gasner, lui, avait ce don rare de plonger aisément dans le cœur de quiconque il croisait sur son chemin. Ah ! on aurait aimé voir ces deux-là ensemble.

— Elle est partie avec Ézéquiel, madame Villefranche ? je lui demande, espérant qu'elle ajoutera un détail qui pourrait me donner une idée de la situation.

En réalité, je suis jaloux de quiconque s'approche de Lisa.

— C'est ce que je viens de te dire, s'exaspère-t-elle.

Je fais quelques pas en direction de la barrière.

— Elle est partie il y a longtemps ?

— Que veux-tu savoir ? hurle-t-elle cette fois.

Que dire à quelqu'un qui répond ainsi à une question si banale ? Un autre jour, je me serais excusé avant de filer, la queue entre les jambes. Pas ce soir.

— Madame Villefranche, je vous ai simplement

demandé si Lisa venait de sortir ou si elle était sortie depuis longtemps.

Un long silence suit mon commentaire, insolent je l'admets. Que va-t-il se passer maintenant ?

— C'est ce que j'ai dit !

— Je regrette, madame Villefranche, mais vous n'avez pas répondu à ma question pourtant très claire.

— Écoute, jeune homme, je ne sais pas ce que tu as bu ce soir, mais sache que je n'ai pas à répondre à tes insolences. Je ne sais pas ce qui t'est arrivé, mais je te trouve bien impertinent.

— Madame Villefranche, il n'y a rien d'impertinent à vous demander à quelle heure Lisa est partie. Franchement, je ne vois rien là qui puisse vous mettre dans tous vos états.

Je n'en reviens pas de m'adresser ainsi au Cerbère (c'est comme ça que les amoureux de Lisa, bien sûr je ne suis pas le seul, l'appellent). Je ne crois pas qu'il existe une mère et une fille aussi différentes l'une de l'autre. Autant Lisa est douce et gentille, autant sa mère aboie comme un chien de garde dès qu'on s'approche de la petite barrière de sa maison fleurie. Peut-être que c'est la fonction de mère dans un pays si pauvre qui exige un tel comportement agressif et vigilant. La mère de Sandra, par contre, est tout miel. Bon, il faut qu'elle arrive à caser sa fille avant que celle-ci ne tombe enceinte d'un fils de riche qui ne voudrait même pas reconnaître l'enfant et se contenterait de faire un bon chèque à Sandra. La mère de Sandra finirait par glisser le chèque dans le fond de sa poche tout en maugréant que les riches « nous traitent, nous les pauvres mères, comme des chiennes, en nous jetant ainsi un os pour réparer leur faute ». Et l'os resterait au fond de sa poche. Mme Villefranche, sur ce plan, est totalement différente. Lisa n'est pas une garce comme Sandra. Mme Villefranche sait surtout que nous sommes tous vraiment amoureux de sa fille. Je comprends, j'applaudis même, qu'elle jappe en voyant les autres. J'en suis heureux, pour tout dire. Mais s'agissant de moi, elle aurait pu s'épargner un tel effort car je suis une poule mouillée. Je n'ai pas le courage de mon sentiment pour Lisa. Je passe mes journées entières ballotté entre la douleur de son absence et la joie de sa présence. Pas toujours uniquement entre ces deux pôles, car il y a aussi, quelquefois, la douleur de sa présence. Simplement à cause de ma nature profonde qui n'arrive pas à affronter la suffocante réalité. J'attrape généralement Lisa à la sortie du Conservatoire. On va soit au *Rex-Café* prendre un milk-shake et un hamburger, ou chez Alex, un de mes amis qui n'habite pas loin du musée du Collège Saint-Pierre. Lisa me parle longuement de Musset, son auteur de théâtre favori. Moi, je pense à autre chose. À cette autre chose que je ne peux nommer. Alors, j'ai le cœur trop lourd pour parler de Lorca, mon poète préféré. Bien sûr, je peux démonter une pièce de Musset et la remonter les yeux bandés, comme un horloger expérimenté le fait avec une montre. Je le fais quand le cœur y est et Lisa, tout ce temps-là, est ravie de me voir disséquer les cœurs enflammés (est-ce possible ?) des héros en apparence si légers de Musset, alors que je n'ose même pas jeter un coup d'œil vers le gouffre où gît mon cœur. Je me bouche les oreilles pour ne pas entendre les tempêtes qui déchirent mon âme (ça, c'est l'influence néfaste des pièces de Racine sur ma sensibilité), sans pour autant arrêter de deviser à propos de Musset. J'ai fait, il n'y a pas longtemps, une terrible découverte : l'intelligence ne vous met pas à l'abri de la souffrance. S'agissant des affaires du cœur, je me sens toujours démuni. Mais tout a changé aujourd'hui. La mort de Gasner m'a transfiguré. Mme Villefranche a été la première à croiser le fer avec l'être nouveau que je suis devenu. Je suis désormais décidé à prendre ma vie en main, à plonger les yeux ouverts dans les eaux les plus tempétueuses. Décidé à jouer le tout pour le tout. C'est cette nuit ou jamais. Je le sens. Je le sais. Un sang neuf coule dans mes veines. Je souris en pensant au jeune homme timide que je fus. Même une Mme Villefranche pouvait m'intimider. Comment ai-je pu me comporter ainsi ? Quel lâche je fus. Quand je me rappelle certains regards énamourés que me lançait Lisa, je me sens vraiment confus de n'avoir pas répondu à des appels si éloquents. C'est très clair que Lisa m'aime. Comment ai-je pu douter un seul instant d'un sentiment si évident ? Je n'ai qu'à faire un geste pour qu'elle me tombe dans les bras. Et ce geste, je me sens prêt à le faire. C'est étonnant, une telle force si subite. Surtout de ma part. Je me connais. Je sais d'où je viens. Je n'ose penser que c'est peut-être la véritable raison de la mort de mon ami. Gasner est mort pour que je puisse trouver le courage de déclarer mon amour à Lisa. Ce changement majeur dans ma vie (la capacité de dire mon amour à Lisa) est coincé dans un temps très précis, entre la mort de Gasner et mon départ imminent.

La nuit fatale (7 h 50)

Tous les événements importants d'une vie peuvent se retrouver concentrés dans une seule nuit. L'amour, la mort, l'exil. Et pour veiller sur ce trio infernal : le doux visage de l'amitié. Gasner, mon ami. Sans sa mort, je n'aurais pas eu le courage d'affronter le Cerbère. Et on ne peut atteindre Lisa sans passer sur le corps mort du Cerbère. La gardienne de la Toison d'or. J'ai senti, tout à l'heure en fermant la barrière, son regard étonné sur ma nuque. Cette nuit, je saurai tout de la vie. J'ai le sentiment de n'avoir vécu que pour cette nuit. Je viens de comprendre : j'avais besoin d'être au bord du gouffre pour devenir un homme. La nuit de toutes les initiations. Le moment fatal de ma vie. Je me sens diablement présent dans cette ville maudite. J'ai conscience d'être, au moins pour cette nuit, l'élément pivotant de la ville. Tout vibre autour de moi. Un grand vent emporte tout sur son passage : hommes, plantes, bêtes. Partout on crie, on pleure, on hurle. Je marche tranquillement au centre du tumulte. Là-haut, mes trois étoiles brillent de tous leurs feux. L'amour, la mort, l'exil : en ligne. Jamais plus de ma vie, j'en ai la conviction, je ne reverrai ces trois déesses dans cette disposition. Je continue mon chemin, dans cette étonnante sérénité (j'en suis le premier surpris), alors qu'autour de moi éclatent la douleur et la consternation. Les portes des maisons sont déjà fermées. À l'intérieur, les femmes prient, agenouillées devant la Vierge, l'implorant de protéger leurs fils. Les fils sont dans les rues. Les pères sont morts, ou en prison, ou en exil, ou planqués sous les lits. Les femmes continuent à prier. L'effroyable défaite des pères. Papa Doc a bien pris soin d'éliminer ou d'humilier les pères en présence de leurs fils, leur enlevant ainsi toute autorité pour permettre à son fils à lui, Baby Doc, de monter sur le trône. Un fils, pensait-il à juste titre, ne pourrait diriger que des fils. C'est pour cela qu'il a entrepris de dégriffer les pères pour en faire des fils. Une nation de fils dont il était l'unique père. Père qui soigne… Il a cumulé les deux figures les plus respectables de la société — celles du père et du médecin — pour finalement faire de ces trop puissants et lourds vocables (père et docteur) quelque chose de sympathique, de chaleureux, d'accueillant (Papa Doc). Et voilà qu'il vient de passer le bâton à la génération suivante, à son fils. Cette famille ressemble étrangement à la mienne. Papa Doc a chassé mon père du pays. Son fils, Baby Doc, me chasse à son tour. Père et fils, présidents. Père et fils, exilés. Une tragique symétrie. Et ma mère qui reste là, sur la petite galerie, à prier pour ses hommes disparus devant ses yeux, partis un matin pour ne plus revenir. Quand on quitte le pays de Papa Doc, on ne revient plus. J'imagine ma mère priant, en ce moment même, l'autre Marie (Marie, c'est le nom de ma mère aussi) de m'accompagner durant ce voyage au bout de la nuit.

Un jeune homme (7 h 52)

Je me demande comment était mon père avant de rencontrer ma mère. Était-il un jeune homme timide comme moi ? Voilà une précieuse information que je n'ai pas eue quand il le fallait. Je n'aurais pas pu poser cette question à ma mère, si réservée sur ces choses-là. Il y a des questions qu'on ne peut poser qu'à l'intéressé. Le problème, c'est que j'ai à peine connu l'intéressé. Il est parti quand je n'avais que cinq ans. Donc, je n'ai pas pu avoir avec lui, surtout à la sortie de l'adolescence, ces conversations si graves sur la terrible question de l'amour. Pas l'amour idéal, sans chair, ni sang, ni os, simplement l'esprit de l'amour. Non, l'amour physique. Le corps. Les lances acérées du désir. Le souffle brusquement coupé à la vue d'un bout de sein. Qu'est-ce que c'est qu'un sein pour qu'il prenne une telle place dans mes nuits, devenant la matière même de mes insomnies ? Est-ce le même sein avec lequel ma mère me nourrissait ? Trouve-t-on du lait aussi dans celui des jeunes filles ? Ce sont des questions qu'un jeune homme ne peut poser qu'à un autre homme. Que fait-on sans cet interlocuteur ? Un adolescent sous-informé devient un jeune homme aux réactions étranges en face d'une femme. Ma mère n'avait que vingt-six ans (une femme au sommet de son ardeur érotique) quand mon père a dû quitter précipitamment le pays. Et cela s'est passé sans aucun signe prémonitoire. Comme ça. Un matin comme les autres. Il n'est pas rentré manger à midi. Bon, cela arrivait de temps à autre. Mon père connaissait tout le monde. Les gens l'adoraient. Si grand, si jeune, si fougueux. Alors, ils l'invitaient souvent à manger, à causer et à boire. Dans ce cas-là, mon père rentrait très tard à la maison. Ma mère se désolait, au début, jusqu'à ce qu'elle comprenne que c'était sa vie. Elle n'y pouvait rien. Elle avait épousé un homme populaire. Un héros du peuple. Elle l'attendait, souvent en somnolant, pour lui réchauffer le repas de midi qui était devenu entre-temps celui du soir. Il le dévorait prestement, engloutissant les croquettes de poulet tout en escaladant en une trentaine de bouchées la montagne de riz généralement arrosée d'une bonne sauce de lambi bien piquante. Il terminait toujours ses repas en lançant un sec merci qui allait toujours droit au fond du cœur de ma mère. Ma mère adorait le regarder manger (comme elle le fera plus tard avec moi). Un tel appétit l'impressionnait. Une telle rage de vivre. Un tel bonheur d'être là, présent, vivant. Ma mère le regardait et souriait tranquillement. C'était son bonheur à elle. Un rituel. Il mangeait. Elle le regardait faire. Elle n'exigeait pas plus de la vie (c'est ce qu'on pouvait croire mais que démentait le quart de sourire douloureux de ma mère). Mon père, lui, voulait beaucoup plus. Disons tout. Il dévorait aveuglément les gens, les paysages, les livres, les femmes. La vie. Les femmes n'avaient de cesse de se faire dévorer par lui. Cela se voyait à la manière qu'elles le regardaient, l'écoutaient parler ou le touchaient. Ma mère évitait de sortir avec lui pour ne pas assister à de telles scènes, mais les échos lui parvenaient. Elle crevait de jalousie, mais n'en parlait jamais à personne. Surtout pas à mon père. Et c'est cette femme que je quitte, moi aussi, aujourd'hui. Ma mère, deux fois abandonnée par les hommes de sa vie. Et toujours assise à la même place, sur la petite galerie, à l'ombre du massif de lauriers-roses. L'air sent brusquement la fumée. Quelqu'un est en train de brûler du bois sec en pleine capitale. Je reviens toujours à cette rengaine : Quel genre de jeune homme était mon père ? Timide ou effronté ? D'abord, il avait beaucoup de succès auprès des femmes. Que ne m'a-t-il transmis ce don ? Ma mère dit que je lui ressemble sur beaucoup de points. Par exemple ? La même façon de regarder les gens : un regard direct, presque brutal. Encore ? La même voix, sauf que celle de mon père était plus forte, plus autoritaire, plus confiante surtout. Comment avoir confiance en vous-même quand votre sort dépend de l'autre, de ce que l'autre ressent pour vous. Quand je pense à Lisa, il n'y a aucun doute dans mon esprit : je l'aime. Mais m'aime-t-elle ? Je ne peux pas savoir. Et dans ce genre de situation, cela ne sert à rien de deviner. Lui, mon père, comment vivait-il une si angoissante situation ? M'aime-t-elle comme je l'aime ? J'ai mal au ventre chaque fois que cette terrifiante interrogation effleure ma conscience. Le cas de mon père est totalement différent : c'était lui qu'on aimait. Cela fait une énorme différence. On ne voit pas les choses d'un même angle. La balle, avec lui, était dans le camp des femmes. C'était à elles de lui déclarer leur amour. Souvent, m'a confié en riant un de ses vieux amis, il ne se doutait même pas que telle femme (« naturellement, une femme qui nous faisait rêver tous ») se mourait d'amour pour lui, jusqu'à ce qu'elle trouve le courage de le lui dire. Précisons bien les choses : ce n'est pas mon cas. Avec Sandra, c'est le désir à l'état pur. Tout en elle m'excite au plus haut point. En un mot, elle me rend littéralement dingue. Faut dire qu'elle sait s'y prendre aussi. Sandra est bien plus jeune que moi, mais elle a déjà connu des hommes beaucoup plus âgés que moi. Elle s'amusait, déjà à quatorze ans, à faire baver ses professeurs en portant de jolis corsages blancs si transparents qu'on pouvait voir facilement la pointe de ses seins. Elle est petite, elle a le corps bien ficelé, les seins fermes, la peau satinée, les lèvres sensuelles, la bouche insolente et les yeux d'un noir gorgé de fabuleuses promesses. Rien à jeter. C'est avec ce paquet d'une haute teneur sexuelle (220 volts) qu'elle entend me rendre fou. Faire de moi un jouet entre ses mains si expérimentées. Une de ses amies m'a confié dernièrement : « Si tu tombes dans les griffes de Sandra, tu n'es pas près d'en sortir. » Quand elle est devant vous, il est impossible de vous intéresser à autre chose qu'à ses seins. Naturellement, on passe son temps à faire semblant de ne pas les voir, tandis qu'elle n'arrête pas de vous les mettre sous le nez. Il n'y a qu'une solution : la fuite. La queue entre les jambes. Que faire quand l'ennemie est ainsi équipée, qu'elle a dix-sept ans et une connaissance quasi parfaite du fonctionnement de la mécanique sexuelle des hommes ? Alors que j'ignore totalement ce qui se passe dans sa tête, dans son corps, dans son esprit. Je viens de remarquer que je sais beaucoup plus de choses à propos de la politique, du fonctionnement d'un gouvernement et de la mécanique d'une dictature que sur ce qui occupe l'esprit d'une fille comme Sandra. C'est anormal pour quelqu'un de mon âge. Lisa est totalement différente de Sandra. Si je reconnais le désir parce que je bande, je n'ai aucun repère pour l'amour. C'est le trou noir. Et si changeant. Des fois, la douleur du manque de Lisa est si forte que j'ai la nette impression d'avoir touché le fond, quand au même moment une vague de douleur encore plus forte que la précédente me submerge. Je me retrouve noyé dans les eaux de la souffrance amoureuse. Quand je pense à Sandra, je n'ai qu'à me masturber pour me calmer. Bien sûr, ce n'est pas toujours aussi simple avec elle. Quoi qu'il en soit, Lisa ne me fait pas penser au sexe. Je vois plutôt son visage flotter devant mes paupières. Et son sourire si apaisant. Alors, je commence à lui parler tout bas, à lui dire combien je l'aime, enfin tout ce que je n'arrive pas à lui dire en face. Et elle m'écoute en souriant (elle ne peut pas faire autrement puisque c'est moi le maître du jeu). Je lui ouvre mon cœur. Elle me prend la main, à la fin, et la garde dans la sienne. Sa main est chaude et douce. Et tout semble si simple. Quelle est la meilleure situation : être aimé ou aimer ? Ma situation ou celle de mon père ? Je ne sais vraiment pas, car ce sont deux univers totalement différents. Comme deux droites parallèles. Quelqu'un qui vit dans un des deux univers ne comprend pas celui qui vit dans l'autre. C'est agréable d'être aimé, je suppose, mais cela vaut-il quelque chose face à ce trop-plein de sentiments qui fait suffoquer celui qui aime sans espoir d'être aimé en retour ? Pourquoi est-ce bien de souffrir ? Pourquoi aussi serait-ce mieux de ne pas souffrir ? Je déteste la souffrance, mais je ne crois pas à une société sans souffrance. La vie n'est pas un gadget. Finalement, on ne peut parler que de ce qu'on connaît. Le seul univers vivable est celui qui nous est propre. Le nôtre. On est fait de la matière de nos rêves. On ne pourra en aucun cas être quelqu'un d'autre.

Donc, mon père n'aurait pas pu m'aider sur ce plan. On était aux antipodes. M'aurait-il au moins écouté ? Sur les questions politiques, je n'en doute pas un instant. Quant à mon métier de journaliste, il lui aurait fait grandement plaisir. Ayant été journaliste lui-même, il m'aurait sûrement refilé quelques bons tuyaux, poussé à plus d'action et à moins de méditations métaphysiques, comme ma nature me pousse à le faire (bien que je doute qu'on puisse changer quelqu'un), signalé de bons sujets pour ma chronique, ce qui m'aurait aidé à devenir un meilleur journaliste que je le suis. Sur tous ces points, il m'aurait été d'un grand secours. Le problème, c'est que je n'ai pas vraiment besoin de son aide pour cela. Ce ne sont pas les mentors qui manquent pour un jeune débutant plein de courage. Le courage d'apprendre, pas celui de faire face aux baïonnettes. Et sur ce point, Lucien Montas (le directeur du quotidien *Le Nouvelliste*) et Dieudonné Fardin (le directeur de l'hebdomadaire *Le Petit Samedi soir*) l'ont bien remplacé. C'est sur la question de l'amour que j'aurais eu besoin de ses conseils, de sa présence, de sa chaleur. Mais, sur ce point aussi, il ne m'aurait été d'aucun secours essentiel. Nous sommes trop différents. Les gens comme lui ont une vision cavalière de l'amour. Ils sont toujours excédés en présence de ceux qui ont de la difficulté à exprimer leurs sentiments, de ceux qui souffrent, selon eux sans raison. Ils attendent de vous de l'action, alors qu'on arrive à peine à bouger, complètement transi qu'on est par l'amour. Exaspérés, ils finissent toujours par vous faire remarquer qu'il ne manque pas d'autres femmes sur la planète et qu'il est stupide de souffrir autant pour une seule. C'est faux car, pour ma part, et sur la seule question de l'amour (je reconnais qu'on peut désirer d'autres femmes), il n'y a que Lisa. On ne peut pas dire que j'ai abusé de ce côté. Jusqu'à présent, je n'ai aimé que deux filles dans ma vie. Vava, à Petit-Goâve. Et Lisa, à Port-au-Prince. Et chaque fois, je tombe sur des filles aussi timides que moi. Lisa n'est peut-être qu'un prolongement de Vava. On aime toujours la même personne. Le même esprit dans différents corps. Cela ne veut pas dire que je ne m'intéresse pas aux autres filles, mais je remarque que mon intérêt tombe rapidement. Très vite, je leur découvre un défaut quelconque. Quant au sexe, c'est une autre paire de manches. Les filles m'étourdissent. On dirait une décharge électrique. C'est l'effet que me fait Sandra.

Antigone (8 h 12)

La salle est pleine comme un œuf. Presque autant de gens debout qu'assis. On parle fort. On applaudit bruyamment. On crie même. Quelle chaleur ! Beaucoup plus l'atmosphère d'un match de football que d'une pièce de théâtre. Tout le monde attend Ézéquiel dans le rôle du roi Créon, qu'il n'a eu que quelques heures pour répéter. L'acteur qui devait faire le roi Créon est toujours couché dans un lit d'hôpital. Voilà Ézéquiel. La salle hurle. Une entrée fracassante. Sa première réplique (« Citoyens, après la tourmente qui nous a secoués, les dieux nous ont remis d'aplomb. ») convient à la circonstance. Ézéquiel se paie même le luxe de faire un clin d'œil au public, qui hurle son bonheur. Son personnage de roi lui va comme un gant. C'est un chef, ce type. Comme je le connais bien, je sais qu'il n'a pas à jouer ce rôle. Qu'il se contente d'être lui-même. Il fait du Ézéquiel. La salle est conquise. Pourtant, Créon est le roi un peu borné qui fait face à la courageuse fille d'Œdipe, Antigone. Le rôle du vilain, en somme. Tout autre qu'Ézéquiel aurait eu la salle contre lui. Je suis sûr que Sophocle n'a pas imaginé un Créon qui aurait gagné la sympathie du public. Cette pièce de Sophocle a été adaptée en créole par Félix Morisseau-Leroy, le plus grand poète haïtien de langue créole. Il entendait prouver, en adaptant Sophocle, que le créole était à même d'exprimer toutes les nuances de l'âme humaine. C'est chose faite. Mais nous, nous sommes plutôt impressionnés par nos camarades. Avec Morisseau-Leroy, l'action se déroule dans la paysannerie haïtienne. Dans des décors sobres, à cause d'un budget très réduit : une machette au-dessus d'une porte et un sac paysan sur le mur. Créon fume une grosse pipe en terre cuite. C'est tout. Le langage est vert, direct, quoique poétique. Surtout dans la bouche de cette jeune paysanne en révolte : Antigone. Il y a aussi Hémon et Tirésias. Toute ma génération se trouve sur la scène et dans la salle. Je connais tout le monde ici. Chaque fois qu'un nouveau personnage entre en scène, des cris et des hurlements l'accueillent. Certains vont jusqu'à appeler l'acteur par son vrai nom. Vraiment, il se passe quelque chose d'exceptionnel ici. D'anormal même. Je crois que c'est notre réponse à l'assassinat de Gasner. Le pouvoir s'attendait à nous voir baisser les bras. On voulait nous terroriser, nous faire peur, nous désespérer totalement. Antigone répond à notre place. La pièce n'était pas prévue à cette fin, mais c'est le propre des grands classiques de tomber toujours au bon moment. On se défoule. On rit. On applaudit. On proteste. Gasner est parmi nous. Il habite en chacun de nous. Je peux entendre sa voix rauque, sentir son énergie. Ézéquiel triomphe. Je crois que Gasner aurait applaudi Ézéquiel cette nuit, malgré le fait qu'ils se supportaient à peine. Deux coqs ne peuvent vivre dans la même basse-cour. J'aurais donné beaucoup pour voir Gasner applaudir Ézéquiel. C'est incroyable qu'Ézéquiel puisse triompher le jour même de la mort de Gasner. Le roi est mort, vive le roi ! Pas l'intolérant roi Créon, celui-là peut bien crever. Je parle plutôt des jeunes princes de ma génération : Gasner et Ézéquiel. Ne voyant pas Lisa, je m'informe auprès d'une de ses amies pour savoir si elle est là. « Oui, me répond-elle, elle ne doit pas être loin. » Je la cherche des yeux dans la salle. En effet, je la repère, cachée derrière une haie touffue de têtes, dans le coin le plus sombre de la salle. Son visage est calme, comme toujours, mais on peut sentir la tension cachée sous cette apparente sérénité. Ézéquiel continue à faire des effets de manches, tout en lissant sa moustache (un tic chez l'individu Ézéquiel et non chez l'acteur qui joue le roi Créon). Il se fait applaudir à tout coup. Je remarque que ce sont les filles qui applaudissent le plus souvent Antigone. Sauf quand celle-ci se dresse devant le roi Créon, alors ce sont des vivats, des cris, des hurlements, comme pour Ézéquiel. C'est un public étrange qui applaudit en même temps le bourreau et la victime. C'est peut-être notre culture. Il faut chercher là la raison d'une si longue dictature. Pour l'instant, Antigone fait face à Créon. Silence dans la salle.

CRÉON — Tu es seule, à Thèbes, à professer de pareilles opinions.
ANTIGONE — *(Désignant le chœur.)* Ils pensent comme moi, mais ils se mordent les lèvres.
CRÉON — Ne rougis-tu pas de t'écarter du sentiment commun ?
ANTIGONE — Il n'y a point de honte à honorer ceux de notre sang.
CRÉON — Mais l'autre, son adversaire, n'était-il pas ton frère aussi ?
ANTIGONE — Par son père et par sa mère, oui, il était mon frère.
CRÉON — N'est-ce pas l'outrager que d'honorer l'autre ?
ANTIGONE — Il n'en jugera pas ainsi, maintenant qu'il repose dans la mort.
CRÉON — Cependant ta piété le ravale au rang du criminel.
ANTIGONE — Ce n'est pas un esclave qui tombait sous ses coups ; c'était son frère.
CRÉON — L'un ravageait sa patrie ; l'autre en était le rempart.
ANTIGONE — Hadès n'a pas deux poids et deux mesures.
CRÉON — Le méchant n'a pas droit à la part du juste.
ANTIGONE — Qui sait si nos maximes restent pures aux yeux des morts ?

CRÉON — Un ennemi mort est toujours un mort.
ANTIGONE — Je suis faite pour partager l'amour, non la haine.
CRÉON — Descends donc là-bas, et, s'il te faut aimer à tout prix, aime les morts. Moi, vivant, ce n'est pas une femme qui fera la loi.

De nouveau des cris, des vivats et des hurlements. La salle explose. On connaît l'histoire. Il y a quelques années, treize exilés haïtiens (dont le nom de code était Jeune Haïti) s'étaient introduits dans le sud-ouest du pays dans le but de renverser la dictature. Leur tentative avait échoué et onze d'entre eux avaient trouvé la mort. Duvalier avait exigé qu'on fusille les deux derniers sur la place publique (devant le cimetière), en présence de tous les employés de l'État et des élèves des écoles publiques de Port-au-Prince. Le père de l'un d'eux a supplié Duvalier de faire partie du peloton d'exécution. Ma mère en était revenue complètement déboussolée et elle avait passé la journée entière à vomir. Papa Doc avait interdit qu'on les enterre, les faisant garder par des officiers et des tontons macoutes. Pendant des jours, on pouvait voir les corps se décomposer au soleil. Pour écrire son histoire, Sophocle a dû assister à de pareilles scènes. Rien n'a changé depuis. Brusquement, je sens un malaise dans cette salle complètement fermée qui n'a qu'une seule porte de sortie. Je dois aller respirer l'air frais, sinon je crois que je vais tomber en syncope. Je tente d'attirer l'attention de Lisa pour qu'elle sache que je suis ici. Elle regarde la pièce sans même cligner des yeux. Son attention est totale. Il n'y a rien à faire. Je sors. Je vais pisser contre le mur déjà jaune de pisse, dans le fond de la cour. Je respire à fond le grand air. Je commence à reprendre des couleurs. Je me sentais totalement oppressé à l'intérieur. Je viens de comprendre que ce n'était pas à cause de la chaleur ou de la foule. Je venais simplement de réaliser que j'étais bien dans cette ville, dans cette vie-là, avec tous mes amis, et que je n'avais aucune envie de les quitter. Des gens avec qui j'ai commencé à travailler à l'hebdomadaire ou à Radio Haïti-Inter. Des gens avec qui j'ai fait du théâtre (une adaptation de *Gouverneurs de la rosée*). Des gens avec qui j'allais assister à des conférences à l'Institut français. Des gens avec qui j'ai monté un ciné-club à l'*Impérial* (avec Marcus comme animateur principal et dont le premier film fut *Easy Rider* avec Peter Fonda et Jack Nicholson). Des gens avec qui j'allais manger un plat chaud chez *Madame Michel*, près de la place Carl-Brouard. Tous ceux avec qui j'ai grandi. On était presque tous là, dans cette salle surchauffée du Conservatoire d'art dramatique. Et surtout Lisa. Pourquoi quitter tout ça ? Je pourrais me cacher (comme mon père l'a fait dans son temps) pendant un moment. Les tontons macoutes n'ont pas de mémoire. Ils m'oublieront dans un mois ou deux. Je n'aurais qu'à me faire un peu plus discret. De toute façon, je ne suis pas remuant. Je me fais rarement remarquer. Pas du tout le genre à provoquer des confrontations avec le pouvoir. Pas comme Gasner. Ou même Ézéquiel. Ézéquiel ne s'intéresse pas trop à la dictature. Son truc, c'est l'Afrique. L'essor des pays du tiers-monde. Le dynamisme des leaders africains. Quand Sékou Touré dit non à de Gaulle, il applaudit. Mais quand je lui apporte des preuves accablantes que Sékou Touré ne vaut guère mieux que Papa Doc en matière de respect des droits de la personne humaine, il hausse les épaules en faisant cette moue qui signifie que rien ne pourra ternir à ses yeux le non à de Gaulle. Aujourd'hui, Gasner est mort, mais Ézéquiel est encore là et il ferraille contre la bête. Ce ne serait pas bien de quitter tous ces gens sans même leur dire au revoir. Comme un voleur ou un traître. De laisser mes amis au moment où ils ont le plus besoin de moi. De les laisser seuls face à la bête. Sans un mot. Que vont-ils penser de moi quand ils sauront que je suis parti ? Ce sont de telles pensées qui m'oppressaient tout à l'heure. Mais si je reste, quelle sorte de vie aura ma mère ? Elle s'inquiétera continuellement pour moi et finira par devenir folle. Je sais très bien qu'elle ne survivrait pas à mon arrestation. Même en prison, c'est dur de se sentir responsable de la mort de sa mère. Oh là là ! quelle affaire que d'être né dans un tel pays ! Le pire est que si j'avais le choix, c'est encore ici que je voudrais naître. Je suppose que nous sommes tous ainsi. On ne peut pas se refaire. J'entends les applaudissements et les gueulantes de mes amis. C'est Ézéquiel qui mène le bal. Créon face à son fils Hémon. On rêverait de voir Baby Doc se dresser ainsi devant Papa Doc :

HÉMON — Ne retiens que ce qui est juste. Je suis jeune, c'est vrai, mais juge-moi sur mes actes, non sur mon âge.
CRÉON — La belle action, en vérité, que d'honorer des rebelles !

HÉMON — Je n'intercéderais pas pour des cœurs dépravés.
CRÉON —Eh ! n'est-ce pas justement le cas de cette fille ?
HÉMON — Le peuple de Thèbes est unanime à le nier.
CRÉON — Appartient-il à l'opinion publique de nous dicter notre conduite ?
HÉMON — Ne vois-tu pas que tu parles comme un jeune homme ?
CRÉON — Ce n'est pas pour moi, peut-être, que je dois gouverner ?
HÉMON — De cité faite pour un seul, il n'en existe pas.
CRÉON — N'est-ce pas un principe reconnu que la cité appartient au souverain ?
HÉMON — Il ferait beau de te voir régner sur un désert.

Papa Doc, lui, a régné sur un cimetière. Je reste un long moment à réfléchir tout en admirant les étoiles dans le vaste ciel de ma ville. Chaque fois que je regarde le ciel, je pense à Da qui m'a appris à distinguer les étoiles. Que fait-elle en ce moment ? Peut-être qu'elle regarde aussi le ciel. Elle, à Petit-Goâve. Moi, à Port-au-Prince. Si je pouvais lui communiquer mon désarroi, je suis sûr qu'elle trouverait les mots pour me réchauffer le cœur. Je vois son doux sourire et déjà je me sens un peu apaisé. Da connaît le chemin de mon cœur. J'adorais, le soir, m'endormir sur la galerie, la tête sur son large sein gauche. Elle me caressait alors les cheveux en chantant tout bas des berceuses de son temps. J'aurai toujours besoin, même à cent ans, de cette tendresse. Voilà, je me sens mieux. Je me lève. J'entre à temps dans la salle pour voir la pièce s'achever dans un grand désordre, la foule se précipitant sur la minuscule scène pour s'emparer des comédiens tout étonnés d'un tel succès.

Ézéquiel est transporté à bout de bras par un groupe d'admirateurs. On n'assiste à de tels enthousiasmes qu'au stade. Les visages transfigurés. Comme illuminés de l'intérieur. La joie est là, pleine et entière. La peine aussi. On n'arrête pas de s'embrasser. Je finis par repérer Lisa. Elle parle à cette comédienne (Antigone) que je ne connais pas très bien. La foule est si compacte que je parviens avec peine à me frayer un passage en direction de Lisa. Quelqu'un me prend par la nuque. Une main ferme. Je me retourne. C'est Ézéquiel. Nous tombons dans les bras l'un de l'autre. Nous dansons. Ézéquiel est en sueur. Nous demeurons serrés un long moment. Le cœur d'Ézéquiel bat très vite et très fort dans sa frêle poitrine.

— C'est pour Gasner que j'ai joué ce soir, me glisse-t-il à l'oreille.

Nous nous serrons encore plus fort. Je suis au bord des larmes.

— J'ai toujours admiré Gasner, continue-t-il.

Je pleure. Nous nous taisons un temps. Le miracle est enfin arrivé. Par-delà la mort. Mon vœu le plus cher s'est réalisé : Gasner et Ézéquiel se reconnaissent enfin comme frères.

— C'est le jour le plus triste et le plus heureux de ma vie, me souffle Ézéquiel à l'oreille.

— C'est le moment le plus important de ma vie, dis-je d'un ton grave.

— Ah ! Vieux Os, on ne va pas se laisser abattre. Ils ne nous auront pas. Nous n'allons pas décevoir Gasner. Ce qu'il faut faire, c'est changer de tactique. Nous les obligerons à venir nous chercher sur notre terrain. Et notre terrain, c'est la culture.

— Il n'y a rien de plus politique, ici, que la culture, dis-je, presque sans conviction.

Ézéquiel se met subitement à danser comme un singe avec sa chemise colorée à larges manches.

— C'est exactement ça ! lance-t-il joyeusement. Chaque personne va faire ce qu'elle sait faire. Toi, au journal. Moi, au théâtre et à la radio. Chacun travaillera sans relâche à s'améliorer dans son domaine. C'est ainsi que nous changerons ce pays, à la barbe même du dictateur. Il fait, on le sait, tout ce qui est en son pouvoir pour nous rendre médiocres parce qu'il est toujours plus facile de diriger des incompétents. Bon, passe tout à l'heure à la radio. Je serai là jusqu'à minuit. D'accord ?

— D'accord.

Il m'embrasse sur les deux joues. Deux baisers sonores. Ce regard direct de chat efflanqué. Comment regarder en face un frère qu'on s'apprête à trahir ? Je ne peux pas lui dire que je pars demain, donc que je ne participerai pas à cette nouvelle bataille contre la médiocrité rampante. Que va-t-il penser de moi quand il saura que je lui mentais, que je n'étais déjà plus avec lui au moment où nous échafaudions ce magnifique projet ? Où est Lisa ? Je me faufile rapidement dans cette jungle de bras et de jambes. Elle n'est plus dans la salle. Je prends panique. Est-elle partie pendant que je parlais à Ézéquiel ? Oh Seigneur ! Elle est peut-être dans la cour avec ce groupe en train de discuter à haute voix de la performance exceptionnelle d'Ézéquiel. Il y a, semble-t-il, des dissidences au sujet du jeu d'Ézéquiel. « Il nous a quand même fait applaudir un dictateur. Son jeu était trop brillant », dit un type debout près de la porte. Moi, je cherche Lisa. Je m'approche du groupe.

— Quelqu'un, parmi vous, a-t-il vu Lisa ?

— Laquelle ?

Il y a au moins cinq Lisa au Conservatoire. Mais quand on dit Lisa, tout le monde, à part cet imbécile, sait de qui l'on parle.

— Lisa Villefranche.

— Elle vient de partir avec un groupe.

Mon cœur s'arrête.

— Depuis combien de temps ?

— Disons dix minutes.

— Dans quelle direction ?

— Vers l'hôtel *Olofson.*

Je cours, je vole. Je finis par rattraper le groupe. Lisa n'est pas là.

— Où est Lisa ? je demande un peu brutalement.

Ils me regardent froidement, sans dire un mot.

— Excusez-moi. Je dois absolument la voir... C'est une question de vie ou de mort.

— Pour qui ?

Je ne m'attendais pas à une pareille réplique.

— Pour moi, dis-je candidement.

Le groupe éclate de rire tout en s'éparpillant dans la rue. Les voitures sont obligées de ralentir. Finalement, un type consent à me répondre. Il a une gueule sympathique. La fille qui s'accroche à son bras le pousse à partir. Une fille agressive dans le genre de Sandra. Ils ont l'air un peu soûls. Je suis sûr qu'ils ne reviennent pas de la pièce. Jamais vu ces têtes auparavant. Je me demande ce que Lisa faisait avec eux. Peut-être des camarades de classe qu'elle a rencontrés en sortant du Conservatoire ? Je ne peux pas imaginer Lisa avec eux. Ils sont une demi-douzaine à faire des blagues un peu stupides. Et cette fille complètement bête. Il n'y a que ce type qui m'a l'air potable dans le groupe.

— Le problème, finit-il par dire, c'est que tu n'es pas le seul à chercher désespérément Lisa.

— J'aimerais savoir ce que vous lui trouvez tous, lance la fille encore accrochée au bras du type.

— Elle a de la classe, dit le type sur un ton définitif.

J'ai failli applaudir. La fille, sans lâcher le bras du type, tente de le gifler avec sa main libre.

— Qu'est-ce que tu veux dire par là ? J'ai peut-être pas de classe, mais je sais baiser... Si je veux, je peux tuer un homme rien qu'avec ma langue.

— Arrête de te vanter, jette une autre fille pas mieux qu'elle.

Je n'ai jamais vu de rouge à lèvres aussi vulgaire. Une énorme bouche rouge.

— Elle est partie dans une voiture, dit quelqu'un.

— Dans quelle direction ?

— Tu ne vas pas quand même te mettre à courir

derrière une voiture, jette la première fille avec une moue dédaigneuse.

— Elle est partie vers le *Rex-Théâtre*... Je te comprends, l'ami, cette fille est exceptionnelle, dit sans ironie le type qui a l'air moins taré que les autres. À ta place, je ferais la même chose.

— Pour moi ? demande la fille en souriant pour la première fois.

— Je parlais de Lisa.

La fille se lance à la tête du type en émettant un feulement de tigresse assoiffée de sang. D'un strict point de vue sexuel, cette fille doit être une affaire. D'accord, mais qu'est-ce que Lisa faisait avec ces gens ?

Le temps (9 h 57)

Je cours au Champ-de-Mars. Pas de voiture en vue. Étrangement, je ne suis pas triste. J'ai la certitude de voir Lisa avant de quitter de pays. C'est écrit dans les astres. Je n'ai qu'à lever la tête. C'est la nuit de toutes les révélations et je suis prêt à tout affronter. Même le Cerbère. De toute façon, je ne pourrai pas partir sans l'avoir vue au moins quelques secondes. Qu'est-ce que c'est, dix secondes ? Je suis prêt à traverser tous les feux de l'enfer pour ces dix secondes-là. Ce sont mes dix secondes d'amour. Et chacune comptera. Je n'en négocierai pas une seule. Mais pour cela, il me faut la retrouver. Je connais bien cette ville. Ma ville. Je sais que si l'on cherche vraiment quelqu'un ici, on finit tôt ou tard par le croiser. Cette ville est faite pour que les gens puissent se croiser. Mais je sais aussi que la seule façon de trouver une personne ici, c'est de ne pas la chercher. Comment faire ? Du calme, vieux. Enlève toute tension de ton corps. Voilà. C'est ça. Assieds-toi sur ce banc. Fais le vide dans ta tête. D'accord, mais je n'ai pas beaucoup de temps à ma disposition. Cela n'a rien à voir avec le temps. C'est surtout une question de rythme. Comment ça ? Tu sais, le jazz. Le jazz quoi ? Improvisation. Laisse aller les choses. Hier encore, j'avais tout mon temps. Mais tu as toujours tout ton temps. Non, c'est faux, mon temps est compté, cette nuit. Et je ne peux pas faire semblant d'ignorer cela. Tu connais ce papillon qui ne vit que vingt-quatre heures ? Oui. Eh bien, ses vingt-quatre heures durent plus longtemps que certaines vies humaines de soixante-dix ans. Qu'est-ce que ces conneries ? Mon vieux, je te le dis, tu devrais apprendre la sagesse des papillons. Je n'ai pas le temps d'être sage. Voilà que tu recommences avec cette question du temps. Je vais te confier un grand secret. Lequel ? Le temps n'existe pas. Pourquoi on a tous une montre alors ? C'est une convention. Eh bien, je veux rencontrer Lisa dans cette convention du temps que les humains ont établie. À quoi cela te sert-il de t'énerver ainsi ? Je n'ai qu'une nuit pour tout faire. Alors, ne fais rien. Tu t'agites pour rien. Reste assis tranquillement sur ce banc et, je te le jure, tu vas voir passer la voiture. Quelle voiture ? Celle où se trouve Lisa. Tout le monde bouge. Oui, mais si tu restes immobile, tu verras passer tout le monde devant toi. J'aimerais marcher dans cette ville, surtout cette nuit. J'adore faire des rencontres insolites.

J'aime regarder le ciel de Port-au-Prince au-dessus de ma tête. Alors, oublie que tu pars demain et surtout que tu dois voir Lisa, et laisse-toi aller, mon vieux.

Les couloirs du temps (10 h)

Je ne l'ai pas vu arriver derrière moi. Était-il là depuis longtemps à m'observer avec un sourire énigmatique ? C'est un homme très grand, il a les cheveux en broussaille, une tête fière. Il flotte dans un costume gris anthracite. Pas loin de cinquante ans.

— Tu connais Barthelmy ? me demande-t-il poliment.

— Quel Barthelmy ?

— Bartho, dit-il, avec un large sourire.

— Non, je regrette, mais je ne le connais pas.

— Je peux m'asseoir ici ?

— Bien sûr, je réponds candidement, c'est un banc public.

Il fait un léger bon en arrière.

— Ah non ! pas ça… Ce banc appartient à Barthelmy César.

— Comment le savez-vous ?

Il me jette un regard à la fois étonné et furieux.

— C'est moi, Barthelmy… Quand ils ont installé ce banc, j'ai été le premier à l'occuper… Tu connais sûrement Christophe Colomb ?

— Pas personnellement.

Je regrette immédiatement mon ton ironique.

— C'est le découvreur du Nouveau Monde. J'ai appris ça à l'école, il y a longtemps. C'est la seule chose que je retiens de cette époque. C'est très important. Il a découvert le Nouveau Monde et l'a offert à la reine d'Espagne, Isabelle, la catholique. Et celle-ci l'a nommé à son tour vice-roi des Indes, car on croyait alors que c'étaient les Indes qu'il avait découvertes.

Il rit un long moment.

— Et alors ? je lui demande, pour faire cesser ce rire qui me rend un peu mal à l'aise.

— Ah !... J'ai oublié le reste...

Il reste prostré de longues minutes, observant un anolis qui essaie de grimper sur le banc. J'en profite pour l'étudier plus en détail. Il a un visage très doux (sauf quand il s'énerve et alors une lueur de démence éclaire ses yeux), de belles mains avec de longs ongles noirs de crasse. Il se tient très droit.

— Ah ! lance-t-il subitement, je sais maintenant pourquoi je te racontais l'histoire de Christophe Colomb... Colomb a vu l'Amérique avant tout le monde et l'Amérique était donc devenue sa possession. Moi aussi, tout ce que je vois est à moi. Ce banc, par exemple, c'est moi qui l'ai découvert. Exactement comme Colomb a découvert le Nouveau Monde.

Il me regarde de nouveau droit dans les yeux, avec un étrange sourire.

— Vous me faites penser à quelqu'un que j'ai connu dans un autre temps.

— Vous avez vécu plusieurs temps ? je lui demande, toujours excité par la question du temps.

— Au moins neuf temps.

— Comme les chats.

Il se tourne vers moi.

— Comment le sais-tu ?

— Comme ça.

— Sais-tu aussi qu'on peut vivre dans plusieurs temps à la fois ?

— Non.

— Ah !...

— Vous disiez tout à l'heure que je vous rappelais quelqu'un...

Il m'avait déjà quitté. Son esprit était ailleurs. Encore perdu dans les couloirs du temps.

— Qu'est-ce qui se passe quand on vit dans plusieurs temps à la fois ?

Un regard furieux.

— Fou... On devient fou. Comme moi.

Sa réponse m'atteint en pleine poitrine avec la violence d'une balle tirée à bout portant.

— Dans ce cas, tout le monde est fou.

Il réfléchit un temps.

— Non, tout le monde n'est pas fou. Seuls le sont ceux qui s'attardent dans les couloirs du temps.

C'est étrange que je sois assis sur ce banc public à avoir cette importante conversation philosophique sur la folie et le temps avec un homme qui se déclare fou. Un fou est sûrement la personne la plus compétente pour tenir une telle discussion. C'est connu, depuis la Grèce antique, les gens ont toujours aimé philosopher dans les grands espaces ouverts. Avec le premier venu. Sur un banc public. Nous sommes seuls à présent, Barthelmy César et moi, sur la grande place du Champ-de-Mars. La dernière séance du cinéma *Rex* va prendre fin dans quelques instants. Personne à l'horizon. Pas une voiture. Rien que nous deux. Pourquoi me suis-je arrêté précisément sur ce banc ? Le banc de Barthelmy César.

— J'ai rencontré, dit-il après avoir longuement réfléchi, il y a longtemps, un homme qui te ressemblait beaucoup.

— Ah bon !…

Il me dévisage encore un moment.

— Peut-être que c'était toi, mais si c'était toi, alors le temps n'a aucune prise sur toi. Quel âge as-tu ?

— Vingt-trois ans.

— L'autre avait mon âge. Il doit avoir quarante-six ans à présent. Le double du tien, dit-il avec un petit rire complice, donc ça ne peut pas être toi. C'était qui alors ?

— Comment s'appelait-il ? Vous rappelez-vous son nom ?

— Comment ! Laferrière, dit-il sans hésiter, mais tout le monde l'appelait Windsor K.

Je suis à peine étonné. Ce n'est pas un très grand exploit puisque tous les habitants de cette ville ont connu mon père et que je lui ressemble beaucoup. Partout où je vais, je trouve toujours quelqu'un pour remarquer cette ressemblance. Et alors, j'ai droit à l'accolade chaleureuse, au regard ému et aux anecdotes. Chaque personne que je croise dans cette ville me raconte une histoire à propos de mon père. C'était un homme grand, moustachu, à la voix forte. Facilement repérable.

— Donc vous avez connu mon père ?

— Sûrement ! On a commencé dans l'enseignement ensemble. Ton père enseignait l'histoire au lycée Pétion, et moi, j'enseignais la géographie au Lycée des jeunes filles.

C'est drôle, j'avais l'impression tout à l'heure qu'il n'avait pas fait de longues études.

— Ton père était fait pour enseigner l'histoire. Il la vivait en même temps qu'il l'expliquait à ses étudiants. C'est pour cela qu'ils l'admiraient tant.

Il m'a l'air beaucoup plus calme que tout à l'heure. La nostalgie lui va bien.

— Et vous ?

— Moi, dit-il, un peu étonné par ma question, j'ai quitté l'enseignement assez tôt, à cause de mes problèmes de santé. J'ai passé trois ans au sanatorium. Même là-bas, je suivais la carrière de Windsor K. Il était l'un des chefs de file d'un groupe de jeunes idéalistes déterminés à changer les choses dans ce pays. Le groupe s'appelait, je crois, « Le peuple souverain ». Ils étaient vraiment agressifs. Ils terrorisaient les bureaucrates, les ronds-de-cuir, les députés, les sénateurs, les ministres ventripotents, enfin, tous ceux qui, à nos yeux, n'étaient pas des accélérateurs de progrès. C'est comme ça qu'on disait à l'époque. Ton père était leur chef.

— Je ne comprends pas. Au début, vous ne sembliez vous rappeler de rien et, maintenant, vous parlez comme un conférencier.

Son regard se fait plus aigu.

— Cela dépend du couloir que je viens d'emprunter.

— Le couloir du temps ?

— Oui. Mais tout ça me donne mal à la tête. Je vais me reposer un peu. Si seulement je pouvais sortir un jour de ce labyrinthe. C'est affreux. Je sors d'un temps pour entrer dans un autre. C'est sans fin.

Brusquement, il se relève.

— En prison, oui, c'est en prison que j'ai vu ton père pour la dernière fois.

— On vous avait arrêté ? dis-je stupidement, au risque de le faire pénétrer dans un autre couloir.

— C'était une histoire de loyer. Le propriétaire était un colonel. Sa femme était venue chercher l'argent du loyer. Comme je ne l'avais pas, elle m'a insulté, me traitant de tous les noms. À la fin, je l'ai giflée. Et c'est ainsi que je me suis retrouvé aux Casernes Dessalines. J'y étais depuis trois jours quand ton père est arrivé dans ma cellule. Je me souviens très bien qu'il portait un costume blanc immaculé. Très élégant dans sa belle chemise propre. Il ressemblait beaucoup plus à un visiteur de marque qu'à un prisonnier. D'ailleurs, j'ai tout de suite remarqué que les gendarmes le traitaient avec un certain respect.

— Il y est resté longtemps ?

— Seulement une nuit, même pas toute la nuit. Moi, par contre, j'ai passé près de trois mois là-dedans.

— Comment ça ?

— Eh bien, il y avait un autre homme dans la cellule. Un homme ordinaire. Un ancien employé du Bureau des contributions, paraît-il. Je ne faisais pas trop attention à ce qu'il disait. Nous partagions tous les deux la même cellule avant l'arrivée de ton père. C'était sous la présidence du général Magloire. Ce n'était pas trop dur, à l'époque. Avec Papa Doc, tout va changer.

Je n'avais pas envie de voir Barthelmy César disparaître dans le visqueux couloir de Papa Doc, sachant que celui qui y entrait n'en ressortait jamais.

— Et mon père, comment est-il sorti de la prison ?

— Il est parti la même nuit. L'autre homme disait tout le temps qu'il pouvait quitter la cellule quand il le voulait, mais je ne le croyais pas. Il n'arrêtait pas de répéter qu'il suffisait que je le croie pour qu'on parte ensemble. J'ai compris que, pour que son truc marche, il lui fallait un croyant. Il a dit la même chose à ton père qui, lui, a immédiatement marché. Alors l'homme, avec un large sourire, a sorti un crayon de sa poche pour dessiner un bateau sur le mur. Je le regardais faire en rigolant. Un moment après, ton père et lui ont mis leur pied gauche dans le dessin et... ils ont disparu, là, sous mes yeux. Cela s'est passé comme je vous le dis. C'est pas une histoire qu'on m'a racontée, je l'ai vécue moi-même. Ce qui fait, conclut-il dans un grand éclat de rire, que ton père n'a même pas passé la nuit en prison.

— Cette histoire, j'ai l'impression, vous a marqué.

— Elle a changé toute ma vie. Depuis, je crois à tout ce qu'on me raconte. Tout. Tout ce qu'on me dit. Les pires conneries. De peur de passer pour un con à nouveau. Et les gens en ont profité. Ils ont abusé de moi. Ils m'ont dépouillé de tout ce que j'avais. Ma maison, ma femme, mes enfants. Je passe mon temps à rechercher cet homme. Comment le reconnaître ? Je n'avais pas prêté attention à lui. J'ai oublié son visage. Il était si ordinaire. Il ressemblait tellement à n'importe qui. Mais il était doté d'immenses pouvoirs. Lui seul pourrait trouver pour moi la sortie du labyrinthe du temps.

Il respire profondément, comme un nageur avant de faire son plongeon.

— Avec le temps, je suis arrivé à la conclusion que ce n'est pas lui le personnage le plus important de l'histoire…

— Ah bon ? Qui est-ce ? dis-je, intéressé par ce nouveau développement.

— C'est l'autre. Celui qui a immédiatement cru en lui. Ton père. Je me suis toujours demandé comment un homme intelligent et raisonnable comme ton père avait pu faire confiance à un type si ordinaire. C'est ça qui est vraiment étonnant. La raison, c'est que ton père était un homme exceptionnel. Il gardait contact avec les deux mondes.

— Quels mondes ?

— Le monde de la raison, de la logique, et celui du surnaturel, de l'invisible. Très peu de gens ont accès à deux mondes parallèles en même temps. Généralement, on finit par faire un choix.

— Et vous, dans quel monde vivez-vous ?

— Mon problème est que je ne le sais pas.

Un long moment de silence.

— Je dois partir maintenant, dit-il en se levant. Tu peux passer la nuit ici, lance-t-il en me faisant l'offrande de son banc.

Cinéma (10 h 13)

Je suis toujours assis sur le banc, encore sous le choc de mon étrange rencontre. La dernière séance vient de se terminer et le *Rex* déverse son public sur le Champ-de-Mars. *L'Enfer des hommes*, avec Audie Murphy, est toujours à l'affiche. Ce film repasse périodiquement dans cette salle. Je ne sais pas combien de fois je l'ai vu. La dernière fois, il y avait un couple assis derrière moi qui n'arrêtait pas de commenter le film. La femme pleurait sans cesse en voyant tous ces hommes mourir. Elle disait : « Mais ils vont tous mourir. » Et elle pleurait. De vraies grosses larmes. Et ça reniflait dans mon dos. L'homme la consolait. Elle se mouchait. Un temps. Bon, j'entre dans le film. J'oublie le couple derrière moi. Quand on va voir un mélodrame sentimental (ce qui n'est pas mon genre), on s'attend à de tels débordements, mais là, c'était un vrai film de guerre. Un film joué par des durs et fait pour les durs. Le feu de la guerre. De nouveaux morts. Et de nouvelles jérémiades derrière moi. C'est à croire qu'on ne lui avait pas dit que c'était un film de guerre. Je déteste les gens qui entrent dans une salle de cinéma sans savoir au moins quel genre de film ils sont venus voir. Le titre de celui-ci, *L'Enfer des hommes*, donnait pourtant une assez bonne indication sur la nature du film. La femme continuait à pleurer et le type continuait à la consoler. Il lui parlait longuement tout bas. Elle a fini par accepter que c'est ainsi dans les films de guerre. Il lui a tout expliqué à propos de la guerre, du cinéma, des hommes. Elle hochait la tête, acquiesçant à tout. J'ai eu droit à une paix royale pendant un bonne demi-heure. Puis, une nouvelle crise de larmes, sans raison apparente. Mais qu'est-ce qui se passe cette fois ? Si j'ai bien compris, elle pleurait le sort de tous ces pères de famille obligés de ramper ainsi dans cette boue noire et puante, simplement pour pouvoir subvenir aux besoins de leur progéniture. Alors là, c'était le bouquet. L'intrusion de la vraie vie dans le cinéma. Comme j'avais déjà vu le film plusieurs fois, je me suis levé et j'ai quitté la salle. Depuis ce soir-là, je ne suis plus retourné au *Rex*. Les mauvaises langues disent qu'il y a des films qui finissent ainsi leur carrière en Haïti. Et que chaque cinéma a son film fétiche. Le *Rex* garde la part du lion avec *L'Enfer des hommes*.

Le *Palace*, qui se trouve juste derrière moi, à proximité du musée du Collège Saint-Pierre, ne cesse de repasser *Les Amants*, avec Jeanne Moreau. C'est un coquet petit cinéma qui fonctionne comme un club privé. On y rencontre les mêmes clients venant voir les mêmes films depuis des années. Mais surtout *Les Amants*. Une fois, je me suis retrouvé entre un couple « pas légitime ». Ils s'étaient arrangés pour me placer entre eux et ils se caressaient sans faire attention à moi. J'avais l'impression d'être en pleine partouze, sauf que je n'avais pas le droit de toucher. Un truc dingue. Elle devait se sentir surveillée, car elle n'arrêtait pas de regarder dans la salle, entre deux baisers, pour voir si personne ne l'avait remarquée. Le type s'en foutait éperdument. Tout ce qui l'intéressait, c'était de la peloter. Ils avaient dû voir ce film plusieurs fois déjà parce qu'ils n'ont pas jeté un seul regard vers l'écran. Moi, j'étais pris entre les amants à regarder *Les Amants*.

Le *Paramount,* mon cinéma préféré, se trouve en face de moi, de l'autre côté de la place. Son film fétiche est *La Religieuse.* On ne peut pas aller au *Paramount* toute sa vie, comme moi, sans voir *La Religieuse* au moins dix fois. Je me souviens du jour où ce type est sorti en colère, au tout début du film, en criant son mépris pour cette salope de Jeanne Moreau qu'il venait de voir, pas plus tard que la veille, au *Palace,* dans *Les Amants,* et qui essayait maintenant de se faire passer pour une religieuse. Il entendait protester auprès de la direction et se faire rembourser à la caisse. Heureusement qu'il avait vu cette Moreau au *Palais* la veille, sinon il aurait avalé, comme le dernier des nigauds, « ce mensonge éhonté, cette mascarade, ce travestissement ». Il a finalement quitté la salle dans une colère si convaincante qu'une dizaine de personnes l'ont suivi.

Le *Capitol* a toujours aimé *Mama Dolorès.* Je suis la seule personne dans cette ville à n'avoir jamais vu *Mama Dolorès.* Plutôt mourir que de voir ce film. Disons que je préférerais voir cent fois *La Porteuse de pain* au *Montparnasse.*

Le *Montparnasse* est un petit cinéma très populaire situé en plein centre du marché Salomon, et fréquenté par le public du marché. Ce qui fait que certaines fois, on n'arrive pas à savoir si on est au cinéma ou dans un marché. On peut voir des scènes très émouvantes dans *La Porteuse de pain,* mais il n'est pas rare d'entendre, au moment le plus dramatique du film, une discussion terrible à propos du prix du sac de charbon ou de la livre de riz. Alors la salle, au lieu de faire silence pour écouter le film, prête plutôt l'oreille au marchandage qui se fait à l'arrière. C'est que tout le monde veut savoir quel sera demain matin le prix de la livre de riz. C'est une question vitale. Cependant, ce ne serait pas bien de jeter l'enfant avec l'eau du bain… Un jour, j'ai entendu quelqu'un pleurer au *Montparnasse* pendant une représentation de *La Porteuse de pain.* Il a suffi d'un seul juste pour sauver le *Montparnasse.*

Le *Lido* a toujours passé le même et unique film : *El Caballero Blanco* (dans sa version espagnole, tout en signalant à ses fidèles clients que la version française arrivera sous peu, mais cela fait plus de dix ans qu'on l'attend). Le *Lido* est situé dans la zone la plus bruyante de la ville, sur l'avenue Jean-Jacques Dessalines. Aux heures de pointe, on peut entendre de la salle le bruit de la circulation intense (surtout les klaxons des taps-taps). Le *Lido* est quand même le seul cinéma au monde qui ne présente qu'un seul film. Que faut-il dire : « On va au *Lido* » ou « On va voir *El Caballero Blanco* » ? Dans tous les cas, les gens vont savoir où vous comptez passer l'après-midi. Il paraît que c'est une histoire d'amour : le propriétaire de la salle a vu, un jour, un film, *El Caballero Blanco,* qui l'a si émerveillé qu'il a fait construire un cinéma pour le projeter. Au début, il était toujours seul à regarder le film. Petit à petit, les gens sont venus et, maintenant, les trois séances affichent toujours complet. On voit souvent le propriétaire, debout à la porte, vêtu d'un costume blanc de cowboy. Nombreux sont ceux qui ont appris l'espagnol en venant voir ce film mais, pour les travaux pratiques, il est conseillé d'aller voir Mercedes, au *Brise-de-Mer.*

C'est quand même le stade Sylvio-Cator qui rassemble la plus grande foule, avec un prix d'entrée (cinquante centimes) plus qu'abordable. Dans ce stade de football, qui se convertit, après les matchs, en salle de cinéma en plein air, on passe chaque Vendredi saint le même film : *Marie-Madeleine, la pécheresse.* Le public est toujours nettement divisé, comme pour un match de football. Les femmes viennent pleurer l'agonie et la mort du Christ. Les hommes viennent reluquer les formes si sensuelles de la scandaleuse Marie-Madeleine. Les enfants sont obligés de prendre le parti des femmes. Ma mère essayait toujours avec plus ou moins de succès d'attirer mon attention sur l'enseignement du Christ, alors que je ne quittais pas Marie-Madeleine des yeux. Les hommes applaudissaient à chaque apparition de la pécheresse. Ma mère en était désolée. Comment élever décemment un enfant quand des adultes irresponsables n'arrivent pas à se contrôler ? J'étais très troublé par tout ce qui se passait autour de moi. D'un côté, ma mère tentait vainement (car plus tard je serai un assidu du *Brise-de-Mer*) de me mettre en garde contre ce genre de femme et, de l'autre côté, je voyais très bien les hommes baver rien qu'à voir la pécheresse. C'était un combat inégal qu'aucune mère n'aurait pu gagner.

L'*Olympia* a toujours essayé d'entrer dans le cercle des grands cinémas en passant le plus souvent possible *Le Rebelle,* avec Amalia Mendoza. Le film préféré de ma famille (ma mère et mes quatre tantes). Elles l'ont vu ensemble au moins une dizaine de fois, et chacune d'elles l'a revu cinq à six fois. En tant qu'unique garçon de la maison, j'ai dû les chaperonner à toutes les séances. J'en ai fait une surdose. Et dire que dès la première séance, j'ai détesté ce film que j'ai vu plus d'une quarantaine de fois !

Le cinéma *Cric-Crac*, dans ce quartier populeux de Martissant, a depuis quinze ans une fixation sur *L'Égyptien*, avec Victor Mature. Mon oncle Jean nous a emmenés, toute la famille, le voir dans sa minuscule voiture. Après le film, on est retournés à Petit-Goâve. Mon oncle Jean n'a pas arrêté durant tout le trajet du retour de faire l'éloge du film, disant que seul un franc-maçon pouvait le comprendre. Il est encore à l'affiche. Je suis allé le revoir au moins une fois pour essayer d'en percer le secret, mais il reste pour moi un mystère total. Quand j'en parle à mon oncle Jean, il se contente de sourire.

Un assassinat sans assassin (10 h 20)

Je somnolais encore, rêvant de cinéma, quand la petite Honda noire a freiné brusquement devant mes pieds.

— Qu'est-ce que tu fais là ? me demande brusquement Jean-Robert.

— Rien.

— Comment rien ? Tu réponds toujours ça.

— Je suis assis ici, c'est tout.

— Tu ne veux pas venir avec nous ?

— Pour aller où ?

— On va rencontrer quelqu'un près de l'hôtel *Olofson*.

— Et l'autre que vous deviez voir ?

— C'était une fausse piste. Il paraît qu'il se cache à l'autre bout du pays depuis un mois, à Dame-Marie, à cause d'une affaire de contrebande à laquelle le ministre du Commerce est mêlé.

— Qui vous a dit ça ?

— Son frère. C'est lui qui lui a conseillé de fuir. Sinon, selon le frère, il aurait été obligé de participer à l'assassinat de Gasner. Le principe est simple : on t'arrête pour une connerie et, si tu ne veux pas aller en prison, tu dois rendre un petit service au gouvernement, comme participer à un assassinat…

— En fait, celui qui commet l'assassinat n'est pas véritablement l'assassin.

— C'est lui qui a tué, dit Jean-Robert, mais ce n'est pas lui le véritable assassin. Naturellement, le gouvernement garde des preuves contre celui qui a été obligé de commettre le meurtre.

— Pourquoi ?

— Ben, il y a toujours des commissions internationales qui viennent enquêter sur l'assassinat d'un opposant politique connu. Alors, le gouvernement accuse le faux assassin, qui est quand même celui qui a tué, le traîne devant un juge, sort les preuves irréfutables de son crime, le condamne, et ainsi justice est faite.

— D'où tiens-tu ces informations ?

— Je te l'ai dit, le frère du type m'a tout expliqué.

— Et qu'est-ce qu'il est, lui, pour savoir tout ça ?

— Je ne sais pas. Il est au courant.

— Ne te moque pas de moi, Jean-Robert. Tu le sais comme moi que ce type est aussi un tueur. Ce n'est peut-être pas lui qui a tué Gasner, mais il n'est pas mieux que les autres.

— D'accord, il m'a dit qu'il faisait partie du groupe mais qu'il n'est plus avec eux…

— Je vois que tout le monde se défile. On dirait un assassinat sans assassin.

— C'est lui qui nous a donné le nom du type près de l'hôtel *Olofson.*

— Qu'est-ce qu'il a de particulier, celui-là ?

— Il connaît bien ceux qui ont tué Gasner. Il veut parler, paraît-il.

— Il pense surtout qu'il est en danger.

— C'est la seule bonne piste qu'on a, conclut Jean-Robert. Tu viens avec nous ?

— Non. Je marche seul.

— C'est comme tu veux.

La petite Honda noire s'élance nerveusement vers la petite foule qui sort à peine de la dernière séance du *Rex.* Elle se faufile parmi les gens jusqu'à ce que je ne la voie plus.

Un jeune homme seul (10 h 25)

Je suis seul. Seul dans cette ville tentaculaire. Je me sens comme un observateur froid, nullement concerné par ce qui se passe autour de moi. Je ne joue plus à aucun jeu, surtout pas celui du gendarme et du voleur de Jean-Robert. Trop fatigué. Une très ancienne fatigue vient de me tomber dessus à l'instant même. Je n'ai plus de toit. Je ne peux plus retourner chez moi. Je regarde ces gens qui viennent de sortir du cinéma et qui s'apprêtent à rentrer chez eux, une chose qui, hier encore, m'apparaissait totalement banale, mais que je ne peux plus faire aujourd'hui : rentrer me coucher après une journée difficile. C'est la première fois que j'ai cette impression de vide. Le sentiment absurde de n'être pas dans ma ville. Cette nuit, je ne suis nulle part. Plus dans ma ville, et pas encore dans une autre. Un jeune homme se promène seul dans une forêt. Un grave danger le menace, même s'il l'ignore encore. On ne se rend compte du danger que lorsqu'il est trop tard. Des léopards le suivent. Au loin, sur la petite galerie d'une maison cachée par des lauriers-roses, une femme prie à genoux. Ma mère n'a que ses prières pour me protéger. « Éternel, dieu des armées, protège mon fils contre ces assassins. » Pourtant, la nuit est magnifique. Un ciel bien étoilé, comme dirait Da. L'odeur des ilangs-ilangs près de la faculté de médecine. Des hommes en chapeau se hâtent de rentrer chez eux. Ils ont une maison, un lit, une femme, des enfants qui les attendent. Malgré la dictature, ils ont le sentiment d'appartenir à cette ville. De faire partie de ce pays. Comment pourriez-vous vous sentir citoyen d'un pays où l'on a tué votre meilleur ami et où l'on cherche à vous tuer aussi ? Sans raison apparente. Parce qu'on a aperçu dans votre dossier une note discordante. Un pays où circulent des léopards en liberté. Un pays tel que votre mère doit vous supplier de la quitter. Car mieux vaut l'exil que la mort. Je ne comprends pas le jeu de Jean-Robert. La chasse aux assassins. Encore faut-il savoir de quel type d'assassin il s'agit. Le meurtrier ou celui qui a commandé le meurtre ? Aucun des deux ne m'intéresse. Qu'ils bouffent le cadavre s'ils le désirent. L'esprit de Gasner n'y est plus. Son esprit vole au-dessus de nos têtes. Qui l'a tué ? Pour moi c'est un tout. Toute la culture haïtienne. Cette culture complètement fermée sur elle-même. Les victimes sont presque autant coupables que les bourreaux. Ou du moins, on se retrouve tous dans le même cercle. Sans pouvoir en sortir. C'est une île. Disons une presqu'île puisque nous partageons l'île avec la République dominicaine. Personne ne sortira vivant d'ici, a dit une fois Papa Doc. Les léopards sur la terre ferme. Les requins dans la mer (la jolie mer turquoise de la Caraïbe). Il n'y a qu'une seule sortie, le ciel. L'esprit de Gasner y est déjà et me regarde en souriant, me voyant en train de me débattre dans les problèmes qui nous ont tant agités du temps qu'on marchait ensemble dans cette jungle, c'est-à-dire hier soir, à cette même heure. Il n'y a que par le ciel qu'on peut sortir d'ici. L'esprit ou l'avion. Je préfère malgré tout l'avion. Mais le problème, quand on prend l'avion, c'est qu'on laisse ici un peu de son esprit. L'esprit des dieux de ce pays. On part avec sa raison et sa capacité de résistance, c'est sûr, mais on laisse ici en gage un peu de cet esprit. L'esprit des lieux. Qui a tué Gasner ? Jean-Robert veut retrouver à tout prix son assassin. Pour l'étrangler, comme on dit, de ses propres mains. On sent là toute la force de son affection pour Gasner. Même si, au volant de sa petite Honda noire (cette image ne me quittera pas de sitôt), il donne plutôt l'impression d'être dans un des films d'action que le cinéma *Paramount* passait régulièrement le dimanche après-midi. *Les Justiciers.* Tous dans la petite Honda noire. Encore sur une piste qui les mènera à une nouvelle piste, et ainsi de suite jusqu'au petit matin. Tout doit aboutir à ce petit matin qui ne viendra peut-être jamais. La plus longue nuit de ma vie. Verrai-je sa fin ? Pour le moment, il nous est impossible de simplement rentrer à la maison pour nous mettre au lit. Moi, Jean-Robert et son équipe, nous sommes en train de veiller notre frère d'armes. On ne dort pas par une pareille nuit. L'esprit de Gasner n'a pas encore quitté cette ville. J'en ai la certitude. Nous voulons passer avec lui cette dernière nuit. Jean-Robert, Carl-Henri, Clitandre et moi. Ses copains de l'*Hebdo.* Alors, pourquoi je ne suis pas dans la voiture avec eux ? D'abord parce que je suis un solitaire. Chacun vit la mort à sa façon. Pour moi, la mort est une affaire individuelle. Personnelle même. L'autre raison, bien plus grave celle-là, c'est qu'il m'est absolument impossible de m'asseoir avec eux, de manger avec eux, de bavarder avec eux, de faire des plans avec eux, alors que je sais que je pars demain matin. Mon passeport et mon billet d'avion sont dans ma poche. Je pars, et eux, ils doivent rester. Faire face à la bête sans moi. C'est ce secret honteux que je porte. Eux et moi, nous n'avons plus rien à nous dire. Ils vivent dans un monde qui est en train de s'effacer, au fur et à mesure que les heures passent. Comme si j'étais déjà mort, moi aussi. Je ne suis plus qu'un spectateur qui cherche encore à comprendre, mais cette fois, uniquement pour son plaisir personnel. Ce genre de théâtre moderne où l'on demande au spectateur de participer un peu en jouant un petit rôle de figuration. Le spectateur a payé son billet, il peut toujours se lever et partir quand il veut. Comme moi qui ai mon billet d'avion en poche. Comme le spectateur d'une pièce de théâtre, je sais que mon destin ne se joue pas sur la scène, tout en sachant qu'il y a quand même un lien entre ma vie et ce qui s'y passe. C'est pour cela que je suis encore ici. S'il n'y avait aucun lien entre moi et ce qui se passe sur la scène, je serais déjà parti. Je reste fasciné par ces acteurs qui me ressemblent comme des jumeaux et par cette histoire identique à la mienne. C'est moi, ce jeune homme qui rentre en ce moment, d'un pas rapide, les yeux baissés, espérant qu'il ne fera aucune rencontre fâcheuse avant d'arriver chez lui. C'était moi, mais ce n'est plus moi. J'ai un autre projet, cette nuit. Je veux engranger le plus de sensations, d'émotions et d'images possible pour les emporter avec moi. Pour faire face « aux giboulées du Nord ». Car dans cette guerre du chaud contre le froid, il faut fourbir ses armes. Dès demain, je vais basculer dans l'inconnu. Je n'ai qu'un mot à ma disposition pour identifier ce nouveau territoire : *froid.* Le poète est revenu épouvanté par « le soleil froid comme la mort ». Comment boirai-je ma tasse de mort, puisqu'il a précisé que le soleil qu'il a bu là-bas était froid comme la mort ? Le froid est-il plus dur que la faim ? Dure question à laquelle je ne pourrai répondre avant d'avoir vu… En attendant, je m'apprête à sauter dans l'inconnu, sachant que celui qui voyage ne revient jamais. Car si jamais il revient, tout aura changé. Il ne reconnaîtra rien de ce qu'il avait laissé. Et lui-même ne sera plus le même. Dès qu'on a initié le premier mouvement, on est en orbite pour ne plus atterrir. C'est la loi du mouvement perpétuel. Du moment qu'on ne bouge pas, qu'on reste dans son île, on peut dire qu'on est d'ici, de cette terre. Mais dès qu'on a quitté l'île, une fois seulement, on ne peut plus revenir. Il n'y a pas de retour possible.

La rhapsodie d'Ézéquiel (10 h 35)

Depuis la faculté de médecine, je n'ai rencontré personne sur mon chemin. De temps en temps, on entend un cri d'oiseau, des pleurs d'enfant, le son sourd d'un tambour au loin ou une voix de femme en train de psalmodier une prière. J'ai vu un homme sortir de la petite pharmacie, en face de l'Hôpital général. Je le suis jusque dans la cour de l'hôpital. Il était sorti acheter un médicament pour sa femme malade, comme fait tout le monde, puisque l'hôpital ne peut même pas fournir une aspirine. Je l'ai vu aider sa femme à s'asseoir sur le lit pour qu'elle puisse prendre le médicament qui, si j'en juge à la grimace qu'elle fait, doit être très amer. Il lui a apporté un verre d'eau après. Elle lui sourit. Tout cela est accompli avec beaucoup de délicatesse et une infinie tendresse. Les gens prennent soin de leurs parents malades dans cette ville, sans aucune aide de l'État. La compassion, l'affection, l'amour existent dans cet hôpital ; ce sont les médicaments qui manquent. Je continue à chercher dans les couloirs jusqu'à ce que je trouve la chambre de François, le comédien qu'Ézéquiel a remplacé. François est cloué sur ce lit d'hôpital à cause d'une angine de poitrine. Il n'a pu participer aux deux grands événements de la journée : la mort de Gasner et le triomphe d'Ézéquiel. Je le connais à peine, mais je viens de remarquer qu'il est, lui aussi, un maillon de la chaîne. C'est à cause de son angine de poitrine qu'on a pu découvrir Ézéquiel dans le roi Créon. Le lien est donc fort. Je n'arrive pas encore à déterminer tous les liens qui existent entre ces événements et ces gens, ni surtout quel est mon rôle exact dans ce théâtre. Peut-être que l'histoire d'Antigone raconte ce que nous vivons en ce moment. Une pièce à l'intérieur de la grande pièce. Un théâtre dans le théâtre de la vie. J'ai l'impression qu'il y a des ramifications encore plus profondes que je ne suis pas parvenu à découvrir. Je n'ai pas encore pris la distance nécessaire pour bien évaluer tout cela. Prenons le cas de François. C'est un type assez effacé dont on dit qu'il est un bon comédien. Je ne l'ai jamais vu jouer, mais on dit qu'il travaille beaucoup son rôle et livre généralement une prestation nettement au-dessus de la moyenne. Ce n'est pas le genre à oublier son texte et il ne souffre pas de trac. Ou plutôt juste ce qu'il faut. Il joue souvent les jeunes premiers dans les pièces de Musset. Il est aussi le chouchou de Mlle Paret. Il ne rate jamais une répétition et rentre immédiatement après chez lui. Les comédiens ont l'habitude de rester à bavarder après les répétitions, soit devant le Conservatoire, soit près du musée du Collège Saint-Pierre. C'est une tradition que les générations précédentes ont instituée. Quand on circule dans la zone du Conservatoire, vers huit heures du soir, on est sûr de trouver un petit groupe d'étudiants en train de discuter de tous les sujets imaginables (rarement de théâtre). Ézéquiel parle plus fort que tout le monde et, surtout, il essaie de convertir un nouveau groupe à sa théorie sur l'importance de constituer une pharmacopée haïtienne, car les médicaments qui nous viennent de l'étranger non seulement coûtent les yeux de la tête, mais sont souvent périmés. Et d'après Ézéquiel, ce sont des médicaments qui n'ont une efficacité que pour ceux qui vivent dans un univers beaucoup plus stressant que le nôtre. Ce type a des idées originales sur tout. Sur l'hygiène, la santé, le cinéma, le journalisme (surtout le secteur de la diffusion, qui laisse à désirer), la conduite automobile (il trouvait les chauffeurs trop impolis et voulait lancer cette formule : « Conduire, c'est bien se conduire. »), etc. Ézéquiel a l'habitude de donner des conférences impromptues à n'importe quel coin de rue mais, en général, c'est dans la cour du Conservatoire qu'il lance d'abord ses idées les plus surprenantes avant de les répandre dans la ville. Gasner, lui, détestait les comédiens, qui n'étaient, d'après lui, que des petits-bourgeois obsédés par leur diction. « À quoi ça peut bien servir dans un pays majoritairement analphabète, une bonne diction, sinon aider à grimper dans l'échelle sociale ? Ce truc est fait pour briller dans les salons », jetait-il avec tout le mépris dont il était parfois capable. J'avais beau essayer de lui faire comprendre que le théâtre n'est pas seulement une affaire de diction, que c'est bien plus profond, mais j'ai dû laisser tomber parce que ce type était le roi de la mauvaise foi. Quand Gasner ne voulait pas comprendre quelque chose parce que son idée était déjà faite, il devenait l'être le plus borné qui soit. Donc, on ne l'aurait jamais vu à nos rencontres, le vendredi soir, au *Rex-Café*. Les gens y viennent surtout pour parader, faire le beau, réciter des poèmes et, naturellement, flirter. Ézéquiel aussi détestait cette ambiance. Ils n'étaient pas si différents qu'ils le croyaient, Ézéquiel et Gasner, tous les deux un peu jansénistes, à cheval sur leurs principes. Ézéquiel déteste le flirt parce que, pour lui, c'est simple : si on est intéressé par une femme, on le lui dit et c'est tout. Pas de chichi. Le flirt le fait vomir. De toute façon, il n'a pas le temps pour ce genre de conneries. Enfin, c'est pas son style. Alors, il n'est pas là le vendredi. Les autres sont plutôt satisfaits, car s'ils aiment bien les conférences d'Ézéquiel, ils n'ont pas envie de trop réfléchir le vendredi soir. Ézéquiel le sait, et ça le met en rage. Le monde devrait tourner autour de ses idées. La frivolité n'est pas son fort. C'est son problème : il n'arrive pas à s'adapter à la situation du moment. Pas assez flexible. Gasner non plus, d'ailleurs. Il avait une certaine difficulté à changer d'angle de tir quand la situation le commandait. Ézéquiel n'a aucune idée de la vie ordinaire, quotidienne, triviale. Malheureusement, nous autres, mortels, nous répondons parfois à l'appel pressant de nos bas instincts. J'aurais pu être comme eux (Gasner et Ézéquiel) s'il n'y avait pas eu Sandra. Cette salope (je dis salope parce qu'elle passe son temps à m'aguicher, à se frotter contre moi, à me parler tout bas à l'oreille, sans jamais me permettre de toucher ne serait-ce que son coude), d'une certaine manière, m'a empêché de perdre contact avec la réalité. La réalité du corps. De son corps. De son odeur (ah ! j'arrive à peine à respirer rien qu'à évoquer le parfum de Sandra). Sa peau à la fois si ferme et si satinée. Sa douce chair. J'ai littéralement envie de la dévorer. Elle me ramène toujours à mes plus bas instincts, m'empêchant de vivre uniquement dans le monde de l'idéal amoureux (Lisa), des idées, des livres ou des rêves. Sandra, c'est le réel des sens. Mais j'y pense, on n'a jamais vu François nulle part. C'est un type assez beau pourtant. Il n'a pas un talent fracassant, mais son jeu est solide. Un peu mystérieux aussi. Mais ce n'est pas son talent qui intrigue les gens, comme toujours, mais plutôt son côté mystérieux. Ils sont excités à l'idée de percer un nouveau mystère. Celui de François résiste encore. Alors on suppute. On dit qu'il est l'amant de ce metteur en scène influent qui a monté l'an dernier *Partage de midi* de Claudel. Mais personne ne l'a jamais vu avec lui. Comment peut-on inventer de pareilles médisances ? Je m'en fous qu'il soit l'amant de X ou de Z. Je ne comprends pas qu'on puisse inventer des histoires dans le but uniquement de faire du mal à quelqu'un. À un pauvre type qui ne parle presque à personne. Ça me dépasse. Pour certaines personnes, si on ne bave pas à la vue de la moindre jupe, on doit être homosexuel. J'ai plutôt l'impression que François est un fils à maman. Je peux comprendre cela. Ma mère a essayé de faire de moi quelque chose de ce genre, mais je me suis rebellé, conscient de ce danger qui menace tous les fils sans père. Et comme François est très gentil (souriant avec tout le monde), ça n'a pas arrangé les choses. Je viens le voir, ce soir, pour tenter de percer le mystère d son étrange personnalité. Un Haïtien modeste (quel oxymoron !). Ce qui fait de lui une perle rare. Le style flamboyant est assez courant ici, mais ce qui est plus difficile à trouver c'est quelqu'un de souple, ouvert et simple. Et puis, François me fait un effet étrange. Peu bavard (on a l'impression que s'il a des idées, il les garde pour lui). Nous avons tellement l'habitude de crier nos idées sur les toits, de faire savoir à tout le monde nos sentiments, de hurler nos émotions, que nous restons interloqués en présence de quelqu'un de véritablement modeste. Quelqu'un qui ne se prend pas pour le nombril du monde. Comme c'est rafraîchissant !

Un mouton enragé (10 h 42)

Il vient de se réveiller et il me sourit déjà, l'air un peu fatigué.

— Ah ! comme je suis content de te voir ! Je ne m'attendais pas du tout à une visite.

— Personne n'est venu te voir ?

Il sourit de nouveau.

— C'est qu'ils étaient très occupés avec la pièce. Comment ça s'est passé ?

— Très bien. Oh ! excuse-moi ; tu nous as manqué.

— Mais non, ne t'excuse pas, je ne suis pas stupide. C'était sûrement mieux avec Ézéquiel. Je manque de panache pour ce genre de rôle. C'est M. Résil qui a insisté pour que je joue ce rôle. Je suis un assez bon comédien, je travaille beaucoup mes personnages, mais quelquefois ça ne suffit pas. Je suis très content que ça se soit bien passé. Je me faisais du souci, et ce n'est pas pour m'aider avec cette angine.

— Qu'est-ce qu'il t'a dit, le docteur ?

— On m'a fait un électrocardiogramme. Je n'ai aucun problème avec mes artères. Pourtant, je continue d'avoir mal dans la poitrine.

— Ils ne t'ont rien donné contre la douleur ?

— J'ai de la nitro. C'est mon alimentation qu'il faut changer. Trop de gras. Pas assez d'exercice. Je reste trop confiné à la maison. Ma mère me gave comme une oie. Je bois près de cinq verres de lait par jour.

J'avais raison : François est un fils à maman.

— François, je connais ce problème. Ma mère a essayé de faire la même chose avec moi, mais je ne me suis pas laissé faire.

— Et ton père ?

— En exil.

— Le mien est mort en prison… Chaque fois que ma mère est triste, elle me gave de nourriture. Elle dit : « Je ne veux pas qu'on pense que, parce que ton père n'est pas là (elle ne dit jamais que mon père est mort), tu ne manges pas bien. » Elle est couturière. Elle travaille comme une folle pour m'habiller, me nourrir, m'envoyer à l'école privée la plus chère. Elle m'achète tout ce que je veux et même ce que je ne veux pas, mais je ne dois jamais quitter la maison.

Il y a la prison de Papa Doc, mais il y a aussi la prison des mères. Papa Doc jette les pères en prison. Les mères gardent les fils à la maison en les gavant de nourriture. Cela fait de gros fils dégriffés. Nos rivaux en la matière, ce sont les chats des vieilles.

— J'ai dû la menacer de me suicider, continue François, pour qu'elle accepte que j'aille au Conservatoire. Au début, je suis resté une fois ou deux après les répétitions, mais elle était déjà là à m'attendre, de l'autre côté de la rue. Heureusement que personne ne l'avait remarquée.

— Comment ça ? T'as honte de ta mère ? fais-je tout en comprenant très bien ce qu'il veut dire.

— Oh non ! j'adore ma mère, mais si on la voyait venir me chercher à vingt ans… Qu'est-ce que les gens penseraient ?

— Tu as raison. Alors, pour qu'elle ne vienne pas te chercher devant tout le monde, tu rentres tout de suite à la maison.

Il baisse la tête.

— Elle n'était pas comme ça quand mon père était vivant. Ma mère était très gaie. Elle chantait tout le temps. Mon père l'adorait. Et elle adorait mon père. C'était magnifique de les voir ensemble. Ils sortaient souvent pour aller voir des amis, au théâtre, danser. La maison était toujours pleine de rires, même si la situation du pays désolait mon père. Il disait toujours : « Plus le pays va mal, mieux je dois aller si je veux pouvoir faire quelque chose pour lui. » Pour lui, un homme déprimé ne servait à rien. Il était révolté par la dictature, mais il menait joyeusement sa vie personnelle.

— Ton père était un vrai sage.

François sourit faiblement en se touchant légèrement la poitrine.

— Peut-être que je devrais partir, pour te laisser te reposer.

Il proteste énergiquement de la main, sans pouvoir dire un mot.

— Non, reste. Tu ne peux pas savoir le bien que me fait cette conversation. J'avais l'impression d'être le seul à vivre ça.

— Regarde autour de toi, la moitié des types n'ont pas de père. Si tu as mal, ne te fatigue pas ainsi.

— Non, c'est très important cette conversation pour moi. J'ai tendance à tout garder en dedans et c'est ce qui a causé mon ulcère. C'est pour ça que je bois tellement de lait aussi. Enfin, je n'ai pas envie de parler de maladie, ce soir.

— C'est vrai que ce n'est pas original de parler de maladie avec un malade dans un hôpital.

Il éclate de rire pour immédiatement se tordre de douleur.

— Tu ne devrais pas rire.

— Au contraire, c'est le meilleur remède contre l'angoisse.

Brusquement, son visage se rembrunit.

— Les gens ne savent pas que, quand ils tuent une personne, ce sont toujours au moins deux personnes qui meurent.

Silence.

— Ma mère m'a dit que, depuis qu'elle a appris la mort de mon père, c'est uniquement pour moi qu'elle vit. Depuis ce jour, j'ai commencé à faire de l'insomnie. J'avais douze ans. Comment peut-on dire une pareille chose à un gosse de douze ans? Elle pensait à quoi? À elle, je suppose, à sa peine. Comme ça, je n'avais pas de peine, moi. Il n'y avait qu'elle qui souffrait. Elle avait perdu son mari. Moi, j'avais perdu mon père. Deux peines différentes. Deux souffrances différentes. Pour remplacer mon père, il ne lui suffisait pas de doubler son amour pour moi. Je ne veux pas deux amours dans une seule enveloppe. L'amour est un. Quand il est double, ce n'est plus de l'amour, c'est de la monstruosité. Comme deux cœurs dans une seule poitrine. On ne peut pas doubler l'amour. Cela devient morbide.

Soudain, son visage se transforme, défiguré, comme submergé par une énorme vague de nausée. Une mer nauséeuse.

— Oh ! dit-il en faisant un geste de la main pour effacer tout cela, je n'ai pas envie de parler de cette histoire, ce soir. Je vis déjà à plein temps avec ces trucs morbides. C'est pour ça que je suis ici, d'ailleurs.

— Et de quoi veux-tu qu'on parle ?

— De filles, me lance-t-il sans aucune hésitation.

— On commence par où ?

— Par le commencement. Je n'ai jamais embrassé une fille.

— Ah bon ! C'est vraiment par le commencement, ça…

Nous éclatons de rire tous les deux. Une infirmière nous sourit en passant. Au moins le rire n'est pas interdit ici.

— D'accord. Que veux-tu savoir des filles ?

— Tout.

— C'est facile. Je vais te présenter deux types de filles et tu me diras lequel est ton genre.

Un large sourire illumine son visage.

— Voilà une conversation qui me plaît. Cela fait une éternité que je rêve de ça. Je suis prêt. Présente-moi ton catalogue.

— D'accord. Voilà. Il y a une fille que tu aimes de tout ton cœur et une autre que tu aimes de tout ton corps. Laquelle tu choisis ?

— On ne peut pas avoir les deux ?

— T'es un gourmand, toi !

Il rit.

— Non, je veux dire : ne peut-on pas aimer une seule personne de tout son cœur et de tout son corps ?

— Possible, mais c'est plus rare que le trèfle à cinq feuilles.

— Oh ! dit-il, j'aime les choses rares.

— Supposons que tu aies à choisir une des deux, laquelle prendrais-tu ?

Il réfléchit longuement.

— Pour le moment, j'ai plutôt un problème avec le corps.

Je souhaite qu'il ne tombe pas sous les griffes de Sandra.

— As-tu une fille en tête ?

— Plusieurs. Je les regarde tout le temps. Puis je rentre chez moi pour rêver à elles : leurs jambes, leur bouche, leurs seins, leurs fesses, leur dos, leurs ongles rouges, leur nuque…

— Qu'est-ce qu'il y a avec la nuque ?

— Oh ! c'est une longue histoire. Pour dire vrai, c'est toute mon histoire avec les filles.

— Je t'écoute.

— Eh bien, voilà. Comme je suis trop timide pour regarder les filles en face, j'ai commencé par observer leur nuque. Et très rapidement, c'est devenu une obsession. Je regardais les nuques des filles partout : au cinéma, au théâtre, à l'église, à l'école, au marché. Et puis, un jour, j'ai découvert le mystère de la nuque. C'est l'équivalent humain du triangle des Bermudes. Je parle là sur un plan strictement scientifique. Ce n'est pas une métaphore. C'est dans une nuque que je me perdrai un jour. La nuque nous apprend tout sur la femme. Et elles savent aussi que c'est leur talon d'Achille. C'est pour ça qu'elles cachent leur nuque avec leur coiffure.

— Oh ! fais-je, complètement admiratif. T'es un vrai spécialiste de la nuque… Et surtout un vrai, mais alors là, un vrai obsédé sexuel.

Il rit jusqu'aux larmes, comme si je venais de lui faire le plus beau compliment du monde. En effet, quand on couche encore à vingt ans dans le même lit que sa mère (il ne me l'a pas dit, mais c'est comme ça un peu partout dans les maisons surpeuplées), l'indifférence au corps de la femme nous guette. Et on est tout heureux de découvrir que notre identité sexuelle n'a pas été altérée.

— T'es pire que moi. C'est la première fois que je rencontre quelqu'un qui me bat sur ce plan. Pourtant, on ne t'a jamais vu même regarder une fille.

— Oh ! je les regarde, je t'assure. Je les regarde quand personne ne peut me voir faire.

— T'es un hypocrite !

— Non, j'ai simplement peur d'elles. Et j'ai peur aussi qu'on se moque de moi.

— Moi aussi, c'est la même chose, si ça peut te consoler.

On se regarde avant d'éclater de rire encore. Finalement, la même culture produit les mêmes hommes. La dictature a surtout touché la culture de l'homme. Les femmes ont continué, à quelques exceptions près, à faire ce qu'elles ont fait de tout temps : s'occuper de l'éducation, de la santé, de la maison et de tout ce qui regarde la vie quotidienne. D'ailleurs, j'ai toujours pensé que c'est par là, la vie quotidienne, que passerait la seule révolution possible, donc que ce sont les femmes qui détiennent les clés du véritable changement social. Papa Doc s'en est pris directement au modèle du père, ce qui a causé un grand trouble chez le fils. Il s'est attaqué au droit de circuler dans la ville, de faire de la politique active, de s'opposer au pouvoir établi, enfin tout ce qui était l'apanage de l'homme. Prenant la femme pour une quantité négligeable (quelle erreur !), la dictature a été et est encore une machine à broyer les volontés masculines.

On continue à rire, mais il y aura toujours cette trace indélébile d'amertume dans notre joie. Celle des chats dégriffés. Une très belle femme me fait un sourire assez triste en entrant dans la pièce.

— C'est toi qui riais ainsi, François ? On t'entendait de la barrière de l'hôpital.

— Excuse-moi, maman. Je bavardais avec un ami.

Elle se tourne vers moi. Son visage est lisse et triste.

— C'est la première fois que François me dit qu'il a

un ami. Je ne sais pas ce que tu lui as dit pour qu'il soit aussi heureux. Je ne l'ai jamais vu ainsi.

Et elle commence à préparer son lit dans un coin de la chambre afin de passer la nuit auprès de son fils. C'est le moment pour moi de partir.

— Au revoir, madame.

— Au revoir, jeune homme, dit-elle sans arrêter de travailler. François a l'air de beaucoup t'apprécier. Reviens le voir.

Brusquement, le visage de François se transforme, presque déformé par la colère.

— Tu n'as pas à lui demander ça, maman. Il reviendra si ça lui chante. Ce n'est pas un nouveau jouet que tu m'as apporté pour m'amuser. C'est un ami.

— C'est ce que j'ai dit, si c'est un ami, il reviendra.

— Si c'est un ami, lance fiévreusement François, il fera ce qu'il voudra. Il n'a aucune obligation envers moi.

— Au revoir, François, ai-je glissé entre deux répliques cinglantes afin de ne pas assister à ce face-à-face acerbe.

C'est la nuit de tous les règlements de comptes.

— Adieu, me dit François.

Je me retourne, piqué au vif.

— Pourquoi tu me dis cela ?

— Parce que je sais que tu ne reviendras pas. Je ne sais toujours pas pourquoi tu es venu me voir cette nuit, mais j'ai le sentiment que je ne te verrai plus.

Son regard direct et serein me désarme.

— Adieu, mon ami.

Il me fait un dernier large sourire, juste au moment où je franchis la porte, comme pour me remercier de ma franchise.

Le chant du peuple (11 h 08)

Mes pas (je marche sans but précis) m'ont conduit près de la cathédrale. Quelques mendiants, couchés sur le parvis, chuchotent sans que je parvienne à capter la moindre bribe de leurs conversations. Peut-être se racontent-ils les histoires du jour. Les bons et les mauvais coups. Peut-être se remémorent-ils un temps meilleur où ils se chamaillaient comme font les gosses avant de plonger dans le sommeil. Je m'approche d'eux, l'oreille aux aguets. Ce sont les sons qui vous guident le plus sûrement dans la nuit. L'œil peut vous tromper si facilement. Faut se méfier de ce que nos yeux voient. Tout prend une allure si différente de ce qu'il est en réalité. Je ne vois que des ombres, mais j'entends tout. La nuit, je ne suis qu'une grande oreille. Je veux capter les dialogues les plus intimes. La parole secrète de la ville. Tout à l'heure, près de la pharmacie Séjourné, j'ai entendu cette femme, marchant devant moi, faire son budget : tant pour le riz, tant pour le pain, tant pour l'écolage des garçons, tant pour les robes des filles, tant pour le loyer, et « rien pour moi, alors que je porte la même robe depuis dix ans ». Je l'ai suivie un moment, pour voir où elle allait. Une voiture a failli me frapper. J'ai dû faire un bond de côté et, quand j'ai repris mes sens, l'auto n'était plus devant moi. Disparue.

C'est incroyable, la faculté qu'ont les gens de disparaître ici. Un moment, ils sont devant vous, on suit ce corsage jaune, et brusquement, il s'est volatilisé. Voilà un homme qui marche d'un pas vif. Je le rattrape. Il s'arrête, sort une cigarette et l'allume tranquillement, puis revient sur ses pas. Je ne peux plus continuer à le suivre sans paraître indiscret. Où allait-il auparavant ? Qu'est-ce qui l'a fait changer d'avis ? Une idée. Le vent. Son intuition. Ou le fait de savoir qu'aller ici ou là revient au même, puisque tout débouche sur une même préoccupation : l'argent. L'argent qu'on n'a pas et qu'il faudra trouver avant demain midi. L'argent de la nourriture. L'argent de l'écolage. L'argent du loyer. L'argent des médicaments pour l'enfant malade depuis trois jours. Et le fait qu'on ne connaisse personne qui en ait. Il y a bien celui-ci, mais on a frappé à sa porte la semaine dernière. Celui-là vous ferait volontiers un prêt, mais en échange de votre fille de seize ans. Que faire ? Cette question revient chaque matin. C'est épuisant à la fin, mais on n'a pas le temps de se reposer ou d'y penser sérieusement afin de trouver une solution à long terme. La misère quotidienne. Les soucis de la vie. La vie dure. On ne sait plus où aller. Alors l'homme hésite, prend une direction, change d'idée, revient sur ses pas. Un drôle de ballet. Il continue à penser. Une pensée au ras du sol. Les pensées élevées ne sont guère pour lui, qui ne pense qu'à résoudre le problème du jour. Et ce problème ne change jamais. Trouver l'argent nécessaire pour survivre. Il le trouve finalement. Une poussière d'argent. Assez pour une journée. Demain arrive si vite. Pas le temps de dormir. Il faut sortir. Il ne sort pas de chez lui pour aller à un endroit bien précis. La ligne droite n'existe qu'en géométrie. La vie est une ligne brisée. Tout en zigzags. Mais c'est mon passe-temps favori de suivre les gens. Suivre quelqu'un pour le surprendre dans son intimité. Je ne le fais pas par voyeurisme, mais pour comprendre la douleur. J'ai toujours eu peur de passer à côté de la souffrance sans la remarquer. Autant les paroles sur la misère (le discours politique en général) me laissent froid, autant la misère elle-même me touche au plus profond. Je cache cela par une attitude qui peut paraître frivole. C'est pour me cacher. Pour passer incognito. Afin d'éviter le pathos. Mais je ne m'intéresse pas qu'à la souffrance humaine. La vie privée des animaux m'intéresse aussi. Il m'arrive de suivre un chien pour savoir où il va, et comment va la vie pour lui. L'animal, j'ai remarqué, suit un parcours nettement différent de celui des hommes. Il aime bien longer les murs, contourner les voitures, ou suivre un autre animal de son espèce. Je parle de l'animal des villes. Il retourne volontiers sur ses pas (en cela, il n'est pas différent de l'homme). Je peux facilement passer une bonne heure à suivre un chien. Je visite, en sa compagnie, son territoire. C'est souvent un guide attentif. S'il sent que vous ne lui voulez pas de mal, il tiendra compte de votre présence, se retournera souvent pour voir si vous êtes encore là, et lancera quelques jappements sonores pour vous réveiller quand vous traînez de la patte. Un chien peut devenir si facilement un ami. Je pense tout à coup à cet ami à l'hôpital, François. Se faire en une heure un ami pour la vie, ce n'est pas mal. Je suis sûr que lui et moi avons battu un record cette nuit. Au sprint de l'amitié. Même Dale Carnegie aurait été étonné et nous aurait donné en exemple dans son livre. Et cela sans aucun espoir de se revoir. On ne sait jamais. Il m'a dit qu'il ne savait pas pourquoi j'étais passé le voir. Moi non plus. Faut dire qu'il représentait une sorte d'énigme pour moi. Je voulais savoir exactement qui il était. Je ne pouvais supporter les rumeurs qui circulaient sur son compte. Je déteste la médisance. Mais, honnêtement, je ne m'attendais pas à trouver en face de moi un être aussi délicat. Un frère en somme, tant nous avons de points communs. François se débat comme un brave petit diable pour sortir des jupes de sa mère. Si jamais il tombe sous les griffes de Sandra (ce qui est tout à fait possible puisqu'elle semble bien son genre, et qu'elle-même ne déteste pas les proies fraîches et naïves), je donnerais beaucoup pour assister à un duel entre sa mère et Sandra. La mère de François ne laissera pas son fils partir sans se battre. Et Sandra est du genre à ne partager sa proie avec personne. Surtout pas avec une mère abusive. Quel juteux face-à-face en perspective ! François ne pourrait quitter une jupe que pour se cacher sous une minijupe. Il y a des types comme ça. Dis-moi qui est ta mère, je te dirai qui tu es. Ce sont souvent les fils uniques qui n'ont pas bien connu leur père (comme moi) ou qui l'ont à peine connu (comme François) qui tombent sous la coupe de filles comme Sandra. Pourtant, François ne m'a pas l'air de quelqu'un qui se laisse faire facilement. Un mouton enragé. Je tourne autour du pot, mais l'idée centrale de ma réflexion, c'est que je ne serais nullement fâché de voir Sandra et François ensemble. Il est si charmant, si spontané qu'il pourrait capturer le petit cœur si insensible de Sandra. Sandra dominerait le corps, les désirs, les fantasmes de François. Et lui, François, serait le maître absolu de son cœur. Ce serait ma vengeance.

Le cœur des hommes (11 h 20)

Un escalier assez raide. Le gardien, en train de ronfler la bouche ouverte, ne m'a même pas senti passer. J'ai trouvé Ézéquiel dans la petite discothèque, farfouillant comme un dément dans une grande caisse remplie de disques.

— Je leur dis chaque fois la même chose ! Si je trouve l'imbécile qui a touché à mes disques… J'ai tout préparé hier soir, mais il y a toujours un con pour vous emmerder.

— Qu'est-ce que t'as à toujours grogner comme ça, Ez ?

Sa nuque accuse le coup.

— Ce sont mes disques. Je cherche un disque que j'ai mis là et qui a disparu. C'est pas à la radio, c'est mon disque. Ils n'ont pas à y toucher. Je ne travaille ici, le soir, qu'avec mes propres disques. Je ne suis pas payé pour cette émission, juste l'argent pour le taxi et un truc à manger chez le Chinois. C'est moi qui ai voulu faire cette émission, pour mon plaisir personnel. Et dans cette émission, je passe la musique que j'aime, celle que j'ai envie d'entendre. Herbie, c'est le proprio, il me donne carte blanche pour cette émission, alors faut pas qu'on me cherche. Merde ! tu ne m'écoutes même pas…

— C'est que je te connais, Ez. Tu es toujours en train de pester pour une raison ou pour une autre.

— Toujours pour une bonne raison, lance-t-il par-dessus son épaule. Écoute, quand tu mets tes affaires quelque part, tu t'attends à les retrouver. Et qu'est-ce qui se passe quand tu ne les retrouves pas, hein ? Ça te fout en rogne !

— Bien sûr.

Son large sourire.

— Alors, c'est la même chose pour moi.

— Passe autre chose en attendant, Ez. Pourquoi veux-tu que ce soit exactement ce disque ?

Il se tourne lentement vers moi pour me regarder droit dans les yeux.

— Le problème, Vieux Os, c'est que c'est exactement ce disque qu'il me faut à ce moment précis.

Un vrai maniaque.

— Tu as les bras chargés de disques, tous des trucs que tu aimes, j'imagine. Pourquoi celui-ci et pas celui-là ?

Son tic nerveux au coin de la bouche.

— Écoute…

Il adore qu'on l'écoute.

— Écoute, chaque pièce musicale a son moment précis dans le cours d'une nuit. Tu ne peux pas boire n'importe quel vin avec n'importe quel plat culinaire… Chaque plat a son type de vin.

Il est tout content de son argumentation sur le vin.

— Je ne te savais pas si grand amateur de vin. Tu dînes chez les bourgeois maintenant ?

Il sourit, de ce sourire (d'une moitié du visage seulement) si caractéristique chez lui.

— D'accord. De toute façon, je déteste le vin. Je vais te dire : je prépare cette émission avec la précision d'un théorème d'Euclide. Si on touche à la moindre chose, tout le système s'écroule. Mais, ici, on ne peut pas comprendre ça. Ils s'en foutent. Ils font n'importe quoi. La vie, c'est n'importe quoi. L'art, c'est n'importe quoi. C'est le pays du n'importe quoi. C'est là que je ne suis pas d'accord. Je ne peux pas faire n'importe quoi. Il y a une façon de faire les choses, pas vingt, tu comprends ?

— Tu cherches qui, là ?

— Miles Davis.

— Mais tu passes toujours le même truc chaque soir.

— Quel truc ?

— Miles Davis.

— Comment ça ? Miles Davis n'est pas un truc. C'est le plus grand musicien vivant. Qu'est-ce que tu veux dire par là ?

Il est toujours étonné de voir qu'on suit son émission, qu'on écoute ce qu'il dit. Étonné et ravi, comme un enfant.

— Depuis quand tu écoutes ça ?

— Depuis le début, comme tout le monde.

— Personne n'écoute ça.

— Ez, c'est clair, dans ton émission, tu passes toujours Miles Davis.

— Ce n'est jamais la même chose. La musique de Miles Davis change à chaque écoute.

— Pour toi, pas pour le public.

— Écoute, ici c'est mon émission, et je passe qui je veux.

— Toujours le même.

— Pas vrai, je passe aussi Charlie Parker et Dizzy Gillespie.

— Quand tu veux expliquer peut-être comment Miles Davis est plus grand qu'eux. Montre-moi les disques que tu tiens là.

Il me les donne avec une telle candeur que ça me fend le cœur. Ce type n'a aucune malice. C'est simplement un passionné. Naturellement, rien que du Miles Davis.

— Tu ne penses pas que tu exagères un peu…

Il me regarde de nouveau droit dans les yeux.

— Pour moi, il représente toute la musique du monde. Et j'aime l'homme aussi.

Au fond, ils se ressemblent beaucoup, ces deux écorchés vifs. Deux chats de gouttière. Toujours traversés de visions personnelles. Univers étrange. Intelligence aiguë. Tempérament ombrageux. Avec cette incroyable détente de félin en chasse. J'aime les passionnés. Miles et Ézéquiel sont de purs passionnés. Des gens, ce qui est de plus en plus rare, capables d'aller au bout de leur passion. Toujours en mouvement. Jamais satisfaits d'eux-mêmes. Je regarde Ézéquiel bouger dans la pièce, complètement absorbé par ce qu'il est en train de faire. Je n'ai jamais vu ce type autrement qu'absorbé. S'il boit un verre de lait, il le fait comme si sa vie en dépendait. S'il lit un journal, c'est pareil. Tout sur le même plan chez lui. La moindre chose qu'il fait exige de lui une totale attention. Jamais détendu.

— Tu dors ?

— Justement, Ez, je suis en train de penser que je ne t'ai jamais vu endormi.

— Et alors ?

— Est-ce que ça t'arrive au moins de te reposer ?

— Bien sûr.

Il me jette ce regard de biais, comme s'il m'observait en train de l'examiner.

— Quand ?

— Maintenant, par exemple… Cette émission me repose totalement.

— Ah ! je vois. C'est ça, ton idée du repos.

— Et toi, comment tu te reposes ? me demande-t-il, comme quelqu'un qui ne serait pas très sûr de bien comprendre la signification du mot *repos* et qui essaierait de se renseigner en douce.

— Eh bien, Ézéquiel, je me couche, je ferme les yeux, je laisse mes membres se détendre, j'essaie de ne penser à rien, et le sommeil arrive quelque temps plus tard… Tu connaissais ce truc ?

Il ne répond pas. Ézéquiel n'a aucun sens de l'ironie. Son sens de l'humour est si personnel qu'on se demande de quoi il s'agit. Et surtout quel comportement adopter face à une chose aussi biscornue qu'une tentative de plaisanterie de la part d'Ézéquiel : faut-il en rire, en pleurer, ou ne rien dire ? Je choisis le silence la plupart du temps. Lui, il me regarde un moment, légèrement étonné de ma réaction face à ce qu'il pensait être une plaisanterie, puis passe à autre chose.

— Tu crois que je ne dors pas ? me demande-t-il, quelques minutes après que je lui aie posé la question.

Il peut prendre deux jours pour répondre à une question sans importance, donnant l'impression d'y avoir réfléchi sans relâche durant quarante-huit heures.

— C'est mon impression.

— Eh bien, je dors quelquefois.

— Comment le sais-tu ?

Voile gris. Regard effrayé. Il ne s'attendait pas à une telle réplique. Soudain, son visage s'éclaire.

— La montre ! Si je regarde ma montre à dix heures, et si je la regarde à nouveau et qu'il est deux heures du matin cette fois, c'est que j'ai dormi durant quatre bonnes heures.

— C'est comme ça que tu sais que tu as dormi, toi ?

— C'est la même chose pour tout le monde. Quand on perd la notion du temps, il n'y a que deux possibilités : on s'est endormi ou on s'est évanoui.

— Le sommeil n'arrive pas, tu sais, Ez, de manière si surprenante à ceux qui préparent leur lit et enfilent leur pyjama avant d'éteindre la lumière.

— Tu fais ce tralala pour dormir, toi ?

— Non, mais c'est ce que font la plupart des gens.

Il hausse les épaules pour me faire savoir qu'il se fout complètement de ce que font les autres. Une attitude complètement différente de celle de Gasner, qui était toujours intrigué par la manière de vivre des gens, surtout du peuple. Gasner voulait être du peuple. Il voulait vivre comme un prolétaire. Il aurait aimé être un homme du peuple, nullement différent des autres. Tandis qu'Ézéquiel est une sorte de dandy. Unique et inimitable. Sa pensée va au peuple (il aimerait améliorer sa condition de vie), mais son style de vie est si personnel qu'il ne regarde que lui. Ézéquiel ne rend compte de sa manière d'être au monde à personne. Le voilà qui fonce vers le studio, dépose en passant le disque sur la console pour s'asseoir à temps (cinq secondes avant son entrée en ondes) derrière le micro.

— Ici Ézéquiel, et c'est votre émission nocturne... Au programme ce soir, nul autre que le géniaaaaaaaaaal Miles Davis. On va commencer avec un petit truc très simple, même si rien n'est simple avec ce diable d'homme. Tout de même, voici ce petit truc qu'il a fait en 68, *Miles in the Sky.* Miles au ciel, c'est tout à fait sa place... Bon, on est d'accord et mon ami ici présent (il me sourit) vient de me le faire remarquer à l'instant, il n'y a pas que Miles comme musicien au monde, mais je le regrette parce que, pour moi, il est le vrai génie musical de notre temps. Il est ce que Arthur Rimbaud est à la poésie : un pur innovateur, un inventeur de formes, un voyant... Alors, *Miles in the Sky*...

Et la musique part. Ézéquiel, à la différence de beaucoup d'animateurs à la radio, travaille sans opérateur à la console. Miles s'empare de la ville. Le téléphone sonne. Ézéquiel répond, discute un moment avec un auditeur (sûrement un fan de Miles), rigole un peu, puis note sur un bout de papier une demande musicale particulière. Il se lève brusquement, court à la discothèque pour ramener, bien entendu, un nouveau disque de Miles Davis. C'est la première fois que je le vois si détendu. Il a raison de dire que c'est ici qu'il se repose. Le voilà maintenant qui écoute, complètement absorbé, la fin de la pièce musicale. En cela, il est différent de la plupart des animateurs qui, dès que le morceau musical est en ondes, s'en vont bavarder dans le couloir avec les filles qui viennent faire un tour à la radio. Ézéquiel est totalement à son travail. Toujours derrière le micro ou courant chercher un disque à la dernière seconde. Il tient le micro très proche de ses lèvres. Sa relation avec le micro est éminemment sensuelle. Il le caresse avec ses longs doigts fins avant de le frôler de ses lèvres charnues si nettement dessinées. Je l'observe en train de faire ce qu'il aime le plus faire dans la vie. Ézéquiel n'est ni un musicien, ni un peintre, ni un poète, ni même un comédien (malgré son triomphe de ce soir), c'est un parleur. Un artiste de la parole. Un parleur comme je n'en ai jamais vu. Ézéquiel peut parler, sans jamais vous donner la chance de placer un mot et aussi sans vous ennuyer, pendant dix heures d'affilée. Le seul homme à pouvoir lui faire face, à ma connaissance, sur ce terrain-là, c'est Fidel Castro. Gasner était différent. Dans un autre registre. Son style était proche du monologue. Gasner mangeait les mots, marmonnait constamment, regardait dans toutes les directions mais jamais la personne à qui il s'adressait, et il se foutait royalement que vous l'écoutiez ou non. Ézéquiel, lui, entend être écouté et son but est de vous convaincre. Sa stratégie est d'une simplicité désarmante : vous noyer sous un déluge de mots. Son discours est une longue phrase qui ne se termine jamais, du moins pas avant d'avoir étendu par terre l'adversaire. Je me suis toujours demandé si l'autre existait pour lui, en tant qu'entité propre. Je crois que nous n'étions que des oreilles plus ou moins adaptées à sa voix. Il n'y avait qu'à voir son visage si naïvement étonné quand quelqu'un l'interrompait pour comprendre qu'il ne concevait la conversation que comme un interminable monologue. Il faisait aussi les questions. Il n'avait besoin que d'une oreille attentive et soumise.

Brusquement, une idée me fait interrompre Ézéquiel. Il me regarde d'un air totalement ahuri. Miles Davis vient tout juste de commencer *Pfrancing*, une magnifique composition qu'il a écrite pour sa femme Frances. C'est peut-être à cause de cette histoire que j'ai eu cette idée.

— Ez, j'ai une idée et j'ai besoin de ton aide.

— C'est quoi ?

— Tu connais Lisa ? Qu'est-ce que je dis là !

— Elle était à la pièce tout à l'heure.

— Justement, Ez, elle est partie avant que j'aie pu lui parler et il faut absolument que je lui parle.

— C'est une fille bien.

— Pas de danger... Je dois simplement lui parler ce soir.

— Tu la verras demain.

— Ez, c'est une question de vie ou de mort.

— C'est quoi, ton idée ?

— Je sais qu'elle adore ton émission et qu'elle l'écoute où qu'elle soit...

Ézéquiel sourit en secourant la tête. Ma situation le fait rigoler.

— Tu veux que je l'appelle pour toi ? Pas de problème !

Il rapproche le micro de ses lèvres. Je l'arrête à temps.

— Ez, je ne voudrais pas que sa mère, si elle écoute l'émission, puisse penser que c'est de sa fille qu'il s'agit. Faut pas l'identifier.

— Je comprends, mais faut quelque chose quand même. Je vais dire simplement Lisa, mais on risque d'avoir beaucoup de Lisa, mon ami. Les filles qui portent ce nom aiment bien le jazz…

— On ne peut pas faire autrement.

Ézéquiel rapproche le micro de sa bouche et son ton change du tout au tout. La voix se fait caressante, grave, sensuelle, pleine de promesses, tout en restant subtilement autoritaire, ferme, sans réplique. Un mélange séduisant.

— Miles a composé cette pièce pour sa femme, Frances, alors si c'est pas une belle preuve d'amour… Bon, j'ai un ami, ici, qui veut parler à Lisa. Lisa, je sais que tu écoutes cette émission, alors d'où tu es, appelle ici. Et maintenant, voici une nouvelle pièce plus contemporaine de Miles…

Le téléphone se met à clignoter avant même qu'Ézéquiel ait terminé sa phrase. Et toutes les lignes en même temps. Il se tourne vers moi avec un clin d'œil complice.

— Allô?

— Lisa… Oh ! on dirait que je suis sur les ondes…

Je fais signe tout de suite à Ézéquiel de ne pas perdre son temps avec cette excitée.

— Lisa, murmure Ézéquiel tout miel, excuse-moi mais tu n'es pas la bonne Lisa.

Il prend une autre ligne.

— Allô!

— Je suis la bonne Lisa.

— Qu'est-ce qui te fait croire ça ?

— Euh… Euh… Eh bien, je m'appelle Lisa et j'écoute religieusement ton émission.

— Je regrette, bébé, mais tu n'es pas la bonne Lisa non plus.

— Comment ça ?

— Eh bien, la vraie Lisa, c'est pas son genre de dire des conneries pareilles.

— Pourquoi ? Tu n'aimes pas qu'on écoute ton émission ? dit-elle sur un ton rageur.

— Je n'aime pas le fait que toi, tu écoutes mon émission.

Une autre ligne.

— Allô.

— Oui…

C'est elle.

— Peux-tu m'enlever des ondes, Ézéquiel ?

Je fais furieusement oui de la tête. Ézéquiel me fait signe d'aller prendre la communication sur le téléphone de la discothèque. Je file comme l'éclair.

— Allô, Lisa.

— Oui…

— Merci, mon Dieu.

Elle rit de bon cœur à l'autre bout du fil.

— Tu m'as fait appeler sur les ondes. Qu'est-ce qui se passe ?

— Je voulais te parler.

— Il est très tard.

— Tu es déjà couchée ?

— Non, on prend un verre au *Napoli*, mais ils vont

fermer… C'est l'anniversaire d'une amie. Tu connais Régine ? Elle habite à Pétionville, près de la place Boyer.

— Lisa…

Ma voix est si rauque qu'elle m'étonne moi-même.

— Oui.

Son ton aussi est grave. J'ai l'impression qu'elle sent l'émotion qui m'étreint.

— …

— Qu'est-ce qui se passe ? Tu as perdu ta langue ? lance-t-elle avec un faux éclat de rire.

— Lisa, il faut que je te parle absolument cette nuit.

— Tu ne peux pas me le dire au téléphone ?

Un temps assez bref.

— Non… Je dois te voir, Lisa.

Un autre éclat de rire de Lisa, mais cette fois plus naturel. Le rire d'une femme heureuse d'être courtisée.

— D'accord, dit-elle en reprenant totalement le contrôle d'elle-même, passe à la maison demain matin, vers onze heures. J'y serai seule.

Elle connaît bien son rôle et le joue à la perfection. Cela fait des années que ce jeu de cache-cache amoureux se poursuit. À l'urgence dans ma voix, elle doit sentir que cette nuit est décisive.

— Non ! (Je n'ai pas pu m'empêcher de hurler.) Ce sera trop tard, demain matin…

— Qu'est-ce qui se passe ? Pourquoi trop tard ?

— Lisa, c'est cette nuit que je dois te voir.

— Alors, viens nous rejoindre au *Napoli*, mais fais vite.

— J'arrive.

Je raccroche et file dans le studio de mise en ondes. Ézéquiel est au micro (chut !) en train de présenter *Seven Steps to Heaven,* cette pièce qui a presque brisé le mariage de Miles avec Frances. Ézéquiel est presque en larmes. À l'époque, explique-t-il, Miles était complètement sous l'emprise de la drogue, ce qui l'a rendu paranoïaque au dernier point. Il battait sa femme et son comportement démentiel effrayait ses enfants. Une loque humaine. Mais on ne sent rien de sa dégénérescence en écoutant ce chef-d'œuvre, conclut Ez avec un grand sourire admiratif.

— Et maintenant, place au géniaaaaaaaal Miles Davis… Miles, c'est à toi.

On entend tout de suite les fameuses premières notes de *Seven Steps to Heaven.*

— Ez, je dois partir maintenant. Lisa m'attend au *Napoli,* et ils vont bientôt fermer.

Le téléphone clignote au même instant. Ézéquiel me fait signe de l'attendre un moment. Je ne peux pas. Je risquerais de perdre la trace de Lisa. Je lui serre la main rapidement et je file vers la sortie, le cœur tout de même déchiré d'avoir à le quitter de cette manière. Pour la dernière fois, il me fait un de ses étranges sourires dont on se demande si c'est un sourire ou un rictus. Je cours. La porte est fermée. Le gardien est sûrement allé aux toilettes. Je le cherche partout. Je retourne vers le studio. Ézéquiel est encore au téléphone.

— Ez, la porte est fermée et je ne vois pas le gardien, dis-je sur un ton de panique.

Ézéquiel relève la tête vers moi avec le même sourire ambigu que tout à l'heure.

— C'est ce que j'essayais de te dire. Le gardien est parti et il ne reviendra m'ouvrir la porte qu'à la fin de l'émission. Ça ne va pas tarder.

— Combien de temps ?

— Même pas une heure.

— Tu es fou, Ézéquiel ! Lisa va partir et je ne saurai plus où elle est.

Il me jette, cette fois, un regard vraiment désolé. Le regard d'un frère.

— Pourquoi dois-tu la voir tout de suite ? Es-tu sûr que ça ne peut pas attendre à demain ?

— Sûr.

Il s'approche de moi.

— Qu'est-ce qui t'arrive, Vieux Os ?

Voici le moment ou jamais de lui dire que je quitte ce pays demain matin. J'hésite. Je me demande si j'aurais caché cette information à Gasner. Non. J'aurais immédiatement tout dit à Gasner. Alors, pourquoi pas à Ézéquiel ? Je ne sais pas vraiment ce qui me retient de le faire. J'ai toute confiance en Ézéquiel, mais il y a des aspects de sa vie que j'ignore totalement.

— Rien… J'ai une furieuse envie de la voir, c'est tout.

— Je vois, dit-il sentencieusement, et je peux comprendre ça. Il arrive que le gardien revienne plus tôt. Je n'ai pas la clé. C'est vraiment dommage.

Je m'assois pour attendre le retour du gardien. Je sens des picotements aux mains, signe de grande nervosité chez moi. Ézéquiel reprend sa conversation au téléphone. Il parle à une femme avec beaucoup de délicatesse. Ce n'est sûrement pas une de ses admiratrices. Je jette de plus en plus souvent des coups d'œil angoissés au grand cadran accroché au mur. Finalement, Ézéquiel raccroche.

— J'ai l'impression, Ez, que ce n'était pas n'importe qui, dis-je, me mêlant de ce qui ne me regarde pas.

Ézéquiel déteste parler de ses affaires sentimentales, ce qui est nettement à l'opposé de la mentalité nationale. Je le taquine un peu. Il ne me répond pas. Son visage devient encore plus anguleux. Quand il est vraiment nerveux, il renifle sans cesse comme si une mauvaise odeur flottait dans l'air et qu'il cherchait désespérément à en repérer la provenance. Pour cacher sa nervosité, il n'arrête pas de farfouiller dans la pile de disques tout en grommelant comme un vieux célibataire édenté. Quelque chose ne tourne pas rond.

— C'est grave ?

Il se tourne vivement vers moi, l'air complètement abasourdi. J'ai l'impression d'avoir mis le doigt sur un gros bobo.

— Oui, dit-il dans un souffle, très dangereux. Il s'agit de la femme d'un homme très puissant, un colonel, et elle vient de me dire que son mari est au courant de notre affaire.

— Ciel ! Ez, tu devrais faire attention.

— Oh ! ne t'inquiète pas trop pour moi.

— Comment l'as-tu rencontrée ?

Il semble absorbé un long moment.

— C'est elle qui m'a contacté. Il y a un mois, elle m'a appelé pour me dire qu'elle m'écoutait toutes les nuits et que ma voix l'excitait au plus haut point. Elle a pris l'habitude de m'appeler tous les soirs. Une nuit, elle m'a confié qu'elle se caressait en m'écoutant...

— Quelle affaire ! Ce n'est pas à moi que ça arriverait...

Il sourit modestement.

— Cela arrive aux animateurs qui travaillent la nuit. Les femmes sont souvent seules à cette heure-là. Le mari est chez sa maîtresse. Elles écoutent leurs émissions préférées, couchées sur le divan, au salon, en robe de chambre de soie, avec une bouteille d'Amaretto pas loin (sans savoir que l'alcool sucré grise très rapidement). Elles font ça tout en fantasmant à mort sur le premier type qui leur passe par la tête, et c'est souvent le type qu'elles écoutent chaque soir depuis des mois. C'est subliminal, vieux.

— Et elles sont comment ?

— Oh ! il peut arriver qu'on tombe sur une perle rare, mais le plus souvent ce sont de pauvres délaissées qui s'ennuient.

— Et celle-là ?

Ses yeux brillent instantanément.

— C'est un truc dingue. Je n'ai jamais vu une femme aussi sensuelle, aussi belle, avec autant de classe. À vous rendre fou.

Je n'ai jamais vu Ézéquiel dans un pareil état.

— C'est la première fois, Ez, que je t'entends parler d'une femme de cette manière...

Disons que je ne l'ai pas souvent entendu parler de femmes, ni même vu en train de flirter avec une femme.

Je comprends maintenant: son cœur était pris. La morale de l'histoire, c'est que, quand un type donne l'impression de s'intéresser trop aux femmes, c'est souvent parce qu'il n'est pas encore tombé sur celle qui va exciter ses sens jusqu'à lui faire perdre totalement le moindre sens du danger.

— J'espère, Ez, qu'il te reste assez de lucidité pour bien analyser la situation et, surtout, assez d'instinct pour sentir venir le danger.

— Ne t'inquiète pas pour moi.

— Cela me fait peur quand tu dis ça. Où est-ce que vous vous rencontrez?

Il reste un moment silencieux, jouant avec une pièce de monnaie qu'il fait circuler entre ses doigts. Visiblement, il est avec cette femme en ce moment. C'est kif-kif. Les animateurs de nuit, avec leur voix chaude et leur programme de musique langoureuse, s'introduisent dans l'esprit des jeunes filles jusqu'à leur faire perdre la tête avant de tomber eux aussi sous les griffes d'une femme mûre. C'est la guerre!

— Elle vient souvent ici. Son mari n'est jamais là le soir. Elle arrive généralement vers dix heures et repart avant la fin de l'émission. C'est pour ça que le gardien était parti. Elle serait venue si tu n'étais pas là.

— Oh! pardonne-moi d'avoir gâché ta soirée.

Il me fait un sourire ambigu (ni triste ni joyeux).

— Au contraire, tu m'as sauvé la vie. Quelqu'un a rapporté à son mari qu'on était amants. Il a refusé de croire le type. Celui-ci lui a dit qu'elle était en ce moment avec moi, à la radio. Il est rentré rapidement chez lui pour tenter de découvrir le pot aux roses. Heureusement, elle était encore à la maison. Elle avait déjà pris les clés de sa voiture quand tu es arrivé. Ils ont eu une discussion, et elle lui a juré que tout ça est faux, que les gens cherchent à détruire leur mariage par jalousie. Elle a pleuré, en se défendant, toutes les larmes de son corps. Il l'a consolée et ils ont fait l'amour comme cela ne s'était pas passé depuis très longtemps. Elle m'a dit qu'elle l'a fait pour moi, pour me sauver. Ils ont ensuite planifié d'aller passer quelques jours à Paris. Et il est reparti furieux contre son informateur. C'est ce qu'elle me racontait tout à l'heure au téléphone. Tu vois, mon frère, heureusement que tu es passé. Tu m'as sauvé la vie.

— Tu crois que c'est fini, Ez ?

Il reste un moment interloqué.

— Non. Mais on ne va pas se voir pendant quelque temps, jusqu'à ce que les soupçons se soient complètement évaporés.

— Hum…

Je ne sais que répondre à de si belles résolutions, car je suis sûr qu'ils vont tenter de se voir dans moins d'une semaine. Mon ami m'a l'air sous l'influence de la plus irrésistible des drogues : le désir.

— Fais attention, Ez. C'est dangereux. Dans ce jeu, il a le temps pour lui, et tu l'as contre toi. Après trois jours, tu auras l'impression que ça fait une éternité qu'elle et toi ne vous êtes pas vus.

Je suis très bon pour comprendre les problèmes des autres et complètement aveugle lorsqu'il s'agit des miens.

— Que penses-tu que je devrais faire ?

— Quitter ce pays pour un moment. C'est ta seule chance.

— Jamais. Je suis ici dans mon pays et je ne le quitterai pour aucune raison. Seuls les lâches partent.

Je ne comprends pas cette vision insulaire de la vie, mais ce n'est pas ce soir que je vais entreprendre une telle discussion avec Ézéquiel. On en aurait pour trois jours. Ce soir, je suis venu dire adieu à un ami, sans avoir le courage de lui avouer que je pars.

— En tout cas, c'est la seule solution vraiment sûre que je vois pour toi. Cet homme va sûrement te tendre un piège. Peut-être pas cette semaine, ni la semaine prochaine, mais il reviendra quand tu t'y attendras le moins. Il a marché ce soir, mais son informateur va se faire un devoir, sa parole étant en jeu, de lui prouver qu'il ne lui avait pas menti. Pour cela, il va te surveiller nuit et jour.

— Je sais, mais ne t'inquiète pas, frère, nous allons faire attention.

Nous sommes revenus au même point. Je ne me sens pas à l'aise avec cette histoire. Ézéquiel sera en danger aussi longtemps qu'il ignorera l'identité de l'informateur.

— Il y a un dernier petit truc, Ez.

— Quoi encore ?

Il est légèrement exaspéré, ce qui est mauvais signe. Quelque part, il est déjà impatient de retrouver cette femme.

— L'informateur est souvent quelqu'un qui n'est pas très loin. Tu vois ce que je veux dire ?

Il rit de bon cœur.

— T'as fait un cours de psychologie par correspondance ?

— Je suis sérieux, Ez. Qui pouvait assurer le mari que sa femme serait ici ?

— Elle vient souvent ici.

— Oui, elle vient souvent, mais pas tous les soirs. Cette personne devait être certaine qu'elle allait venir. Il faut prendre des précautions avec une pareille accusation. C'est la femme d'un colonel, après tout. Pour prendre une pareille chance, ce type devait être drôlement certain de son coup.

— Arrête de palabrer et dis-moi qui tu vois.

Je me lève pour aller vérifier si nous sommes seuls.

— Le gardien, dis-je tout bas à Ézéquiel. Tu lui as bien demandé de partir parce qu'elle allait venir ? Cela fait un moment que vous jouez à ce jeu, alors il doit comprendre le rituel.

— Merde ! lance Ézéquiel.

Et, parlant du loup, on entend un bruit à l'entrée.

— C'est lui ! Je dois partir. S'il te plaît, Ez, fais gaffe. On est entourés d'espions dans ce pays. La misère est si terrible qu'elle pousse les gens à faire n'importe quoi pour faire vivre leur famille.

— Non ! Un salaud est un salaud et il n'y a aucune excuse à cela. Quelqu'un qui n'est pas un salaud préférerait mourir plutôt que de trahir sa conviction…

— Bien sûr, Ez, mais tu parles ainsi parce que tu n'as pas de responsabilités. Accepterais-tu de voir crever ton fils parce qu'il te manque vingt dollars pour acheter le médicament qui le sauverait ? Je te le dis, ce pays est devenu complètement invivable.

Il me regarde un moment en silence.

— C'est drôle, tu parles comme quelqu'un qui s'apprêterait à partir.

— C'est exactement ça. Je dois partir maintenant. Peut-être que j'ai encore une chance de trouver Lisa au *Napoli.*

— Tu y vas comment ?

— À pied, Ez ! Je n'ai pas de voiture, et je n'ai aucune chance de trouver un taxi dans le coin à cette heure. Alors, à bientôt.

— Non, à demain. Je répète *Antigone* toute la semaine au Conservatoire. Il paraît qu'on va faire une petite tournée en province. Sinon, passe me voir ici, demain soir, vers onze heures. C'est d'accord ?

— D'accord.

Je file. Je viens de mentir à un frère. Je pars et personne ne m'attend de l'autre côté. Je quitte le trop connu pour le total inconnu. Je passe devant le gardien, déjà en train de ronfler la bouche ouverte. Ce type joue bien la comédie. Un serpent au sang froid. Maintenant que je sais qu'il fait semblant de dormir, je peux apprécier ses talents de dissimulateur. Il lui faut passer inaperçu pour qu'on ne puisse jamais le soupçonner. L'informateur n'a pas de visage. Il ne doit pas laisser de trace dans la mémoire des gens. Quelqu'un qui entre ici ne fait pas attention à un type qui dort. Ce type n'existe pas. On peut tout dire devant lui. Tout faire, surtout. C'est le gardien, un gardien qui dort ! L'ombre d'un homme ordinaire. Il n'a pas plus de présence que la porte qu'il surveille. Alors qu'il enregistre tout ce qui se dit et qu'il photographie tous les visages qui passent dans son champ de vision. Et cela malgré le fait qu'il garde les yeux fermés. Il le fait bien. J'ai surpris, l'espace d'un quart de seconde, une légère crispation de ses mains. Quand un homme fait semblant de dormir, ce n'est pas son visage qu'il faut regarder, mais plutôt ses mains. Toute sa nervosité se retrouve dans ses mains qui se mettent à trembler légèrement. Cela exige un œil avisé. Je m'arrête près de la porte afin de l'examiner plus attentivement. J'ai l'impression qu'il est à bout de nerfs et que, si je reste encore un moment, il se sentira obligé d'ouvrir les yeux. Je suis sûr qu'il sent ma présence. On dirait qu'il retient sa respiration, attendant impatiemment que je parte pour recommencer à respirer normalement. Pour le moment, sa respiration est irrégulière. Désordonnée. Ce type n'est pas loin d'exploser. Quelle torture, cela doit être pour lui. De légers spasmes dans les mains. Je reste calmement à l'observer. Il me fait pitié. Finalement, je m'en vais. Je descends rapidement l'escalier. À mi-chemin, j'aurais envie de retourner sur mes pas pour le surprendre en flagrant délit. Je caresse l'idée pendant une bonne minute. Je n'entends aucun bruit, pas même la plus légère respiration. Il sait que je suis encore dans l'escalier. Bon, je laisse tomber. Qu'il aille au diable. J'espère avoir mis la puce à l'oreille d'Ézéquiel pour qu'il fasse bien attention à ce type. C'est étrange, pas une fois durant notre longue conversation Ez et moi, nous avons évoqué Gasner. L'ange silencieux parmi nous.

L'état des choses (12 h 13)

Avec cette troublante affaire (Ézéquiel et cette femme si dangereuse), j'ai oublié mon angoisse à propos de Lisa. Voici que les picotements recommencent. Il me suffit de penser un moment à Lisa pour que tout mon système nerveux soit bouleversé. J'essaie de courir, mais mes jambes refusent de suivre. Mon cœur bat trop vite. Je dois ralentir le pas. J'ai l'impression d'avancer plus lentement qu'un vieillard goutteux. Mon esprit va plus vite que mon corps. C'est normal mais ce n'est pas ce que je veux. Oh Seigneur ! faites que j'avance plus rapidement. Si mon cœur pouvait battre un peu moins vite. Je respire par la bouche. Je dois m'arrêter. Je n'en peux plus. Quelque chose ne fonctionne pas. J'ai l'habitude de courir dans des conditions très difficiles, mais jamais je n'ai eu autant que maintenant l'impression d'un cauchemar. C'est vrai qu'il n'y a que dans les cauchemars qu'on ressent ce genre d'engourdissement, surtout quand on est talonné par un tigre. J'essaie désespérément de retrouver mon rythme cardiaque régulier. Ma gorge est en feu. Je dois avoir la fièvre. Si je pouvais avoir un verre d'eau pour boire et m'asperger un peu le visage. Je m'assois au coin de la rue, dans le caniveau. Un mince filet d'eau usée coule. Je ne peux pas la boire, mais sa vue m'apaise. Dans mon enfance, je laissais filer des bateaux en papier dans l'eau du caniveau. Un jour, dans quelques années, là-bas, c'est de ce filet d'eau que je me rappellerai peut-être. Notre mémoire emmagasine toutes sortes de sensations et d'émotions et on ne sait pas lesquelles elle va garder.

Pour le moment, je suis seul dans ce quartier du centre-ville. Dans le silence absolu, je tends l'oreille. Ma tête se remplit de vide. Pas la moindre voix humaine dans les environs. Rien que des magasins de tissus, des boutiques de cordonnier et de tailleur, des librairies aux stores fermés. Le jour, c'est ici que vit la moitié de la population de la ville, sur un territoire pas plus grand qu'un mouchoir de poche. La plus grande densité de population humaine de la Caraïbe. La nuit, c'est le coin le plus désert. Un endroit parfait pour assassiner quelqu'un. De toute façon, les tueurs de cette ville terrible n'attendent pas la nuit pour perpétrer leurs forfaits. Ils ont bien tué Gasner en plein jour. Et ils sont allés jusqu'à jeter son cadavre sur cette plage, à Braches, près de Léogâne. Exactement comme on ferait avec un chien. Je me lève lourdement pour continuer ma route. « Mon chemin de croix », dirait ma mère. Pourquoi les choses ne se passent-elles pas un peu plus facilement pour moi ? Un enchaînement d'événements positifs, ça me plairait bien. Par exemple, Gasner n'a été que grièvement blessé, il est à l'hôpital dans un état critique mais il n'est pas mort, bien que ses assaillants aient cru l'avoir assassiné. Il lui restait un dernier souffle de vie et les médecins de l'Hôpital général sont en train d'accomplir un miracle. La population est heureuse d'apprendre que, un, Gasner n'est pas mort, et que, deux, la médecine haïtienne ne se porte pas aussi mal qu'on le dit. En allant voir Gasner, je trouve Lisa à son chevet. Près du corps de Gasner inconscient, je déclare mon amour à Lisa qui me répond qu'elle attendait ce moment depuis longtemps. Nous nous embrassons chastement d'abord, puis passionnément. Sur ce, Gasner ouvre les yeux et sourit, nous donnant ainsi sa bénédiction. Je cours rapidement chercher un médecin pour l'informer que Gasner s'est réveillé et qu'il a souri. Celui-ci, paternel (me mettant une main sur l'épaule tout en activant le pas, car n'oublions pas que la population attend fébrilement le bulletin de santé de son enfant chéri), me dit que s'il sourit, c'est très bon signe. Je ramène Lisa chez elle. Même le Cerbère sourit en me voyant. Lisa et moi, nous n'arrêtons pas de nous embrasser sur le porche de la maison. Je sais bien que le Cerbère nous regarde derrière les persiennes, mais je m'en fous. Un dernier baiser, interminable. Les yeux colériques du Cerbère à jamais fixés dans ma mémoire. Je rentre chez moi en sifflotant. La rue danse devant mes yeux éblouis. Je suis ivre de bonheur. J'arrive à la maison et y trouve ma mère tout sourire (je viens de comprendre que mon idée, ce n'est ni l'amour, ni le sexe, mais le sourire, le sourire de quelqu'un qu'on aime). Elle m'apprend qu'une fille a passé toute la soirée à m'attendre, qu'elle a l'air d'en pincer véritablement pour moi et qu'elle vient tout juste de partir, terriblement déçue de ne pas m'avoir vu. A-t-elle laissé un nom ? Oui, dit-elle, je crois que c'est Sandra. Oh ! je la verrai une autre fois car, maintenant, je vais me coucher. Trop c'est trop. Je trouve un lit bien fait, des draps et des oreillers sentant la lavande. Je m'y enfouis la tête. Quand je commence à délirer, rien ne peut m'arrêter. En fait, je fonctionne à l'envers. Le rêve a précédé le sommeil. Cela arrive quand on est obligé de marcher seul dans les rues désertes d'une ville terrorisée. Il ne vous reste plus qu'à rêver. Mais ce qui me fait vraiment enrager, c'est de savoir que j'ai l'air dingue à rêver ainsi, alors qu'il y a des gens à qui ces choses arrivent chaque jour. Pour dire les choses brutalement, je suis au bord de l'explosion à l'idée de quitter ce pays sans avoir fait l'amour au moins une fois avec quelqu'un que j'estime. Je veux dire quelqu'un qui me plaît vraiment. Je ne parle même pas de l'amour. François me prend pour un expert à qui il vient demander des conseils pratiques, alors que, sur ce plan-là, je ne vaux pas mieux que lui. Je dissimule mieux mon ignorance. Bien sûr, il m'est arrivé de me faire caresser par Fifine, mais Fifine est une professionnelle et ce n'est pas d'une professionnelle que je veux. Je veux simplement faire l'amour. Je me souviens d'une autre histoire. C'était il y a huit ans, autant dire l'éternité. J'habitais en face de cette fille magnifique, Miki. Miki m'avait fait l'amour, mais, là encore, c'était son plaisir, pas le mien. Je n'avais que quinze ans, elle en avait vingt. Elle m'avait caressé après m'avoir enrobé de crème Nivéa, pour ensuite se frotter contre moi comme une anguille luisante. Je n'avais pas bougé. Elle s'excitait toute seule à l'idée (elle me l'a dit après) de faire l'amour avec un jeune garçon vierge. Elle m'annonçait pourtant une grande carrière dans le cœur des femmes, me chuchotant que mon style (qui se résumait à ne pas bouger quand l'autre n'arrête pas de gigoter et de crier son plaisir) allait faire de moi un irrésistible professeur de désir. J'ai attendu huit ans, et rien n'est venu. Aujourd'hui, à vingt-trois ans, je suis encore vaguement puceau, et sur le point de quitter mon pays. Le voilà, l'état des choses.

Les chiens de l'enfer (12 h 28)

Je respire un peu mieux, comme toujours après une crise. La lune ronde. Je n'essaie plus de courir. J'avance selon mes capacités. Mon but n'est plus de retrouver Lisa. Je veux simplement quitter l'obscurité et me diriger vers les lumières du Champ-de-Mars. Il y a toujours quelqu'un, là, à toute heure du jour et de la nuit. Il arrive que la vue d'une simple silhouette humaine vous redonne confiance dans la vie. À l'époque où je préparais mon baccalauréat, je venais étudier ici. Depuis, chaque fois que je passe dans le coin, je revis ces années insouciantes où la seule chose qui m'intéressait, c'étaient les jambes des filles. Les seins s'ajoutèrent un peu plus tard. Je venais pour étudier, mais je passais de longs après-midi à admirer les jambes des collégiennes. Il n'est pas facile de remarquer un amateur de jambes, car on n'a pas à lever les yeux pour apprécier une belle paire de jambes. C'est même impératif de les garder baissés. Comme si on était en train d'étudier. Ma spécialité, c'était plus précisément les chevilles. Les gens n'ont aucune idée de la puissance érotique d'une jolie cheville. Toute la grâce d'une jeune fille se concentre en deux points extrêmes : sa nuque et ses chevilles. L'équilibre de la beauté. La beauté en mouvement. Son élan et sa chute. Malheureusement, pour la nuque, il faut lever les yeux au risque de se faire attraper en flagrant délit de voyeurisme. Voici enfin le *Napoli,* de l'autre côté du Champ-de-Mars, pas loin du *Rex.* J'étais assis là, il n'y a pas longtemps. Sur le banc de Barthelmy César, le découvreur d'un nouveau monde qui se croit l'égal de Christophe Colomb (et je partage son avis). J'étais là, assis à ne rien faire, sinon à flâner dans les dédales du temps avec ce guide inquiet de Barthelmy César, puis je me suis déplacé et elle est passée au même endroit quelque temps plus tard avec son groupe de fêtards. Ce sont de petits détails comme celui-là qui vous font croire à un dieu moqueur. Je passe à côté du banc, juste en face du *Napoli.* Le *Rex* est un peu en diagonale, sur la droite. J'observe un instant Barthelmy endormi sur son banc. L'Univers est infini et Barthelmy, dans son rêve, retrouve la candeur de son enfance. Cela lui permet de prendre tous les bateaux qui se présentent à lui pour remplacer celui qu'il n'a pas pris avec mon père et l'étrange individu (sûrement Agoué, le dieu de la mer) qui lui avait proposé le voyage. Le *Napoli* est fermé. Je le contourne pour voir s'il n'y a pas dans les parages un serveur qui pourrait me renseigner. Peut-être aussi m'a-t-elle laissé un message (un morceau de papier collé sur le mur) précisant où elle serait. Je n'ai pas beaucoup d'indices. Je sais qu'ils fêtent l'anniversaire d'une certaine Régine que je ne connais pas, je sais aussi que cette fille habite à Pétionville, près de la place Boyer. C'est tout. Le mieux à faire est de me rendre d'abord à Pétionville. Je longe la rue Capoix, passe devant le *Park Hôtel* pour tourner, à droite, au coin du parloir funéraire de Pax Villa. Je préfère longer l'avenue Christophe, plus résidentielle et donc beaucoup moins dangereuse à cette heure. Je n'avais pas tenu compte des chiens. Ils sont là, près de la station Esso. Une demi-douzaine de chiens menaçants. Grands, maigres, jaunes. Une vraie meute. Si, le jour, on a le droit de les affamer, de les torturer, de les lapider surtout (dans ce pays, les chiens et les hommes se livrent une guerre sans merci), la nuit leur appartient. Et malheur à celui qui se retrouve sur leur chemin. Ils se baladent, se visitent mutuellement (un chien peut traverser toute la ville pour aller voir un vieil ami), occupent des quartiers, organisent des raids dans les poulaillers, enfin ils sont maîtres de la ville. Je les vois se pavaner sous les lampadaires, près de la Polyclinique dirigée par un groupe de jeunes médecins fraîchement diplômés de la faculté de médecine d'Haïti (l'orgueil national voulant démontrer que nous sommes encore capables de produire quelque chose de bon). Les chiens voient bien que je veux passer (je suis debout sur le trottoir depuis un certain moment), mais ils refusent de me livrer le passage. Ils continuent leurs rituels de chiens : frottant leurs museaux l'un contre l'autre ou se léchant le cul. À leur façon de bouger, je sens qu'il se passe quelque chose. Tout est trop lent et trop calme à mon goût. C'est du théâtre. Leur spectacle bien rodé doit cacher quelque chose. C'est inquiétant. Les chiens du groupe, mine de rien, se rapprochent de plus en plus les uns des autres, jusqu'à devenir une masse compacte ; les six museaux se touchent presque. Ils sont sûrement en train de monter un sale coup. Bon, calmons-nous, peut-être qu'il ne s'agit pas de moi. Peut-être que je leur prête des intentions humaines. Seuls les humains savent planifier le mal. Les animaux répondent à la violence par la violence, mais ils initient rarement une attaque gratuite. C'est ce que les défenseurs des animaux racontent. On voit qu'ils ne connaissent pas les chiens maigres et affamés des pays sous-développés. Des chiens qui doivent se défendre des humains dès leur naissance ont une autre mentalité, et les amis des bêtes qui vivent dans un pays où il n'y a pas à se battre contre eux pour se nourrir, qui vivent dans un pays où la bouffe des chiens est totalement différente de celle des humains, auront du mal à le comprendre. Nous n'en sommes pas encore à de telles distinctions. Ici, l'homme et le chien mangent la même nourriture, vivent parfois dans la même boue, font face quotidiennement à la même violence (le tonton macoute frappe un homme qui lance un coup de pied à un chien qui, lui, mord un autre chien). La boucle de la violence. Et me voici en face de cette meute en train de se préparer à me bouffer. Peut-être que j'exagère. Depuis l'annonce de la mort de Gasner, je ne suis pas dans mon état normal. Comme sous anesthésie, j'enregistre les actes avec un léger retard. Je constate un décalage entre ce qui se passe dans la réalité et ce que je ressens. Par moments, j'éprouve une certaine euphorie, comme si Gasner n'était pas mort et comme si cette journée fatidique n'avait pas eu lieu. Et soudain, tout ça me tombe dessus avec une violence imparable. Je suis submergé par de violentes vagues de douleur. Ces hautes vagues me passent par-dessus la tête. Je me noie. L'impossible est arrivé. Je suis mortel, puisque Gasner est mort. Et j'ai peur rétroactivement de tous les risques que j'ai pris durant ces cinq dernières années où j'ai quand même été, à ma manière, si actif dans le domaine risqué de l'information. Et je pense à ma mère, saint Sébastien criblé de flèches empoisonnées d'inquiétude, assise sur sa minuscule galerie à l'ombre de ses lauriers-roses, à craindre qu'on vienne un jour lui annoncer ma mort, comme c'est arrivé à la mère de Gasner. Pour moi, tout semble beaucoup plus facile car je suis dans l'action. Je cours, j'agis, je vis. Je peux rencontrer ma mort n'importe quand, n'importe où et n'importe comment. Je fais face à mon destin. C'est ma vie. Je la vis comme je veux. Je prends les risques que je veux. Mais pour ma mère qui doit attendre sans bouger LA nouvelle qui la crucifierait, quel supplice ! Et c'est chaque soir ainsi, depuis des années. Depuis que j'ai commencé dans ce journal et que je passe mes nuits dehors. Et ce n'est pas encore fini. Il lui reste à vivre d'autres heures d'angoisse. Les dernières sont les plus terrifiantes quand on ignore tout (l'endroit où il se trouve, ses contacts, les dangers auxquels il fait face à ce moment précis) de celui pour qui l'on tremble. L'ignorance vous laisse la peur pour seul partage. Et la prière pour ne pas sombrer dans la folie. Ma mère pressent-elle que je fais face à une meute de chiens ? Le danger vient de partout dans cette ville. Pour Ézéquiel, c'est cet irrésistible désir pour la sensuelle femme d'un colonel. Pour moi, une meute de chiens affamés. Les voilà qui s'éparpillent, libérant le passage. Je reste un moment sur mes gardes, me demandant s'il est possible que ces bêtes abandonnées puissent concevoir une stratégie de guerre digne des cadets de l'Académie militaire d'Haïti. Pourtant, il se passe quelque chose qui ressemble à un plan réfléchi. Ils me laissent la voie libre pour avancer vers le milieu du carrefour, l'air de m'ignorer ou de s'intéresser à autre chose (manœuvre de diversion pour mieux m'encercler au moment opportun ?). La redoutable précision du général Louverture. Je leur prête peut-être trop d'esprit. Intelligence ou instinct ? Une façon d'en avoir le cœur net : prendre le risque de mettre ma tête en jeu. Je marche vers le milieu du carrefour en priant les dieux pour que mes jambes ne me trahissent pas si jamais je devais réclamer leur aide. Elles ne m'ont pas été d'un grand secours tout à l'heure, dans le bas de la ville. Là, maintenant, sous la lumière blafarde du lampadaire au coin de la station Esso, cette escouade de chiens jaunes s'apprête à me déchiqueter. Le gouvernement sait-il dresser les chiens, comme les colons français l'avaient fait pendant l'époque coloniale pour chasser les Nègres marrons et les ramener sur les plantations, pour dévorer tout dissident en fuite ? On leur aurait injecté le virus anti-dissidence et ils m'auraient ainsi détecté. L'odeur de celui qui dit non au pouvoir. Je pourrais bien expliquer que je n'ai jamais comploté contre le pouvoir en place, mais ces chiens indifférents à la logique humaine auraient vite décelé sur moi l'odeur de l'extrême dissidence. Le fait de vouloir être un homme libre sous la dictature. Et l'indifférence que j'ai toujours manifestée pour le pouvoir et sa propagande diabolisante ne jouerait pas en ma faveur. Car le rêve de tout pouvoir est qu'on s'intéresse à lui. C'est ce qui commence à m'arriver. Alors que j'accorde des pensées à quelques maigres chiens errants. Je marche d'un pas ferme, comme quelqu'un qui maîtriserait totalement la situation, dépassant l'espace critique (le milieu du carrefour où se trouvaient les chiens il y a un moment), quand, brusquement, j'entends un bref aboiement. Je me retourne et, ne voyant aucun chien, je continue ma route tout en sachant que le danger me guette sous la forme d'une douzaine d'yeux vicieux et rusés. J'allonge discrètement le pas, veillant à ne dégager aucune impression de panique, pour quitter le plus vite possible cette zone dangereuse. Soudain, je vois une forme bouger au loin. Devant moi. Légère inquiétude. Est-ce un chien ? Et surtout est-ce un chien de la meute ? J'avance malgré tout. Deux autres chiens viennent encadrer le premier. Ceux de la meute. J'arrête. Je reste immobile. Du calme, surtout. Il me faut réfléchir très vite. La proie n'a pas droit à l'erreur. Je me retourne. C'était réellement un piège. Trois autres chiens derrière moi. Bon, tout est clair, je suis en présence de chiens qui pensent comme des humains. Alors, il me faut faire un geste qui puisse les surprendre, un geste qui n'était pas dans leur programme. Il me faut d'ailleurs arrêter de penser comme un humain. Ces chiens ont vécu trop près des humains, bien sûr en ennemis, pour ne pas prévoir toutes les réactions humaines possibles. Les deux groupes se rapprochent de moi. Je les attends. J'entends le cri, au loin, le cri d'un enfant en train de faire un cauchemar. Comment un chien entend-il cela ? Que représente un cri humain pour un chien ? Les chiots font-ils des cauchemars ? Je ne dispose que de quelques secondes pour pénétrer l'âme d'un chien, pour devenir un chien assez convaincant pour déstabiliser la horde de chiens maigres et affamés. Qu'est-ce qu'un chien ? Un chien est un chien. Je me mets à quatre pattes au moment où l'attaque allait être donnée contre moi. Étonnement. Léger mouvement de recul de leur part. Comment sauter à la gorge de quelqu'un déjà à terre. Tout chien, dès sa naissance, sait qu'il doit sauter à la gorge des humains, ou courir derrière eux pour planter ses crocs dans leurs mollets. Les chiots entendent si souvent des chiens adultes parler de la douceur des mollets des hommes quand ils détalent devant vous sans crier gare. Et le petit chien rêve de son premier mollet et se met à saliver dans son sommeil. Ce que tout chien sait aussi, c'est que l'homme qui a peur finit toujours par vous tourner le dos pour s'enfuir. Sentant le chien sur leurs talons, certains hommes plus courageux se retournent pour lui faire face. L'homme commence toujours par lancer des coups de pied désespérés avant de se baisser pour ramasser des pierres qu'il jette furieusement au chien. La bataille fait rage. Le jeune chien doit faire bien attention aux coups de pied, car un bon coup de pied sur la gueule peut vous mettre hors de combat. Le jeune chien lance alors des gémissements aigus et brefs. Et un chien qui gémit de cette manière est un chien battu. On le voit filer, le cul touchant presque le sol et la queue entre les jambes. Pour survivre en Haïti, un chien doit très tôt tout savoir sur la façon de se comporter des hommes. Quand il voit un homme s'avancer calmement vers lui, et cela malgré le fait qu'il aboie comme un dératé en montrant ses jolis crocs bien aiguisés de jeune chien fougueux, qu'il n'exsude pas cette odeur si nauséabonde (l'odeur de l'homme qui a peur), alors il doit courir sans regarder derrière lui, car cet homme cache dans son dos un solide bâton et il sait s'en servir. Le jeune chien doit aussi connaître les grimaces de l'homme qui a peur, ses fausses attaques (il fait toujours semblant de ramasser une pierre invisible, comme si les chiens étaient aveugles ou imbéciles) et son désir de fuir. Il doit s'approcher de lui et lancer quelques furieux aboiements tout en surveillant ses jambes, car un homme désespéré peut lancer le coup fatal qui vous démonte la mâchoire et vous fait filer en poussant de brefs gémissements honteux. Si sa connaissance de l'homme est précise, eh bien, il aura le plaisir immense de voir les fameux mollets et le dos de l'homme en fuite. Voilà à quoi se résume l'enseignement que les vieux chiens donnent aux jeunes chiens les soirs de pleine lune. Ce qu'on ne leur a pas appris, c'est quelle attitude adopter en face d'un homme qui se comporte soudain comme un chien. Un homme qui se met à quatre pattes et qui aboie en montrant ses crocs. Que faire en présence d'un tel monstre ? Ils sont là, intrigués, à s'approcher craintivement de moi en se demandant quoi faire, quand une voiture arrive, me séparant des chiens. L'homme ralentit en me voyant dans cette position et me regarde avec étonnement, car lui aussi ne reconnaît pas cette manière d'agir. Je me lève précipitamment, fonce sur la portière de la voiture et m'engouffre à l'intérieur en suppliant le type de quitter les lieux au plus vite. L'homme hésite un moment, puis un chien saute sur son bras gauche qui était appuyé contre la portière. Il jette alors un regard incrédule au chien dont les crocs sont enfoncés dans son bras. Calmement, l'homme sort un marteau de sous son fauteuil et fracasse le crâne du chien. D'autres chiens arrivent sur mon côté.

Heureusement, j'ai eu le temps de remonter la vitre. Les chiens sont furieux de s'être fait berner. La vitre du côté du conducteur ne fonctionnant pas, l'homme colle son bras ensanglanté contre sa poitrine, tout en se servant énergiquement du marteau qu'il a gardé dans sa main droite. Les chiens continuent de sauter de mon côté, écumants de rage. L'odeur du sang les a excités. Ils aboient de plus en plus furieusement, comme pour ameuter d'autres chiens dans le voisinage. Je les regarde, bien abrité derrière la vitre, ce qui les énerve encore plus. Le chauffeur prend un certain plaisir à frapper de son marteau la tête des chiens fous de colère et de douleur. Nous finissons par les semer.

— Je ne comprends pas, dit le type en regardant son bras ensanglanté.

— Il n'y a rien à comprendre.

Il secoue la tête, encore abasourdi, comme un homme qui viendrait d'empêcher une discussion de dégénérer en dispute et qui se retrouverait avec un œil au beurre noir. Il ne comprend pas que ce soit lui qui sorte blessé de l'affaire.

— Ce chien est peut-être enragé ? lance-t-il.

— Peut-être…

— Je vais me faire faire une piqûre à l'hôpital du Canapé-Vert.

— Ce serait une bonne précaution à prendre.

L'homme continue à me regarder de manière étrange, comme pour me reprocher de l'avoir entraîné dans cette histoire. Je décide de prendre le taureau par les cornes.

— Je dois vous dire, monsieur, que ce n'était pas une affaire personnelle.

Il me regarde d'une manière encore plus étrange, se disant probablement que ses soupçons viennent d'être confirmés. « S'il se défend, doit-il penser, c'est que j'ai raison. »

— Ces chiens m'ont attaqué, comme ils l'auraient fait pour n'importe qui. D'ailleurs, vous-même…

— Eh ! je vous ai vu ! dit l'homme, presque en colère.

— Vous avez vu quoi ?

— Je vous ai vu par terre. Je vous ai d'abord pris pour un chien. Que faisiez-vous par terre ? me demande-t-il sur un ton franchement soupçonneux.

On dirait qu'il se doute d'une chose mais n'arrive pas à l'identifier avec précision

— Je faisais le chien.

— Comment ça, le chien ?

— Eh bien ! lorsque vous êtes attaqué par une meute de chiens, la seule défense qu'il vous reste, c'est de faire le chien. Les chiens s'attendent à tout sauf à ça.

Il réfléchit un bon moment.

— Qui vous a appris ça ?

— Personne.

Son bras commence visiblement à lui faire mal. Je le sens à le voir contracter les mâchoires pour s'empêcher de hurler de douleur.

— C'est pas un truc de vaudou que vous faisiez là ?

— Pas du tout. Ces chiens m'ont tendu un piège et je n'ai trouvé que cette porte de sortie. On dit qu'à Rome il faut faire comme les Romains. J'ai pensé alors que, chez les chiens, il fallait faire comme les chiens.

Un énorme éclat de rire emplit la voiture.

— C'est pas bête, ça. Chez les chiens, on fait comme les chiens. Comment as-tu fait pour trouver une pareille chose ?

Il me tutoie, signe qu'il n'est plus en colère contre moi, me reprochant tout de même, d'une certaine manière, d'être la cause de sa blessure.

— Je ne sais pas. J'aime regarder les autres. J'aime écouter. Je suis curieux de tout, sans aucune discrimination.

— C'est étrange, dit-il, je passe dans le coin par pur hasard, je tombe sur toi en train de faire le chien (il éclate à nouveau de rire), tu sautes dans ma voiture, une de ces bêtes enragées a failli m'arracher le bras (il embrasse son marteau) et je dois maintenant aller à l'hôpital parce que j'ai peut-être attrapé la rage, mais Dieu que j'aime ça !

— Vous aimez quoi ?

— Ça faisait longtemps que je n'avais pas entendu une aussi bonne histoire. On passe ses journées à écouter radoter des connards dans ce pays. Tous des vaniteux qui passent leur vie à expliquer comment ils pourraient diriger la planète, alors qu'ils n'arrivent même pas à diriger leur cahute et à assurer une existence décente à leur famille. Et là, ce soir, je rencontre quelqu'un qui a passé un certain temps à étudier les chiens pour, finalement, tester dans la réalité ses recherches. C'est quoi, ton nom ?

— Vieux Os.

— Vieux Os... Ah oui ! Vieux Os... Le chien. Les os.

On dirait le nom d'un vieux chien rusé. Vieux Os ! Pourquoi Vieux Os ?

— C'est ma grand-mère qui m'a appelé ainsi quand j'étais petit parce qu'on avait l'habitude de rester très tard le soir sur la galerie, à regarder les étoiles.

Il sourit tout en faisant la grimace à cause de la douleur.

— Je suppose que ça se passait en province parce que, nous autres, à Port-au-Prince, on n'a pas de grand-mère et on ne voit pas souvent les étoiles.

— Pas de grand-mère ?

— J'exagère, bien entendu, je veux simplement dire qu'on n'a pas ici le genre d'enfance que vous avez en province. Naturellement, tu avais des animaux autour de toi.

Mon enfance me remonte à la gorge.

— Oui, des chevaux, des chiens, des canards, des oiseaux, et la mer au bout de ma rue.

— Je dis ça parce que ça forme une belle sensibilité. Tu l'as dit : « J'écoute, je regarde, je suis curieux. » Ici, à Port-au-Prince, il n'y a qu'un seul type de nature : la nature humaine. Et ça ne produit que de la merde. Je parle, je parle et je ne t'ai même pas demandé où tu allais. Je peux te déposer quelque part, mais il faut que je passe à l'hôpital pour cette piqûre contre la rage, et aussi parce que ça me fait un mal…

Nous pénétrons dans la cour de l'hôpital du Canapé-Vert. Il se gare aisément à côté d'une vieille ambulance déglinguée.

— J'ai un ami ici, le docteur Bontemps, un ancien camarade de classe. Il va s'occuper de moi rapidement, ne t'inquiète pas. Je sais comment cela va se passer. Il va me faire une piqûre et me donner au moment de partir quelques pilules à avaler et aussi quelques conseils à propos de la façon de mener une bonne vie : pas de sexe, pas de cigarettes et pas d'alcool. Tu sais comment sont les médecins, plus réactionnaires que les prêtres ! Faut que je te mette en garde, je râle tout le temps. Attends-moi ici, je reviens tout de suite et je t'emmène là où tu veux. Je m'appelle Legba, comme le dieu vaudou, mais aucune parenté.

Legba grimpe l'escalier en riant, tout en tenant son bras contre sa poitrine comme s'il était en train de bercer un enfant. C'est ce genre de détail qui me manquera, où que je sois dans le monde. Les gens passent ici en un rien de temps de la plus folle colère à la plus agissante sympathie. Dès que leur curiosité soupçonneuse se trouve satisfaite, ils vous font confiance avec une telle candeur, une telle spontanéité que vous en êtes complètement ébahi. Ce sont des gens qui placent très haut tout ce qui a un rapport avec la connaissance et l'art. Je me demande si je trouverai ailleurs une si grande générosité et une aussi grande ouverture d'esprit. Je ne sais pas, peut-être que c'est comme ça partout. Quand on vit trop longtemps sur une île, on finit par se croire unique dans son genre, comme la fleur du Petit Prince.

Qu'est-ce qu'un intellectuel ? (12 h 47)

Voilà Legba qui dévale l'escalier, son bras gauche enveloppé de gaze.

— Je t'avais bien dit que je n'allais pas tarder. Le docteur Bontemps a adoré mon histoire. Sais-tu ce qu'il m'a dit ? C'est un homme très intelligent, faut pas en douter. Moi, je n'ai pas fait de longues études, alors je ne suis peut-être pas intelligent.

— Mais ça n'a rien à voir !

— Je n'en sais rien, mais ce que je sais, c'est que je suis l'ami de toute personne intelligente. Je ne veux pas dire snob, je veux dire quelqu'un qui a quelque chose dans la tête. Eh bien, je t'avais dit que je te déposerais là où tu voudrais.

— C'est que j'allais à Pétionville…

Il éclate de rire.

— J'habite sur la place Boyer.

— C'est là que je vais, dis-je, un peu étonné de cette coïncidence.

— Tiens-toi bien, que je te raconte ce que vient de déclarer le docteur Bontemps. Il m'a dit que tu es à son avis le seul vrai intellectuel de ce pays. Et ce n'est pas un imbécile, mon camarade Bontemps. Il passe la majeure partie de son temps à courir les conférences scientifiques internationales, comme d'autres vont faire leur marché.

— Je ne vois pas ce qui me vaut un tel honneur.

— Moi non plus, au début, je ne comprenais pas, s'exclame-t-il avec une certaine franchise, mais quand il m'a expliqué, j'ai tout compris et je partage totalement son point de vue.

— C'est quoi ce point de vue ? je demande avec une pointe d'appréhension.

— Eh bien, voilà. Pour lui, un intellectuel c'est quelqu'un qui réfléchit d'abord et qui ensuite agit en intellectuel. Il pense que les Haïtiens répondent facilement au premier critère, mais échouent généralement au second. Pour lui, être intellectuel, cela n'a rien à voir avec une conversation de salon, quelque brillante qu'elle soit. Un intellectuel, c'est quelqu'un qui est prêt à risquer sa vie pour sa réflexion parce qu'il la croit juste, scientifique, et qu'il ne l'a pas échafaudée au cours d'une conversation avec les copains ou simplement pour clouer le bec à un imbécile tout en lui piquant sa maîtresse sous son nez. Un intellectuel, c'est quelqu'un qui essaie sa théorie d'abord sur lui-même. Donc, c'est un être courageux.

La voiture entre dans Pétionville. Restaurants, banques, boîtes de nuit, la plus grande concentration de richesse du pays. Petite ville cossue, calme et propre. Comme si on n'était plus en Haïti.

— Tu as agi en véritable intellectuel, c'est-à-dire que tu as risqué ta vie après une réflexion sérieuse. Bon, avec Bontemps, ça tourne toujours autour de la médecine, alors il m'a expliqué que, pour lui, un vrai intellectuel scientifique est un homme qui ne se contente pas de découvrir un vaccin mais qui le teste sur lui-même en premier et, comme tu sais, un vaccin c'est le virus même qu'on s'inocule à petite dose afin de s'immuniser contre la maladie, m'explique-t-il avec l'enthousiasme d'un néophyte qui vient de s'acheter un dictionnaire scientifique.

La chaussée est légèrement mouillée. Il a dû pleuvoir un peu tout à l'heure.

— Tu as risqué ta vie après une réflexion originale et sérieuse basée sur des observations scientifiques. Bontemps a ajouté que les Haïtiens ont l'habitude de risquer leur vie, mais que c'est souvent par bêtise ou par naïveté. Par ailleurs, il a beaucoup aimé ta formule.

— Quelle formule ?

— Si à Rome on doit faire comme les Romains, chez les chiens on doit faire comme les chiens. Enfin, le docteur m'a dit qu'il a appris quelque chose, mais que toi, tu as appris cette chose de la meilleure façon qui soit, dans le feu de l'expérience. N'est-ce pas beau ?

— Oui, c'est beau.

— Et c'est ça, la vie !

— Si c'est ça, la vie, je parle de votre énergie, Legba, alors elle est très belle.

Il éclate de rire.

— Pas de flatteries avec moi. C'est toi le maître. Moi, je ne suis que le disciple.

La voiture contourne la place Boyer puis s'arrête devant une jolie petite maison rose tout illuminée, avec de la musique, des rires et de joyeux éclats de voix.

— C'est chez mon frère. Je passe souhaiter bon anniversaire à ma nièce Régine.

— C'est là que je venais ! J'ai rendez-vous ici avec une amie.

Il éclate de rire. Le visage hilare. Tout son corps tremblant. Je n'ai jamais vu de ma vie un homme rire aussi souvent et avec autant d'énergie.

— Ce n'est pas pour rien qu'on m'appelle Legba.

Il fait référence au dieu du panthéon vaudou qui se tient à la porte du monde invisible. Legba vous facilite le passage d'un monde à un autre.

La fête (1 h 03)

J'entre à peine que je tombe sur Sandra. Elle me saute au cou en me serrant très fortement contre ses seins.

— Je suis si heureuse de te voir.

Elle me tend un visage radieux. Je n'ai pas envie que Lisa me voie dans cette position.

— Tu parles d'une bonne surprise ! continue Sandra.

J'essaie de me sauver. Elle le sent et s'accroche à mon bras. À quel jeu joue-t-elle ? Qui essaie-t-elle de rendre jaloux ? Combien d'hommes ici a-t-elle déjà rendus dingues ? Je ne veux même pas le savoir. Je suis ici pour Lisa. Elle peut me dominer quand elle veut, mais jamais si elle se trouve dans le même espace que Lisa. Lisa est mon bouclier contre Sandra.

— Tu ne veux pas boire quelque chose ? Je vais te chercher un verre.

Comme toujours, elle n'a pas attendu ma réponse. Elle s'en va chercher le verre dans le seul but, j'en suis convaincu, de me faire voir son joli derrière. Je connais ce piège pour y être tombé au moins une centaine de fois. Elle porte quelque chose qu'on pourrait appeler, faute de mieux, un mouchoir. Elle ne marche pas, elle danse. Une danse si subtilement sensuelle qu'elle vous donne l'impression d'un acte naturel, vous laissant croire que ce n'est pas sa faute si elle est si sexy. Avec elle, on a affaire à quelqu'un qui maîtrise son jeu au même titre qu'une Tina Turner ou qu'un Mohamed Ali. La seule chance qu'on a de s'en sortir, dans une confrontation sexuelle avec elle, disons quand elle se met en tête de faire de vous un pantin à son service, réside dans la fuite. Aucun homme, à mon avis, n'est de taille à affronter cette petite bouche si insolente, ces seins fermes qui vous arrachent les yeux, ces jolies petites fesses bien arrondies, et ce regard si conquérant qu'il ne prend même pas la peine de vous demander votre avis avant de vous asservir. Ulysse a dû se boucher les oreilles pour ne pas entendre le chant des sirènes. Pour échapper à Sandra, il faudrait se crever les yeux. Si elle se contentait de vous exciter, mais non ! elle n'attend même pas que vous tombiez à ses pieds comme un fruit trop mûr : elle vous piège, vous traque, vous veut et, finalement, vous a. Après, elle vous détruit. C'est là son but ultime : la destruction. Pour le moment, elle s'en va me chercher un verre en faisant onduler son corps comme une danseuse cambodgienne. On dirait qu'elle aspire tout l'oxygène sur son passage (les hommes ont de la difficulté à respirer et les femmes crachent par terre en signe de dépit), comme un incendie qui ravagerait l'endroit. Ma seule chance est de trouver Lisa avant qu'elle ne revienne avec son verre, et de l'emmener sur la petite place pour lui faire enfin ma déclaration d'amour. Cette fille, Sandra, traîne la mort dans son sillage. Alors que Lisa, c'est la vie.

(1 h 09) Je cherche Lisa partout. Personne n'arrive à me renseigner. Je monte voir à l'étage dans toutes les chambres, sachant que c'est tout à fait son genre d'aller se reposer là-haut, laissant la salle de fête aux filles comme Sandra. De toute façon, Lisa était trop liée à Gasner pour

avoir le cœur à la fête, même si c'est l'anniversaire de sa meilleure amie. Pour être une si bonne amie de Lisa, Régine doit être une chic fille. Alors, je me demande ce que fait Sandra ici. Qui l'a invitée? Sûrement pas Lisa. Non, Lisa n'est pas là-haut. Je retrouve Legba au pied de l'escalier.

— Je te cherchais. Je voulais te présenter à mon frère mais, malheureusement, il vient de partir. Il est médecin lui aussi. Il ne peut même pas rester à l'anniversaire de sa fille ! Quel métier ! N'empêche qu'on doit tous mourir un jour. Mais je peux bien rouspéter maintenant que mon bras ne me fait presque plus mal. Les médecins, c'est comme Dieu, on ne les respecte que lorsqu'on a mal. À peine la douleur passée, on recommence à philosopher.

Il sent que je suis ailleurs.

— Tu n'as pas l'air dans ton assiette, Vieux Os.

— Je cherche quelqu'un...

— Nous cherchons tous quelqu'un. Une personne en particulier ?

— Oui. Elle s'appelle Lisa.

— Ah oui ! l'amie de Régine. Je crois qu'elles sont parties quelque part ensemble. Elles vont revenir tout à l'heure. Je m'en vais, mais je n'oublierai sûrement pas ce moment magique qu'on a passé ensemble, malgré cette blessure.

— J'espère qu'on se reverra, Legba.

Il me fait un sourire complice.

— On se reverra.

Il disparaît dans la nuit.

(1 h 22) On me fait une légère caresse à la nuque. Main chaude et douce. Je me retourne.

— Cela fait une éternité que je te cherche, me susurre Sandra, tout sourire.

— Moi, je lui lance sèchement, c'est Lisa que je cherche.

Un coup à bout portant au plexus. Elle me regarde, le souffle coupé.

— Pourquoi tu me dis ça ?

— Je te le dis parce que c'est la vérité.

Elle reste un moment interloquée. C'est la première fois que je la vois sans réaction. Comme une poupée dégonflée.

— De toute façon, je ne vois pas ce que tu trouves à cette nonne. Elle est tellement coincée.

— Et toi ?

Je viens d'atterrir dans son domaine. Là où elle est le plus à l'aise. Je la vois reprendre des couleurs.

— Moi ! Moi ! Simplement avec ma langue, je peux envoyer qui je veux au paradis !

— Oh ! dis-je sur un ton presque méprisant, Lisa m'envoie bien plus loin que ça.

— Et avec quoi fait-elle ça ?

— Son cœur.

Petit sourire ambigu.

— Le cœur, c'est abstrait ça, tandis que tout le monde peut voir et toucher mon corps. Si je veux, bien sûr. Mon corps, c'est concret, tu comprends ?

— Possible.

Elle éclate d'un petit rire mélodieux, le rire de quelqu'un qui, après un moment difficile, croit avoir repris tous ses pouvoirs.

— Tu sais que je te connais très bien, toi. (Elle me touche légèrement le bras.) Je sais à quoi tu penses quand tu me regardes. Et n'oublie pas que ce n'est pas par hasard que cela se passe ainsi.

— Je ne comprends pas.

Elle rigole doucement.

— Eh bien, si tu me regardes, c'est parce que je l'ai voulu. Je me suis arrangée pour que cela se passe comme ça.

Si je comprends bien, elle vient de me faire un dessin.

— Tu as raison, Sandra, les hommes aiment bien te regarder.

— Et toi ? minaude-t-elle, sûre de son pouvoir.

— Moi aussi.

Elle sourit franchement. Une fois de plus la partie est gagnée. Elle a eu peur pendant un moment, mais, finalement, tout est rentré dans l'ordre.

— Sandra, le problème c'est que je ne pense plus à toi quand tu n'es pas devant moi. Alors que Lisa me fait encore plus d'effet quand elle n'est pas là. Excuse-moi, il faut absolument que je la retrouve, dis-je en me lançant vers la sortie.

Je sais enfin de quoi Sandra parle quand elle dit qu'elle sent le regard des hommes sur elle. Je sens maintenant son regard brûlant sur moi. C'est elle qui regarde aujourd'hui. Celui qui regarde n'existe pas pour l'autre. Le corps de Sandra se nourrit des regards des hommes. C'est de là que lui vient toute cette énergie. Cette chaleur.

Son corps : une masse compacte de désir. Elle devient ainsi irrésistible. Finalement, c'est nous qui fournissons l'énergie avec laquelle elle va nous détruire. Le regard, c'est son secret. Mais voilà que c'est à son tour de regarder, une situation tout à fait inusitée pour elle. Trop sûre de son corps, Sandra ne s'est pas assez méfiée de l'esprit. Il arrive, ma chère, que l'esprit terrasse le corps, surtout quand il s'allie avec le cœur. Seul le cœur parvient à dominer l'esprit et le corps. C'est l'avantage de Lisa sur Sandra et moi. Après tant de défaites humiliantes, je peux savourer cette ultime victoire.

(1 h 28) Je suis assis sur un banc de la place Boyer, en plein cœur de Pétionville. Les villas cossues sont assoupies sur le flanc de la montagne. Les boutiques luxueuses, les discothèques branchées, les jeunes dans des jeeps décapotables, les filles habillées comme des mannequins de Dior se pavanant dans de rutilantes voitures rouges ou jaunes, en un mot le fantasme national bougeant sous mes yeux. Habiter Pétionville a toujours été le rêve des Port-au-Princiens. Dès qu'ils ont un capital, amassé le plus souvent dans la drogue, la contrebande ou le vol pur et simple dans les caisses de l'État, ils se précipitent sur Pétionville, s'achètent dans un quartier moyen (aucune chance d'aller plus haut puisque les riches ne bougeront jamais de leur place forte) une maison qu'ils font retaper pour en faire une demeure agréable (comme celle des parents de Régine) et entreprennent calmement la conquête de Pétionville, tout en sachant que ce sera une longue lutte et que nul ne saurait en prévoir l'issue. De

nombreuses familles, après des décennies à Pétionville, ont dû retourner, souvent après une faillite spectaculaire, dans la chaudière de Port-au-Prince. Après trois ou quatre générations à fréquenter les bonnes familles, la fine cuisine des restaurants français, les boîtes de nuit huppées, l'église Saint-Pierre, ceux qui restent finissent par se mêler à la population de cette petite ville cossue. Je crois, après un rapide coup d'œil, que ce fut le parcours des parents de Régine et de beaucoup de familles des environs de la place Boyer. Je me sens frustré de devoir quitter ce pays sans avoir jamais goûté à cela. La bourgeoisie, la vie aisée, ce sont des aspects de ce pays que j'ignore. Et je vis cela comme un manque. J'ai eu des copains riches, mais la mode, à cette époque, était d'éviter les bourgeois. Le seul ami que j'ai qui habite encore à Pétionville, c'est Philippe, mais Philippe, on ne saurait dire s'il est riche ou pauvre. Il ne joue tout bonnement pas à ce jeu-là. Il y a des gens comme ça, hein, qui n'en ont rien à foutre de leur rang social. Comme Philippe. Lui, son rêve serait d'habiter à mi-chemin entre Port-au-Prince et Carrefour, simplement pour être plus proche de ses amis, Manu et moi. Philippe est le seul individu, à ma connaissance, qui ne soit pas travaillé par le terrible vice social qui mine cette ville (le cancer de Pétionville) : le snobisme à bon marché. Son unique boussole est l'amitié. Manu, lui, connaît tout le monde. Sa guitare lui ouvre chaque jour un univers plus vaste. J'ai quelques amis chers. Dans ce pays, il ne faut pas s'en faire trop car on risquerait d'avoir trop souvent le cœur en peine. Trop de requins dans la rade, trop de léopards dans les bosquets, trop de tontons macoutes dans les bars. « Trop de dangers », comme disait ma mère. Mieux vaut ne pas avoir trop d'amis, donc. Beaucoup d'amis égale beaucoup de peine. Philippe, lui, n'en a que deux : Manu et moi. Les autres ne l'intéressent pas. Tout son univers tourne autour de Manu et de moi. Il sait à tout moment où nous sommes. L'amitié est la seule passion sincère des Haïtiens. J'ai rencontré Gasner la première fois chez Turneb Delpé, à l'époque où l'on se réunissait sur le balcon de l'épicerie Delpé, une poignée de copains, pour tenter de résister à la frivolité ambiante (une gangrène sociale) que le régime de Papa Doc avait fini par installer dans le pays. Nous, on refusait de prendre part à cette fête quotidienne — se déroulant en même temps qu'on torturait dans les prisons — qui était devenue la nourriture de la jeunesse. On résistait. C'est à peu près à la même époque et dans le même contexte que j'ai croisé Ézéquiel. Déjà son attitude de résistance, de combat politique. Alors qu'avec Philippe, ce fut tout à fait différent. De l'amitié pure. Un coup de foudre intime. Pas de combat, pas de politique, rien que le plaisir d'être ensemble. Quand je suis avec Philippe, il n'y a plus les notions de pays, de drapeau, de race ou de classe sociale. Rien que des rires, des connivences, des complicités et surtout une immense loyauté l'un envers l'autre. J'avais besoin de ça. Le repos du guerrier. Avec Manu, ce fut différent, mais on ne peut pas changer Manu. C'est un animal politique. Il entend changer les choses. « Changer la vie », dit son frère Rimbaud. Ce qui est sûr, c'est que nous sommes devenus très rapidement un trio implacable. Inséparable. Tiens, je viens de remarquer que je vis dans des univers presque étanches. Et chacun de ces univers comprend trois étoiles, comme si je ne savais pas compter au-delà. D'un côté, il y a mon rapport puissant avec Gasner et Ézéquiel, malgré que ces deux-là n'aient jamais pu se supporter. Nous formions quand même, à mon sens, une famille. Ézéquiel et Gasner étaient les frères si semblables qu'ils s'opposent. Dans un autre de mes univers, on trouve Manu et Philippe. Des hommes très proches, liés par des sentiments profonds, mais avec des façons totalement différentes de voir la vie. Pourtant, nous formons un trio inséparable. Au milieu, il y a Lisa et Sandra. L'une pour le corps, l'autre pour le cœur. Deux êtres aussi opposés que l'eau et le feu et qu'il ne faut sous aucun prétexte réunir dans la même pièce. Si l'eau peut éteindre le feu, celui-ci reste la cause première de son évaporation. Mais avec moi au milieu, nous formons un groupe compact. Ézéquiel peut bien connaître Lisa, Gasner connaissait Sandra, Manu connaît Ézéquiel, Gasner se moquait de ma relation avec Philippe (« ce jeune bourgeois de Pétionville »), mais malgré tout, mes univers restent séparés. J'y vois le fait que je suis éclectique en amour comme en amitié. Je n'arrive pas à rester confiné dans un seul genre, une seule classe sociale, un seul combat ou, surtout, un seul mode de pensée. Je reste curieux de tout et j'aime aller là où l'on ne m'attend pas. Mes deux amis habitent aux deux extrémités de Port-au-Prince. Disons que Port-au-Prince se trouve entre Pétionville et Carrefour. Manu, lui, habite Carrefour, dans ce quartier si sale, si pollué, si surpeuplé et si mal construit. Le moindre grain de pluie noie complètement Carrefour. Manu cite Carrefour constamment dans ses chansons. Je n'ai jamais entendu Philippe évoquer Pétionville. Je regrette vraiment, ce soir, de ne pas avoir mieux connu cette curieuse ville, Pétionville, avec ses habitants si étranges. Comment se sent-on à être si riche dans un pays si pauvre ? Et comment fait-on pour y vivre comme si de rien n'était ? C'est le genre de réflexion que Pétionville vous pousse toujours à faire. Surtout assis sur un banc, dans la position du philosophe affamé. Je sais aussi que tout le monde n'est pas riche dans ce quartier, ni socialement inconscient, ni politiquement irresponsable. J'ai toujours rêvé de pénétrer dans ces maisons pour observer, dans l'intimité, la manière de vivre des gens qui y habitent. J'aimerais d'abord les connaître pour tenter de les comprendre avant de les critiquer, ou de simplement répéter le discours au goût du jour. Vraisemblablement, ce n'est pas cette fois que ça se passera.

(1 h 40) Une fille plus sexy que belle s'approche de moi. Elle s'assoit, tout sourire, sur le banc.

— Vous n'aimez pas notre petite fête ?

— Je n'étais pas invité... Je suis simplement passé chercher une amie.

— Lisa.

— Comment le savez-vous ?

— Vous n'avez pas arrêté de demander pour elle depuis votre arrivée. Elle est partie depuis un moment.

— Ah bon !

— Ma sœur est allée la reconduire chez elle. Je suis

la sœur de Régine. Tout le monde m'appelle Bibi. Est-ce qu'on peut se tutoyer ?

— Tout ce qui peut te faire plaisir.

Elle a ce joli petit rire. Un rire qu'on n'acquiert qu'après au moins quatre générations d'insouciance. Aucune trace d'anxiété. Je peux connaître la personnalité de quelqu'un rien qu'à sa manière de rire.

— Seigneur que tu es galant ! C'est Sandra qui m'envoie.

— Ah bon ! je fais sur un ton détaché.

— Je vois que cela ne t'excite pas beaucoup, dit-elle en riant. Je vais te dire une chose : je suis la seule amie de Sandra. Je l'ai connue avant qu'elle devienne ce qu'elle est aujourd'hui.

— Et qu'est-ce qu'elle est ?

— Tu le sais mieux que moi, lance-t-elle en minaudant un peu.

— Je ne sais rien, je réponds sur un ton sec.

Elle prend une pause pour bien me regarder.

— Qu'est-ce qu'elle est ? Une bombe sexuelle qui rend les hommes fous.

— Et elle était quoi avant ?

— Pour moi, Sandra est restée la fille introvertie, timide et complexée que j'ai connue. J'ai dû me battre pour devenir son amie.

— Pourquoi ?

— Elle était si complexée qu'elle ne pensait pas que quelqu'un pouvait s'intéresser à elle pour elle-même. C'est une fille très brillante, mais encore fragile.

Brillante, je veux bien, mais fragile…

— Fragile ?

— Tu me fais marcher. Sandra m'a pourtant dit que tu es le seul qui ait vu sa fragilité. Les autres ne pensent qu'à ses fesses. Tu sais, elle est devenue comme ça par hasard.

— Tu parles toujours en paraboles ?

— Un soir, elle est venue chez moi. Je me maquillais pour sortir. Je me maquille depuis l'âge de douze ans. Ma mère, Léonie, m'a donné mon premier rouge à lèvres vers cet âge-là. Sandra était debout à côté de moi. Je l'observais, sans qu'elle s'en doute, dans le miroir. Et j'ai vu un visage parfait pour le maquillage. Quand on se maquille depuis l'âge de douze ans, on connaît non seulement son visage, mais aussi celui des autres. J'ai tout de suite remarqué que, bien maquillée, elle allait créer un dérèglement de l'ordre social. Je l'ai maquillée. J'avais raison. Elle-même n'en revenait pas. On ne peut pas faire démarrer une révolution sans aller jusqu'au bout. Je lui ai passé une petite robe rouge que j'aimais beaucoup. Je la mettais quand j'étais déprimée, pour voir les hommes tomber comme des mouches sur mon passage, ce qui me remontait à coup sûr le moral. Mais c'est ce soir-là que j'ai vu pour qui cette robe avait été cousue. Sandra a, ce même soir, découvert son corps. Séduite par elle-même, elle a passé la soirée devant le miroir. Ce n'est que quelques semaines plus tard qu'elle a compris qu'elle pourrait utiliser ce corps comme instrument de sa vengeance.

— Elle voulait se venger de quoi ?

— Je t'en parlerai tout à l'heure. La transformation n'est pas encore terminée.

— On nage en plein mythe de Cendrillon.

Elle éclate de rire. Un rire plutôt rauque, venant du ventre.

— C'est ça, et je suis sa marraine, la bonne fée. Je lui ai passé une paire de chaussures qui a bien fait ressortir le galbe de ses jambes. Et voilà, le travail était terminé. Elle était parfaite. Un rêve d'homme ambulant. Surtout une poupée qui sait dire non. Je l'ai vue se regarder dans le miroir (un regard dur) et j'ai frémi en pensant à ces meurtres en série qu'elle s'apprêtait à commettre. Je ne suis pas une innocente, loin de là, mais je peux te dire que je n'ai jamais assisté de ma vie à un tel carnage. Des cadavres d'hommes mariés, cette fille allait en laisser des tas dans son sillage.

— Je connais cette partie de sa vie...

— Elle m'a tenue au courant de toutes ses mises à mort, faisant de moi sa complice. Elle répétait tout le temps que c'est moi qui avais créé son personnage et, parfois, je me suis vraiment demandé si je n'avais pas créé un monstre.

— Pourquoi un tel acharnement ?

Un moment de silence. Une voiture fait le tour du parc. Deux types à l'intérieur nous regardent longuement.

— Ne t'en fais pas, jette Bibi, ce sont des tontons macoutes qui se font un petit extra. Ils sont payés par les gens du quartier pour surveiller la zone. Ils te regardent ainsi parce que c'est la première fois qu'ils te voient dans le coin.

— Des chiens qui protègent les maisons des riches.

Quand ils sont à Port-au-Prince, ils agissent comme s'ils étaient investis de pouvoirs que seul l'État confère. Merde !

Bibi me fait un sourire désolé.

— Laisse tomber. Parlons plutôt de Sandra.

— Oui, mais ce qu'elle fait n'est pas différent de tout le reste. Ce pays est gangrené par la violence.

— La violence des hommes, tu ne la connais pas vraiment ! lance-t-elle d'une voix rageuse. Quand tu entres dans une salle remplie d'hommes qui ne daignent même pas te jeter un regard, tu te dis, un peu pour te consoler, que ça ne les intéresse peut-être pas, qu'il n'y a pas que le désir, toutes les conneries qui te passent par la tête. Et subitement, arrive une pétasse qui fait ondoyer ses reins tout en passant lentement sa petite langue rouge sur ses lèvres violettes. Les voilà tous à baver comme des bêtes. Tu te dis alors que s'ils sont des animaux, eh bien, tu vas les traiter comme des animaux. S'il ne suffit que de bouger ses hanches et de passer doucement sa langue sur ses lèvres tout en gardant un air de sainte-nitouche pour préserver les apparences, alors, les gars, vous allez être servis, et avec du rab s'il vous plaît.

— Il y a des filles qui n'agissent pas comme ça, Bibi.

— Je sais. Lisa. Mais ne fais jamais l'erreur de croire qu'aucune femme est au-dessus de la séduction.

— Oui, mais tout le monde ne se sert pas de la séduction comme une arme.

— Qu'est-ce que tu crois que c'est ? Un bonbon ?

— Pourquoi s'en servir pour faire du mal ? Tu vas me trouver naïf, mais je n'arrive pas à comprendre.

— Sandra m'a déjà dit que tu es très brillant, mais je ne suis pas venue lancer une discussion philosophique sur la séduction avec toi. Pour moi, ce n'est pas un sujet de conversation. Quand j'ai envie d'un homme, je le prends, c'est tout. Et si je ne peux pas l'avoir, je l'oublie. Je suis plutôt une fille simple.

— Qu'est-ce que tu veux me dire ?

— Que j'ai une amie en mille morceaux là-haut et que j'ai très peur qu'elle fasse une bêtise.

— C'est elle qui t'a envoyée me dire ça ?

— Tu es fou ! Elle est trop orgueilleuse pour ça. Elle me tuerait si elle apprenait que j'ai fait une pareille démarche. Je ne sais pas ce que tu lui as dit, mais tu viens de la détruire. Tu l'as blessée dans son essence. Je crois que tout être humain a deux moments dans sa vie. Un moment où il découvre sa vraie personnalité ou ce qu'il croit être cette vraie personnalité, et un autre moment où il assiste à la destruction de cette personnalité, généralement par la personne qu'il aime.

— Et c'est moi que tu accuses de philosopher…

— Je viens de lire ça dans un magazine. N'empêche que c'est vrai.

— Tu veux dire que Sandra est amoureuse de moi ?

— Elle t'a toujours aimé.

— Ah !…

— Elle n'a aimé que toi.

— Comment ça ?

— Je sais tout de toi. Tout, tout. Ce que tu aimes manger, ta couleur préférée…

— C'est quoi, ma couleur préférée ?

— Le jaune. Je sais aussi des choses complètement ridicules, comme ton nom de chien préféré, ton mois préféré…

— C'est quoi, mon mois préféré ?

— Avril.

J'ai le souffle coupé.

— Tu vois, dit-elle avec un quart de sourire, je sais tout de toi. Par elle. Tout ce qu'elle fait n'a pas d'autre but que de te plaire.

— Et les autres types avec qui je la vois ?

— Les autres n'existent pas. Ils lui servent de miroir pour savoir si ce qu'elle porte va te plaire. Tout ce qu'elle fait a un rapport quelconque avec toi. Si on va au cinéma, c'est parce qu'elle a su que tu y allais. Des fois, elle m'exaspère. D'autres fois, je l'admire d'être capable d'un tel sentiment. Ça ne paraît pas, mais Sandra est une passionnée.

— Moi qui pensais qu'elle n'était qu'une fille frivole.

— Oh ! ce n'est pas une sainte. Elle fait souffrir les hommes, mais on peut dire qu'elle souffre aussi. Vivre près de quelqu'un pour qui on se meurt d'amour sans jamais pouvoir lui dire le fond de son cœur est le pire des supplices. Ce qu'elle fait subir aux autres n'est rien à côté de ce qu'elle endure.

— Pourquoi ne m'en a-t-elle jamais rien dit ?

— Elle voyait que tu la désirais mais elle voulait être aimée de toi. Elle voulait que tu aimes la petite fille moche que personne n'a jamais remarquée, la petite fille complexée qu'elle était avant de te rencontrer.

— Écoute, tu es sûre que tu n'as pas lu cette histoire dans un magazine aussi ?

Elle éclate de rire.

— T'es vraiment pas un con, toi ! D'accord, j'exagère un peu. Je suis comme ça, je ne sais pas quand m'arrêter. Tout ce que je peux te dire, c'est qu'elle est folle de toi. Et ça c'est vrai.

On se regarde un temps. Elle dit vrai.

— Qu'est-ce que je peux faire ?

— Rien. Je voulais simplement que tu saches. Je me sens en partie responsable de ce qui lui arrive, c'est tout.

— Tu lui as fourni une arme pour survivre. Le danger ne vient pas de l'arme, mais de la manière dont on s'en sert.

Elle éclate de rire à nouveau. Un rire légèrement ironique.

— C'est de qui encore ? Bouddha, Jésus, Mahomet ? Tu philosophes tout le temps comme ça ?

— Juste quand je suis assis sur un banc de parc. Au fait, j'ai passé une soirée intéressante avec ton oncle. C'est un homme très sympathique.

Elle me regarde avec de grands yeux.

— C'est lui qui m'a amené ici. Il était avec ton père tout à l'heure et m'a expliqué que celui-ci avait dû retourner tout de suite à l'hôpital à cause d'une urgence.

— Qu'est-ce que tu racontes là ?

— Écoute. Je t'ai simplement dit que j'ai passé un bon moment avec ton oncle.

— Je ne vois vraiment pas de qui il peut s'agir.

— Le frère de ton père ! dis-je, un peu excédé.

— Mon père n'a jamais eu de frère. Il n'était pas médecin et il est mort depuis dix ans.

— Quoi ?

— C'est comme je te dis.

— Je ne suis pas fou, il était dans la maison tout à l'heure. Je l'ai même vu dans les chambres, à l'étage. Et c'est lui qui m'a appris que Régine était partie avec Lisa.

— Tu sais, on donne souvent des fêtes ici et il arrive qu'on ne connaisse pas la moitié des gens qui y viennent. Comment l'as-tu rencontré ?

— Oh ! Ce serait une longue histoire, mais il est un ami du docteur Bontemps qui lui a fait une piqûre, ce soir, à cause d'une morsure de chien.

— Je ne saisis pas trop bien ce que tu racontes. Excuse-moi, je suis un peu fatiguée. Mais si tu l'as vu avec le docteur Bontemps, tu n'as qu'à aller en parler avec lui, vérifier s'il le connaît vraiment. C'est tout ce que je peux te dire, fait-elle d'une voix lasse.

— Difficile. Je suis resté dans la voiture quand il est allé rencontrer le docteur.

Elle me passe la main dans les cheveux avec un sourire à la fois tendre et moqueur.

— Je suis un peu fatiguée. Je te laisse à tes méditations. Oh ! j'entends de la guitare, ça doit être Manu.

— Quel Manu ?

— Il n'y a qu'un Manu qui joue de la guitare.

Sur ce, elle file en direction de la maison illuminée. Je la suis en pensant que cette nuit est étrange. Je pensais à Manu tout à l'heure, et il est là. J'étais près de me faire dévorer par une meute de chiens, et voilà qu'a surgi de nulle part un homme dans une bagnole toute cabossée qui m'a sauvé. Cet homme se rendait justement à Pétionville, sur la place Boyer, dans la maison même où j'allais. Il m'a dit être le frère du maître de la maison, donc l'oncle de la meilleure amie de Lisa. Et voilà que la cadette, Bibi, m'apprend qu'elle n'a pas d'oncle et que son père est mort depuis belle lurette. Alors que Legba m'avait dit qu'il était avec son frère avant que celui-ci ne file à l'hôpital (c'est un médecin) à cause d'une urgence. L'homme qui m'a sauvé s'appelle Legba. Le nom du puissant dieu du panthéon vaudou qui se tient toujours à la barrière qui sépare le monde visible du monde invisible. Est-ce le vrai Legba ? À cette muette interrogation, il avait rapidement répondu sur un mode humoristique : « Aucune parenté. » Qu'est-ce qui se passe au fait ? Pourquoi tout ce théâtre ? Quel message veut-on me faire parvenir ? Y a-t-il des dieux là-bas (les chrétiens disent là-haut, les vaudouisants disent là-bas, là-bas en Afrique, lieu d'origine des dieux) qui n'acceptent pas mon départ ? Que dit Ogou, le dieu du feu ? Que fait Erzulie, la déesse du désir ? Que pense Zaka, le dieu des paysans ? Discute-t-on mon cas ? Ai-je des partisans ou des détracteurs dans le panthéon du vaudou ? Agoué, le dieu de la mer, même si je ne compte pas parmi les *boat people*, est-il quand même de mon côté ? Et surtout qui suis-je pour que le puissant Legba en personne se déplace pour me faciliter le passage ? C'est la nuit des vérités et des mensonges. La seule chose dont je sois sûr, c'est que rien n'est vrai dans tout ce que m'a raconté Bibi à propos de la prétendue passion amoureuse de Sandra. Elle est surtout blessée du fait que je l'ai rejetée tout à l'heure (ça arrive aussi à ceux qui sont trop sûrs d'eux), alors elle utilise tous les moyens à sa disposition, même le chantage de l'amour (peut-être qu'elle a menti à Bibi pour que celle-ci soit plus convaincante avec moi), pour me ramener sous sa coupe. Dans son univers, chaque échec est vécu comme une tragédie. Si Bibi est capable de me monter un tel bateau, peut-être ment-elle aussi au sujet de Legba. Peut-être est-il vraiment son oncle et en a-t-elle honte, à cause de son nom qui fait un peu paysan (seuls les paysans portent des noms de dieux), de sa vieille bagnole, de son manque de culture, de ses manières un peu rustres. Le reniement est courant dans les familles de Pétionville qui ont grimpé trop rapidement l'échelle sociale. Il y a toujours un cousin ou un oncle, resté au pied de l'échelle, qui continue à les visiter. Pour me convaincre de sa franchise, Bibi a spontanément réfuté chacune de mes informations : « Non, mon père n'avait pas de frère. Il n'était pas médecin. Il est mort depuis dix ans. » Impeccable. Trop peut-être. Elle m'a elle-même avoué qu'elle avait tendance à exagérer, à arranger les histoires à sa façon. Un homme comme Legba ne pouvait pas avoir tout faux. Pourquoi m'aurait-il menti si stupidement, lui qui savait si bien qui était Régine ? Si Legba dit vrai, qu'il est l'oncle de Bibi, alors il n'est qu'un simple mortel ; mais si Bibi a raison, j'ai affaire à un puissant dieu. Et pour les dieux, vérité comme mensonge étant affaires humaines, ils n'ont pas à en tenir compte.

(2 h 12) J'entre dans la maison, à la suite de Bibi qui se précipite dans les bras de Manu. Quelqu'un m'attrape aussitôt par la nuque. Une main ferme mais amicale. Je me retourne. C'est Philippe.

— On est passés chez toi.

— Tu as vu ma mère ?

— Oui, elle m'a dit que tu étais sorti. Elle m'a paru très fatiguée. Pour que ta mère ne m'offre pas à manger, faut que ce soit très, très, très grave. Je lui ai donné quelques vitamines. J'en ai profité pour lui faire savoir que je viendrai la chercher la semaine prochaine pour l'emmener, *manu militari*, voir un médecin. Chaque fois que je prends rendez-vous avec le docteur Bontemps et que je passe la chercher, elle se cache comme une petite fille.

— Encore une autre coïncidence étrange…

— Qu'est-ce que tu dis ?

— Rien, Philippe, non rien. Tu as mentionné le docteur Bontemps…

— Qu'est-ce qu'il y a ? C'est un excellent médecin. Je n'aurais jamais emmené ta mère chez un mauvais médecin !

— Je le sais, Philippe. Je pensais à autre chose.

Philippe est préoccupé par les problèmes de santé de ma mère. Elle ne mange presque rien depuis quelque temps. Elle est si frêle que j'ai peur que la première grippe venue ne la terrasse. Heureusement que Philippe veille sur elle, ainsi que sur tante Renée. C'est Philippe qui me donne généralement le bulletin de santé de ma mère.

— Philippe, dis-je avec affection, tu es la seule personne que je connaisse qui me parle de ma mère de manière si filiale.

Lui, il continue sur sa lancée.

— Si au moins elle prenait les médicaments que je

lui donne. Mais non ! elle les distribue dans le voisinage. Renée, c'est différent, elle suit toujours à la lettre tout ce qui concerne sa santé.

— Philippe, ce n'est pas de ça que je te parle. Je veux dire que tu es un vrai frère pour moi et je viens de prendre conscience que, toi et moi, on n'a jamais eu une seule vraie conversation politique, ce qui est un record dans ce pays.

— Je te parle des problèmes de santé de ta mère et toi, tu me parles de politique !

— Écoute, Philippe, c'est tout le contraire. Je voulais te signaler le fait, pour moi à la fois étonnant et agréable, de n'avoir jamais parlé politique avec toi.

Philippe m'écoutait d'un air profondément ennuyé.

— Vieux Os, si tu comptes parler politique ce soir, va trouver Manu, mais je te préviens qu'il est soûl comme une bourrique et que Bibi n'arrête pas de lui remplir son verre.

— Mais, moi je...

Il ne me prête plus la moindre attention.

— Pour les Haïtiens, il suffit de raconter comment ils dirigeraient le pays s'ils en étaient le président. Ils ne pensent qu'à ça : être président de la République d'Haïti. Les autres pays ne comptent pas. J'en ai marre. Il n'y a pas un seul cordonnier, ni un seul tailleur, ni un seul cultivateur, ni un seul médecin, ni un seul professeur, ni un seul banquier, ni un seul mécanicien, ni un seul poète, ni un seul pompiste, ni un seul chauffeur de taxi, ni un seul boucher, ni un seul vétérinaire, ni un seul prêtre dans ce pays. IL N'Y A QUE DE FUTURS PRÉSIDENTS.

Philippe a hurlé les derniers mots. D'ordinaire silencieux, doux, affectueux, cet homme ne se fâche qu'une fois ou deux l'an, souvent après avoir pris un coup avec Manu. Quand ça lui arrive, alors là, il n'y a plus moyen de l'arrêter. Il peut répéter la même chose pendant des heures et alors personne ne peut placer un mot. Comme c'est ma dernière nuit avec lui, je vais tenter ma chance d'éclaircir mon point de vue.

— Philippe, dis-je sur ce ton sec et amical que je prends quand je dois absolument dire quelque chose, je ne parlais pas de politique, ce que je disais exactement c'est que…

— Alors pourquoi tu me dis cela ? Tu veux insinuer que moi, je parle de politique ? La seule politique que je pratique, c'est de bien payer mes employés, et quand l'autre dit que je suis un négrier, je ne sais même pas ce qu'il veut dire par là. Lui-même ne doit pas le savoir non plus car il n'aurait jamais osé me traiter de négrier quand c'est lui qui vole les vies des gens en les racontant dans ses chansons.

Je comprends enfin l'origine de la colère de Philippe. Manu et lui ont dû avoir une discussion et Manu a sans doute tenté, pour faire chier Philippe, de lui donner mauvaise conscience du fait qu'il possède une petite manufacture de meubles où travaillent une douzaine de personnes. D'ordinaire, Philippe ne prête pas attention aux pointes de Manu, sachant qu'il essaie uniquement de le faire sortir de ses gonds. Mais une fois ou deux l'an, il perd patience.

— Je paie les artisans qui travaillent chez moi trois

fois plus que partout ailleurs. Il n'a qu'à mener une enquête dans le quartier industriel, près de l'aéroport, pour savoir si je dis la vérité…

— Il le sait, Philippe.

— En plus, je m'occupe de leur santé et de celle de leur famille.

— Ne te fâche pas, il m'a même dit la semaine dernière que si tu continues comme ça à dépenser plus que l'affaire ne te rapporte, tu cours à la faillite et que ce n'est pas ainsi que tu rends service à tes ouvriers.

Il me regarde, complètement interloqué.

— Il t'a dit ça ?

— Bien sûr.

— Alors, pourquoi a-t-il osé dire que j'étais un négrier ?

— Simplement pour te faire enrager… Tu penses que Manu serait l'ami d'un négrier ?

Un large sourire illumine son visage, mais cela n'a duré qu'un bref instant.

— Non, non, Manu n'est pas innocent. Je le connais. S'il l'a dit, c'est qu'il le pense un peu…

Je regarde Manu, assis par terre au milieu d'un groupe attentif à chacun de ses oukases. Philippe m'avait glissé qu'il était soûl depuis déjà un moment. Il doit être complètement parti. Ailleurs. Et dans ces cas-là, le délire total, il peut dire n'importe quoi. Des trucs qui n'ont ni queue ni tête, comme « la boucle d'oreille qu'on a trouvée dans la bouche du poisson qui parlait anglais avec un notaire japonais qui ne savait pas nager mais faisait des photos sans flash », ou des grossièretés aux filles, des injures, n'importe quoi. Des fois, il s'entretient avec des personnes qui ne sont même pas présentes dans la pièce. Il continue simplement une conversation entreprise la veille ou la semaine précédente. Alors qu'est-ce qu'il est en train de raconter pour tenir tout le monde ainsi en haleine ? L'attention qu'il s'attire est un effet direct de son charme. Manu n'arrête jamais la machine de séduction. Partout où il passe, il séduit les femmes, les hommes, les enfants et les animaux domestiques. C'est ainsi, on n'y peut rien.

— Alors, quand on vient me dire que je suis un négrier, je réponds que ce pays a plus besoin de négriers comme moi que de tous ces faux candidats à la présidence. S'il y avait beaucoup plus de négriers comme moi, on aurait moins de misère.

Il est hors de lui. Personne ne pourra l'arrêter. Je renonce à tenter de le remercier pour tout ce qu'il fait pour ma mère et ma tante. Sachant qu'il est dans ce pays, je pars un peu plus soulagé. Je sais qu'il continuera à prendre soin d'elles. Sa relation avec ma mère et tante Renée n'a plus rien à voir avec moi. Au fond, il est la seule personne à qui je pourrais aisément confier que je pars. Et la seule aussi qui ne m'aurait pas jugé sur un plan politique ou moral. Philippe est un ami. Il n'a pas d'autre critère que l'amitié. Je sais aussi qu'il ne me jugera pas non plus quand il apprendra que je suis parti sans même lui dire au revoir. Naturellement, cela le blessera, mais il finira par comprendre. Je le connais. Ensuite, il fera croire aux gens que je lui avais annoncé mon départ imminent et qu'il avait partagé ma décision. D'ailleurs, c'est lui qui m'avait conseillé de n'en parler à personne. Il faudra que je trouve une façon de lui dire au revoir, sans qu'il se doute que je pars, car j'ai juré à ma mère de n'en parler à personne.

— Philippe, tu sais que tu es un frère pour moi...

— Arrête de répéter ça. Tu me fais frissonner chaque fois que je t'entends parler comme ça. J'ai l'impression que tu vas mourir ou que tu me fais tes adieux.

Il ne croit pas si bien dire.

— Qu'est-ce que tu voulais me dire exactement ? me lance-t-il sur un ton presque brutal.

— Je voulais te remercier pour tout ce que tu fais pour ma mère.

Il me jette un drôle de regard.

— Pourquoi tu me dis ça ? Es-tu jaloux ?

Je tombe des nues.

— Pourquoi serais-je jaloux de toi, Philippe ?

— Tu ne vois pas la tête que tu fais chaque fois que ta mère s'occupe de moi ! Tu pourrais mieux cacher ton jeu.

Bon, il n'y a rien à faire, c'est plus grave que je ne le pensais. Il est en plein délire. Les mécaniques les plus sophistiquées peuvent bien dérailler de temps en temps.

— Peux-tu me déposer à la maison, Philippe ?

Il devient immédiatement rouge.

— Pourquoi tu me demandes ça ? Qui d'autre que moi te dépose chez toi ? C'est ce type que j'attends. J'attends qu'il ait fini de raconter sa salade.

Philippe est le plus grand admirateur de Manu. Pour lui, Manu est le seul vrai prince de ce pays. Alors, pour qu'il parle de Manu en ces termes, il faut qu'il soit très vexé. Cela se voit encore qu'il est ivre de colère mal contenue. Malgré tout, il attend que Manu finisse son monologue pour le reconduire chez lui, à Carrefour, à l'autre extrémité du grand Port-au-Prince. Et ce n'est pas lui qui irait interrompre Manu quand celui-ci est en train de raconter ses histoires interminables qui s'achèvent toujours par un tombereau d'insultes lancées à la tête de ceux qui l'écoutent si sagement. Après une dizaine de minutes de grossièretés, je me lève et me dirige vers lui. Sans dire un mot, je le prends par les aisselles pour le soulever de là où il est assis. Aussi léger qu'un oiseau (il ne mange que très rarement). Je passe ensuite son bras gauche autour de mon cou, et c'est ainsi que je l'emmène à la voiture. Arrivé à la porte, comme il le fait à chaque fois, il se retourne pour saluer une dernière fois ses disciples.

— Manu, Manu, Manu, lance Bibi en courant, tout excitée, derrière nous, tu t'en vas sans même me dire au revoir ?

Elle s'accroche désespérément à Manu, l'embrassant sur tout le visage. C'est l'effet que ce type fait aux femmes ; même soûl mort, il séduit dix fois plus que moi. Quand Bibi finit par le lâcher, elle me fait un clin d'œil complice pour me remercier de m'occuper de Manu à sa place. Elle n'est pas la petite amie de Manu, mais une des prêtresses de son temple. Partout on trouve des filles comme Bibi pour prendre soin de Manu. Elles sont toutes dingues de lui mais, lui, il n'a d'yeux que pour Antoinette. Bien sûr, il fait semblant de ne pas s'intéresser à elle sur ce plan-là, mais je l'ai surpris maintes fois en train de la regarder en catimini. Nous sommes tous plus ou moins amoureux d'Antoinette. Elle est à Madrid en ce moment, chez une amie où elle passe l'été. C'est elle la flamme du groupe que je forme avec Philippe et Manu. Sans elle, on perd notre cohésion.

— Comment va Sandra ? je demande à Bibi.

— Bien, dit-elle rapidement.

Elle semble avoir oublié notre conversation dans le parc. *Exit* Sandra. En ce moment, elle est branchée sur Manu. Je viens de remarquer qu'elle ne le lâche pas des yeux une seconde. Finalement, c'est vrai ce qu'on dit. C'est bien l'amour, la grande passion humaine. Il bat même le pouvoir au *hit-parade* des passions. Il n'y a que l'amitié pour lui faire face. Moi, je balance constamment entre ces deux pôles. L'amitié et l'amour. Nous avons tous nos petites misères personnelles, bien locales, qui ne concernent que nous et ceux qui nous entourent. Mais dès qu'on tombe amoureux, on rejoint automatiquement l'universel. Manu s'est installé à l'arrière, ronflant avant même que la voiture ne démarre. Le regard brûlant de Bibi sur Manu. Bibi qui avait l'air, tout à l'heure, au parc, si sûre d'elle, un peu ironique par moments (toute trace d'ironie a disparu de son visage puisque l'amour ne se nourrit que d'innocence), eh bien, elle ne rêve que du jour où Manu se tournera vers elle pour la découvrir enfin. Et moi je ne pense qu'à Lisa.

Dans la jeep (2 h 32)

Nous sommes restés silencieux dans la jeep jusqu'à la sortie de Pétionville. Subitement, un cri déchirant. C'est

Manu. Je me retourne pour voir ce qu'il a. Il est déjà en train de ronfler à nouveau.

— Le jour, il intimide tout le monde, dit calmement Philippe, mais la nuit, il fait des cauchemars comme un enfant.

Philippe se met brusquement à rire. Je l'imite sans savoir pourquoi il rit. Son visage a retrouvé son calme naturel.

— Où étais-tu ? On t'a cherché partout quand on a appris la mort de Gasner.

— Je ne pouvais pas rester à la maison… C'était devenu trop dangereux.

— Je comprends.

Je m'assoupis un peu. On continue à rouler dans la nuit.

— Tu sais qu'il n'y a qu'une seule façon de tuer le dictateur, dit tranquillement Philippe.

Je me réveille.

— Hein ! Qu'est-ce que tu racontes là ?

— Je peux tuer ce type quand je veux.

— De qui parles-tu, Philippe ? Quel type ?

— Le président. Tout le monde sait que je ne fais pas de politique, que ce sont les affaires qui m'intéressent. Ils le savent tous, alors ils ne se méfient pas de moi. Je peux m'approcher du président n'importe quand, je sais que son rêve est de se mêler à la bourgeoisie de Pétionville. Tu parles d'un rêve ! Faut être vraiment un minable.

— D'accord, Philippe, tu t'approches du président, et qu'est-ce qui se passe après ?

On vient de passer devant la maison du colonel Gracia Jacques, l'ancien garde du corps de Papa Doc.

— Je sais, dit Philippe sur un ton décidé, qu'on ne me laisserait pas arriver armé près de lui.

— Alors ?

Il hésite un moment.

— Bon, j'attends un dîner. Je m'approche derrière lui et je lui tranche la gorge.

— Où as-tu pris le couteau ?

— Tu ne m'écoutes pas. On est à un dîner. Je lui tranche la gorge.

— Et ses gardes te tuent avant que tu ne puisses quitter la pièce.

Philippe sourit en se tournant vers moi.

— Bien sûr qu'ils me tuent. On ne peut pas tuer un président sans mourir. Le problème avec les Haïtiens, c'est qu'ils parlent, mais que personne n'est prêt à mourir.

— Heureusement, Philippe. Il faut trouver une solution où l'on n'aura pas à mourir. Je crois qu'il faut arrêter de faire l'éloge de la mort dans ce pays. Je ne peux plus respirer dans une telle atmosphère. Moi, je veux vivre. Je préfère vivre de n'importe quelle manière plutôt que de mourir, même en héros.

— Si le dictateur meurt, le pays ne s'en portera que mieux. Tu es d'accord, Vieux Os ?

— Eh bien, non, Philippe, au contraire, ce serait le chaos total, et ce ne sont pas les aspirants dictateurs qui manquent. La solution aux problèmes de ce pays ne sortira pas du Palais national. Personne ne peut occuper cette fonction en Haïti sans devenir soit une poupée que n'importe qui peut manipuler, soit un dictateur. Pour faire taire tous les gens qui crient famine, il faut les jeter en prison ou les tuer. Et dès qu'on a versé le sang, il faut se protéger avec des milliers d'espions qui vous renseignent et une force brutale pour réprimer les contestataires. Voilà comment s'installe la dictature. Même toi, Philippe, si tu deviens président, tu n'auras pas d'autre solution.

— Es-tu en train de légitimer la dictature ?

— Non, on parle toujours des dictateurs comme si le type avait un germe de tyrannie en lui, sans penser que c'est la situation qui crée cette manière de gouverner. Ce n'est pas pour rien que c'est dans les pays pauvres que s'installent généralement les dictatures.

— Et qu'est-ce qu'il faut faire ?

— Je ne sais pas, Philippe.

Manu se réveille, s'étirant comme un chat.

— Comme ça, Philippe, si j'ai bien entendu, tu veux tuer le président et devenir le nouveau dictateur ?

Philippe lâche brusquement le volant. Je lui fais signe de se calmer.

— Tu dormais Manu, finit-il pas dire. Tu ne sais même pas de quoi on parlait.

— J'ai tout entendu, mon vieux. Tu veux inviter le président à dîner pour le tuer, ce qui n'est pas mal comme plan, et ensuite prendre sa place.

— Je n'ai pas dit que je prendrais sa place, lance Philippe avec une certaine irritation.

Voilà, je n'ai pas pu l'empêcher de se jeter tête baissée dans le piège de Manu.

— C'est vrai, Philippe, que tu ne l'as pas dit, continue Manu, mais on sait que c'est ce qui se passerait. Tu crois qu'on te tuerait, et c'est là l'erreur. Si cela se passait à Carrefour, chez moi, on me ferait dévorer par les chiens, mais à Pétionville, ne seront admis que des gardes du corps triés sur le volet qui savent faire la différence entre un contestataire en sueur et un bourgeois parfumé. Alors, ne t'inquiète pas, ils ne se mêleront pas de ce qui les dépasse. Ils vont bien se conduire, impressionnés par l'argenterie, les serviteurs, la beauté des femmes, l'élégance des hommes, les bonnes manières des jeunes mulâtresses. Un meurtre de classe.

— Tu fantasmes, Manu, lance Philippe. Tu as trop vu de films français de l'époque des rois.

— Écoute, Philippe, tu ne vas pas inviter le président à un buffet. Il s'agira d'un dîner correct... au Cercle Bellevue, par exemple.

— Et alors ?

— Je te dis que si un bourgeois de Pétionville zigouille un président noir qui rêve d'être accepté par la bourgeoisie mulâtre, les officiers qui l'accompagnent éviteront de se mêler de cette histoire, estimant que cela se passe dans les hautes sphères du pouvoir, à un niveau trop élevé pour eux. Et le peuple, prêt à embrasser n'importe quel changement pensera qu'il est temps d'essayer un vrai bourgeois de Pétionville. Comme il est déjà riche, se dit le peuple, il ne va pas bouffer ou revendre, comme tous les précédents présidents l'ont fait, les sacs de riz et les caisses de jambon que les organismes internationaux jettent aux sinistrés. C'est ce que le peuple espère, Philippe.

— Je vois ton point de vue, Manu, mais je n'ai jamais dit que je prendrais la place du dictateur.

Manu rit. Un rire de chat de gouttière.

— À partir de ce moment, c'est le peuple qui décide. Il viendra te chercher là où tu es pour te transporter directement au cri de « Vive Philippe Lambert, président à vie d'Haïti ! ». Tu ne vas pas décevoir le peuple, Philippe.

— On peut toujours refuser, rétorque candidement Philippe.

Manu sourit, estimant que le poisson est bien ferré. Il a fini par amener Philippe sur son terrain. Le but de Manu n'est pas très compliqué : rendre la vie difficile à Philippe jusqu'à ce qu'il arrive chez lui, à Carrefour, et qu'il rentre se coucher. C'est sa conception d'une bonne soirée entre amis. Ses meilleurs amis. Philippe le sait, mais il ne peut plus faire marche arrière. Quand la machine rhétorique de Manu, parfaitement huilée, est ainsi lancée, on ne peut ni l'arrêter, ni lui faire face, ni même l'éviter, il faut tout simplement la subir.

— Donc, Philippe, tu refuses. Tu veux rentrer chez toi. Crois-tu que ta famille, je parle surtout de ta famille élargie, acceptera de te voir refuser une telle occasion ? Si être le gardien du Trésor national est une fonction difficile et dangereuse, être le cousin du gardien, je t'assure, mon vieux, n'est pas une situation que ton cousin est prêt à voir filer sous son nez sans rien faire. S'il le faut, il te tuera. Ne pas oublier non plus tous ces nouveaux parents (les faux cousins, les fausses cousines, les fausses tantes, les faux oncles, et les vrais flatteurs) qui vont déferler sur le Palais national, venant de tous les coins du pays et même de l'étranger. Et pour compliquer le tout, la CIA viendra t'expliquer, photos à l'appui, que tu es en danger de mort et qu'il te faut d'urgence une protection rapprochée, mais qu'elle ne pourra te l'offrir que si tu deviens président. « On ne peut pas protéger quelqu'un qui ne remplit pas une haute fonction officielle », te dira, dans son lourd accent américain, le directeur de la branche caraïbe de la CIA. Il faut ajouter à cela tes nombreux nouveaux amis qui ne sont pas si différents de tes nombreux nouveaux ennemis, sans oublier les belles femmes (c'est automatique dans ce pays : quand un Noir devient président, on lui offre, comme trophée, un bouquet de belles mulâtresses, et quand il est mulâtre, ce sont les belles négresses, genre Néfertiti aux fesses rebondies, qui se ruent vers le Palais national), l'argent, les voitures luxueuses, les voyages officiels, la gloire…

— On dirait que tu m'envies déjà la place, lance Philippe à Manu.

Tout le monde rit dans la jeep qui se met à sautiller.

— Non, Philippe, dit Manu, je ne veux pas ta place. Je veux diriger le Service de sécurité du président (SSP).

— Dis-le, Manu, tu veux devenir le chef des tontons macoutes, jetai-je.

Manu sourit pour accuser le coup et aussi pour annoncer sa contre-attaque. Je connais très bien l'animal.

— Quand même, on ne va pas garder ce nom affreux… Au lieu de tontons macoutes, on va s'appeler les Gentils Organisateurs, et on fera de ce pays un Club Med.

— Je préfère qu'il reste dans l'état où il est, fulmine Philippe.

— Tu sais pourquoi je veux ce travail, Philippe ? C'est parce que je suis un paranoïaque.

— Enfin, tu l'avoues, dis-je.

— Je ne suis pas du tout paranoïaque, moi, dit Philippe tout en ralentissant devant le grand trou juste en face du *Napoli.*

Je me penche pour voir César Barthelmy en train de rêver son banc.

— T'inquiète pas, Philippe, ça ne va pas tarder. Supposons qu'il y a une centaine de personnes qui veulent absolument te voir mort, dont certaines font partie de ta famille. Et des milliers de rivaux qui gardent les yeux rivés sur ton fauteuil présidentiel, surtout ceux, parmi tes meilleurs amis, dont un est en ce moment avec nous dans la jeep (il pointe un doigt sec sur moi), que tu viens tout juste de nommer à un poste élevé qui les place pas loin de ton bureau et de ton oreille. Je te parie, mon cher Philippe, que ça ne te prendra même pas une semaine pour devenir le plus paranoïaque des hommes. Mais, moi, je serai le paranoïaque en chef.

— Cela veut dire quoi ? demande Philippe, inquiet.

— Cela veut dire que je ferai espionner même le président.

— Pourquoi le président ?

— Pour qu'il n'attente pas à sa vie ! Je ne tolérerai aucun attentat à la vie du président à vie, même de la part de celui-ci…

— Et toi, Manu ?

— Moi, je me ferai espionner par une firme privée.

— Eh, Philippe ! je hurle, tourne ici s'il te plaît.

— Où vas-tu ? Je croyais que tu allais chez toi, me dit Philippe avec un certain étonnement.

— Il va chez Lisa, Philippe, répond Manu à ma place.

— À cette heure ! s'étonne Philippe.

— C'est pas de tes oignons, crache Manu.

Je descends de la jeep et je me dirige vers la barrière de la maison de Lisa. Comme on l'a toujours fait, mes amis et moi, on ne se salue pas en se quittant. Par pure superstition. On a l'impression que, le jour où on se dira au revoir, on ne se reverra plus jamais après. Quand on vit la nuit dans un pays aussi dangereux, on finit par adopter quelques rituels. Par exemple, celui de se quitter sans jamais se dire au revoir. Comme ça, on est sûrs de se revoir le lendemain. Au revoir, mes amis.

La princesse endormie (3 h 05)

Je saute par-dessus la barrière et me dirige droit vers la porte d'entrée. Celle-ci s'ouvre brutalement devant mon nez. Et le Cerbère se tient en face de moi. Je ne l'ai jamais vu d'aussi près. Je me retrouve immédiatement dans les fables de mon enfance où, pour délivrer la princesse, il fallait terrasser le dragon.

— Comment osez-vous vous présenter chez des gens à cette heure ?

— Madame Villefranche, j'ai passé toute la nuit à

chercher Lisa. Maintenant que je sais qu'elle est là, vous ne m'empêcherez pas de la voir.

Je n'ai pas reconnu ma propre voix tant elle est sèche et dure, presque métallique.

— Jeune homme, je suis ici chez moi et il s'agit de ma fille.

— Vous vous trompez, madame Villefranche, il s'agit de la femme que j'aime.

Le dragon me regarde avec plus de feu dans les yeux et dans la bouche que l'enfer ne pourrait en contenir, même par un midi de juillet. Je savais que ce face-à-face allait avoir lieu un jour.

— Madame Villefranche, vous avez devant vous un homme désespéré et prêt à tout, ai-je sifflé.

— Que voulez-vous de ma fille ?

Sa voix a baissé d'un cran dans sa colère, mais il lui reste encore assez de flammes pour incendier le quartier. Elle évite de me regarder dans les yeux, de peur d'y voir l'extrême détermination de l'amour et d'avoir à baisser pavillon en face d'un tel sentiment, à la fois si obscène et si pur. Les mères évitent de voir leur fille, simplement habillée d'innocence, dans les yeux de l'autre. Trop d'intimité intimide.

— J'ai entendu son nom à la radio hier soir. C'est toi qui l'as fait appeler ?

— Oui, dis-je.

J'attends le verdict. La tête sous la guillotine. Long moment de silence pendant lequel j'ai le temps de visualiser la tranchante lame me couper la tête. N'entendant pas le bruit de la guillotine, je lève les yeux. Oh ! miracle.

Elle sourit. Je n'avais jamais vu Mme Villefranche sourire. Un sourire radieux. Elle est comme inondée de joie. Et combien séduisante. Je reconnais là la mère de Lisa. Je me demande quand et pourquoi elle a cessé d'être cette femme avec ce sourire si séduisant pour devenir le Cerbère ? Quand et pourquoi a-t-elle renoncé à une vie pleine de charmes, de séductions et de sourires engageants pour devenir exclusivement l'implacable gardienne de la princesse endormie ?

— C'était très romantique, murmure-t-elle.

J'ai le souffle coupé. Complètement ahuri.

— Que voulez-vous dire par là, madame Villefranche ?

— J'ai trouvé de l'appeler ainsi, durant cette émission, très romantique.

— Ah !…

— Je peux comprendre ça. Je ne suis pas un cerbère comme vous dites tous.

— Vous êtes au courant ?

— Bien sûr. Quand j'ai su que les jeunes gens m'appelaient comme ça, j'ai passé la matinée à pleurer. Je n'aurais jamais imaginé qu'on m'appellerait ainsi un jour. Plus tard, j'ai longuement réfléchi et je me suis dit que pour protéger ma fille, j'étais prête au pire. Ma fille, c'est tout ce que j'ai.

— Croyez-moi, madame Villefranche, je suis profondément désolé d'apprendre que vous ayez eu de la peine.

— Tu es un garçon charmant et bien élevé, mais je connais bien les hommes haïtiens. Ils sont tous ainsi jusqu'à un certain âge. Après, ils deviennent violents. Après trois ans de mariage, ils commencent déjà à battre leur femme. Avant, c'était sept ans, maintenant, c'est trois. Tous les peuples progressent, mais nous, on régresse. Je ne veux pas que ma fille tombe entre des mains comme celles-là.

— Donc, elle ne se mariera pas ?

— Avec un homme civilisé qui vient d'un pays où l'on ne passe pas ses temps libres à battre sa femme. Et je sais de quoi je parle, jeune homme. Tous les hommes que j'ai eus m'ont battue. Ils étaient tous charmants, au début. Je me suis trompée à chaque coup. Je m'étais juré qu'on ne m'y reprendrait plus, mais il est arrivé un autre homme encore plus raffiné que les autres. Il était aussi le pire des batteurs de femme. Je parle de mon troisième mari, le père de Lisa. Aujourd'hui, je sais que ce n'est pas leur faute.

— C'est la faute de qui ?

— C'est le vaudou. Ils refusent Dieu et préfèrent se vautrer dans la boue noire. Cela fait un joli paquet : le vaudou, la dictature et l'Afrique.

Je crois comprendre. J'aurais dû m'en douter. Mme Villefranche est un peu claire de peau (elle n'est pas noire, mais ce n'est pas pour autant une mulâtresse), elle vit dans un quartier agréable, mais assez pauvre. Elle se sent déclassée et se bat farouchement pour garder la tête hors de l'eau. Avec toujours cette impression frustrante de n'être pas à sa place. Sa place, naturellement, est à Pétionville, où elle passerait facilement pour une mulâtresse. Elle a la bonne couleur : c'est l'argent qui lui manque pour être quelqu'un. Je peux supposer que ses parents étaient de couleur différente. Chez elle s'affrontent quotidiennement deux mondes. « Le joli paquet » dont elle parlait, c'est-à-dire le vaudou, la dictature et l'Afrique, face à l'Église catholique, l'Europe et la démocratie. Elle vit profondément, dans son intériorité la plus intime, ce conflit. Le plus vieux conflit culturel haïtien. Rien n'est plus terrible que de faire partie d'une culture qu'on méprise. Ce n'est pas un débat, c'est un drame. Que faire ? Tenter de discuter avec elle pour essayer de lui faire adopter un autre point de vue ou lui faire un beau sourire qui me donnera peut-être accès à Lisa ? Je n'hésite pas une seconde. La culture vient après l'amour. J'espère que Price-Mars me pardonnera.

— Tu voulais voir Lisa ? Elle dort en ce moment. Comme elle est insomniaque, elle prend des pilules pour dormir. La maison pourrait bien exploser, elle ne se réveillera pas avant neuf heures demain matin.

Mon visage doit refléter une immense déception, car Mme Villefranche s'empresse d'ajouter, pour adoucir ma peine :

— Tu peux venir vers onze heures, elle sera là. De toute façon, tu reviens dans cette maison quand tu veux.

Voilà qu'elle m'ouvre sa porte le jour de mon départ.

— Puis-je la voir ? je lance spontanément, tentant de forcer la main de ce destin trop cruel qui me donne une chose avec la main droite pour me l'enlever avec la main gauche.

Cette sensation étrange, ressentie tout au long de

cette nuit, que tout ce à quoi j'aspire se trouve à la fois tout près de moi tout en restant inaccessible.

— Je viens de te dire qu'elle dort.

— Juste un moment. Je ne la réveillerai pas…

Elle rit.

— Tu ne pourras pas non plus… Quand elle finit par dormir, rien ne peut la réveiller.

— Pourrais-je la voir ?

Son regard dur se termine par un sourire dévastateur, comme une fleur rouge au bout d'une méchante tige.

— Suis-moi.

Je marche sur la pointe des pieds, évitant de faire le moindre bruit de peur de réveiller la princesse endormie.

— Tu peux marcher normalement, lance Mme Villefranche d'une voix forte qui me fait sursauter.

On arrive. J'entre dans une petite chambre bleue. Mme Villefranche ne me suit pas. Elle referme doucement la porte derrière moi. Une vraie chambre de conte de fées. Lisa est si belle que j'en ai le souffle coupé. Les paupières si gracieuses. La gorge chaude. Les lèvres agréablement retroussées sur un faible sourire. Elle respire à peine, les poings légèrement fermés, comme une enfant en train de rêver. Faites, mon Dieu, qu'elle soit en train de rêver l'histoire qui se déroule en ce moment. Celle d'un jeune prince qui a terrassé, avec un sourire, le Cerbère, avant de pénétrer dans la chambre de la princesse endormie. Me voilà dans le conte de mon enfance. Mais mon cœur bat trop vite. J'ai l'impression d'être allé trop loin. Je touche au centre du mythe. Il me faut quitter cette pièce immédiatement. Le cœur humain n'est pas assez résistant pour vivre trop longtemps dans un conte de fées. Je n'arrive plus à respirer. Il n'y a pas d'oxygène dans cet univers-là. Je dois sortir tout de suite, sinon ma poitrine va éclater. Je m'appuie un moment contre le chambranle de la porte afin de reprendre mon souffle. Puis je sors en prenant soin de refermer doucement la porte derrière moi. L'image de Lisa endormie dans sa petite chambre bleue, j'en suis convaincu, m'accompagnera tout au long de mon existence.

Les dames de l'aube (3 h 21)

J'ai l'impression de connaître ces deux femmes qui traversent la place Sainte-Anne, tête baissée, comme des zombies.

— Madame…

Elle se retournent ensemble. Je ne m'étais pas trompé. C'est bien la mère de Gasner. Et la jeune femme, c'est sa sœur. Je savais par Gasner, qui s'en moquait un peu, qu'elles assistaient, tous les matins, à la messe de quatre heures, à l'église Sainte-Anne. Même la mort de Gasner n'a pas pu modifier un tel rituel. Je ne les connais pas trop bien, ne les ayant rencontrées que deux ou trois fois. Gasner parlait rarement de sa famille. Sa sœur est très jolie, mais d'une beauté un peu sévère, triste même. C'est un tempérament assez sauvage, m'a dit, une fois, Gasner. Elle est comme une jeune sœur pour sa mère. Je sais aussi qu'à part Gasner aucun autre homme ne trouve grâce à ses yeux. On sent chez la mère une grande détermination que les pires épreuves n'ont pas pu altérer.

— Madame, je ne sais pas si vous me reconnaissez…

Elle me jette un bref coup d'œil.

— Mon fils !

Les larmes me montent tout de suite aux yeux. La mère de Gasner me prend dans ses bras tandis que sa jeune sœur me serre discrètement la main.

— J'ai beaucoup pensé à toi et, dès que j'ai appris la mort de Gasner, j'ai demandé de tes nouvelles. Je savais que tu étais tout le temps avec lui. Quelqu'un m'a dit que vous n'étiez pas ensemble à ce moment-là, je me suis agenouillée et j'ai remercié Dieu.

— Moi aussi, dit la jeune sœur, j'étais contente d'apprendre que tu n'étais pas sur la plage où on l'a trouvé. J'ai dit à ma mère : « Ils doivent continuer à chercher parce qu'il y a sûrement un deuxième corps. »

— Oui, il était passé me chercher à la maison. On devait aller ensemble interviewer deux employés de Ciment d'Haïti à propos de la grève. J'étais au fond de la cour, aux latrines, et ma mère a pensé que j'étais déjà parti. Gasner a donc filé à ma recherche, pensant me trouver au *Daddy's Bar* où j'ai l'habitude de déjeuner. On m'a dit, plus tard, qu'il y était passé en coup de vent et que, ne m'ayant pas vu, il avait continué son chemin, espérant me croiser quelque part au cours de la journée. Si jamais on se rate le matin, on sait que le prochain rendez-vous est à midi, au restaurant de *Madame Michel.*

— C'est où, ce restaurant ? me demande la mère, intriguée par tout ce qui concerne son fils.

— Pas loin de la place Carl-Brouard.

— Je sais, dit la sœur, en face du temple Ebenezer.

— Je vois, dit la mère.

Elle pointe un doigt vers le ciel.

— Maintenant, il est avec Lui.

— Je me dis que si j'avais été avec lui, peut-être qu'à nous deux…

— Non, fait la mère d'un air épouvanté, ils t'auraient tout simplement tué. Ce sont des tueurs. Ils ne savent faire que cela. Gasner est mon fils chéri, mais je suis contente qu'il ait été seul. Un seul suffit. Je n'aurais pas pu supporter deux morts. Mon pauvre cœur n'en aurait pas été capable.

— Le jour de Gasner était arrivé, fait calmement sa sœur.

Je ne comprends pas ce ton presque serein pour parler du fils ou du frère. Ce détachement doit cacher une immense douleur.

— Je sais que c'est une perte irréparable pour vous.

— Il était mon espérance, dit la mère.

— Mais vous avez l'air si calme…

— C'est grâce à la prière, souffle-t-elle.

— Quand on croit sincèrement en Dieu, ajoute la sœur, on le sent toujours à ses côtés, surtout dans les moments difficiles.

— *Amen,* dit la mère. Je n'ai aucune haine. Ma vie est vouée uniquement à la prière. Je prie Dieu pour qu'Il pardonne aux bourreaux de mon fils.

— Et la justice ? je crie. Les meurtriers de Gasner doivent être jugés et condamnés pour ce crime intolérable.

La mère sourit tristement.

— Je vais m'asseoir un peu. Je me fatigue vite depuis quelque temps. Nous sommes en avance et j'aimerais parler un moment avec toi.

— Avec plaisir, dis-je en m'asseyant entre la mère et la fille.

— Nous arrivons toujours une demi-heure avant la messe, précise-t-elle, afin de pouvoir faire une petite prière à sainte Anne avant l'arrivée de la foule.

— Tu sais, m'apprend la sœur sur un ton plus fougueux, nous sommes allées à la morgue et on a refusé de nous laisser voir le corps de Gasner...

— Qui ?

— Des militaires qui gardaient l'entrée de la morgue. Je leur ai dit que nous étions sa sœur et sa mère, mais ils nous ont barré le passage.

— L'officier, un certain Christophe quelque chose, continue la mère, m'a dit que son corps était la propriété de l'État haïtien.

— Je leur ai alors demandé, enchaîne la sœur, s'ils entendaient poursuivre les coupables afin de les juger pour ce crime horrible.

Le ton avait nettement changé. Elles sont devenues plus agressives, plus vraies.

— Ils ont répondu à ma fille, écoute bien, que rien ne prouve qu'il ait été assassiné et qu'il a bien pu mourir d'une crise cardiaque ou des suites d'une insolation attrapée sur la plage.

— Je vois. C'était pour échafauder ce mensonge qu'ils l'ont traîné sur la plage.

— Je leur ai demandé depuis quand une crise cardiaque laisse des ecchymoses sur le corps, continue la sœur de Gasner. Alors, ils m'ont demandé comment je savais cela alors que je n'avais pas vu le corps. Devant tant d'hypocrisie, je n'ai pas pu me contenir. La moutarde m'a monté au nez. Je leur ai hurlé qu'ils n'ont pas le droit de cacher ce que tout le monde sait, et que tout le monde sait que Gasner a été frappé à la tête jusqu'à ce qu'il meure.

— Moi, dit calmement la mère, je leur ai fait comprendre que je n'ai que faire de leur justice. Tout ce que je veux, c'est le corps de mon fils et ce corps n'est ni à eux, ni à l'État haïtien, ni même à moi, mais à Dieu. Que c'est Dieu le seul maître des corps, des esprits et des âmes, et que je dois l'enterrer chrétiennement, qu'ils n'ont aucunement le droit de disposer du corps de mon fils.

Chez toute femme haïtienne, il y a au moins deux personnalités. L'une, très conservatrice, remettant tout à Dieu ; l'autre, totalement révolutionnaire, combattant l'injustice, remettant en question tout pouvoir absolu et affrontant, souvent seule, n'importe quel danger qui met en péril la vie de ses enfants (surtout ses fils). Là où les hommes se cachent, les femmes se montrent à visage découvert. Et ces deux attitudes peuvent se succéder, chez une même femme, dans un espace-temps aussi court qu'une demi-heure.

— À ce moment, dit la sœur, j'ai commencé à crier, à hurler, à faire un beau tapage, puisque c'est la seule chose qu'ils permettent aux femmes de faire, jusqu'à ce qu'un colonel s'amène pour s'informer de ce qui se passait. Quand on lui a expliqué de quoi il s'agissait, il a pris ma mère à part pour lui parler.

— Il m'a dit qu'on allait faire le nécessaire pour me rendre le corps de mon fils le plus vite possible, et que si on l'avait gardé tout ce temps, c'était pour les besoins de l'enquête.

— Mon œil! jette la sœur, qui semble n'avoir aucune confiance dans la justice de son pays.

— Et qu'il veillerait personnellement, termine la mère, à ce que son corps ne soit d'aucune façon profané. Il avait l'air sincère, je dois dire.

— Ce sont les pires sadiques, lance la sœur.

— Vous a-t-il dit pourquoi vous ne pouviez même pas voir le corps?

— D'après moi, crache la sœur, ils ont peur à un dérapage. Ils ont pris la responsabilité de tuer mon frère, alors ils devraient avoir le courage de faire face à la réaction populaire.

— Madame, j'ai passé la nuit dans les rues de cette ville et je ne les ai jamais vues aussi désertes.

— C'est dans ces moments-là qu'il faut se méfier le plus, mon fils. Ça veut dire que même les tontons macoutes n'osent pas sortir. Ils doivent se terrer quelque part, en train de se réjouir de leur crime.

— Ils ne doivent pas en être trop fiers en ce moment…

— Ces salauds, lance la sœur de Gasner, n'ont aucun sentiment humain. Ce sont des chacals assoiffés de sang.

Devant moi se tient la fière Antigone. La sœur de Gasner, comme l'Antigone de Sophocle et de Morisseau-

Leroy, pleure la mort de son frère et se révolte contre Duvalier-Créon qui s'oppose à ce qu'on l'enterre selon les rites funéraires de la foi de sa famille. Combien de temps Duvalier-Créon va-t-il le garder encore ? Que veut-il du cadavre ? Craint-il que ce cadavre et ces deux frêles femmes fassent basculer le pouvoir hérité de son père ? La mère et la sœur réclament inlassablement le corps de Gasner. Ces deux femmes représentent l'honneur de cette ville. Elles parlent avec une autorité morale qui dépasse les intérêts personnels.

— Tu devrais partir, me dit tout à coup la mère, sinon on te tuera, toi aussi. Ici, on n'aime pas les esprits libres. Quand ils sentent que tu n'es pas comme eux, ils te tuent comme des bêtes.

Elle tourne vers moi un visage baigné de larmes.

— Promets-moi, mon fils, de partir le plus vite possible. J'ai déjà perdu un fils dans la bataille, je ne tiens pas à en perdre un autre, tu m'entends ?

Son regard empreint de douceur et de fermeté. Sa détermination inébranlable.

— Promets-le moi, insiste-t-elle.

La sœur garde les lèvres serrées pour ne pas émettre son opinion mais je sens son désaccord.

— Je vous le promets.

Finalement, la sœur n'a pas pu contenir sa désapprobation.

— Si vous partez tous, crie-t-elle, que va devenir ce pays !

— Tais-toi, dit la mère, ce ne sera pas mieux s'ils meurent tous.

La cloche de Sainte-Anne nous fait sursauter par sa gaieté, un appel à la vie. Les deux femmes se lèvent tranquillement.

— N'oublie pas ce que je t'ai dit, mon fils… Tu reviendras un jour. Va te mettre à l'abri de ces démons. Tu seras plus utile à ton pays vivant que mort.

Mère et fille se dirigent vers l'église. Je reste un moment sans bouger à les observer en train de gravir les marches un peu abruptes de l'église Sainte-Anne. La mère, si sereine, mais profondément blessée. La fille, en constante colère. Deux femmes qui garderont le fort en attendant le retour des hommes. Cela fait vingt ans que mon père a pris le chemin de l'exil. Tantôt, ce sera mon tour. Les Duvalier sont toujours là. Les femmes aussi. Elles dureront plus longtemps que la dictature. Duvalier le sait. Les hommes d'ici ont l'habitude de se présenter, la poitrine en avant, face au danger le plus certain. Ils tombent tout de suite, cassés en deux sous la première rafale. Pendant ce temps, les femmes veillent à l'éducation des enfants, à la santé des vieillards, aux trois repas quotidiens, à la maison qu'il faut tenir propre quoi qu'il arrive, aux hommes qu'on doit sortir de prison, aux funérailles des fils, à entretenir le désir des maris comme un feu qui s'éteint dès qu'on ne l'évente pas, à trouver l'argent qu'il faut par tous les moyens à la disposition d'une femme, car, quand votre mari est en exil et que l'État vous a révoquée, il n'est pas facile de trouver quelqu'un pour prendre le risque de vous employer, et le désespoir qui s'installe au fond de votre cœur et qu'il faut chasser fermement pour ne pas donner aux enfants l'image d'une mère triste. Tout cela prend tellement de temps qu'elles oublient de mourir. C'est pour cela qu'il y a si peu d'hommes et tant de femmes dans ce pays.

Le cinéma du pouvoir (3 h 42)

C'est un vaste hôtel, un peu délabré mais encore assez solide, fréquenté par des prostituées de troisième classe, des commis voyageurs de province qui viennent régler rapidement des affaires à Port-au-Prince, et aussi toutes les catégories d'hommes de main du gouvernement (les tortionnaires de Fort-Dimanche, les tontons macoutes aux lunettes fumées, les léopards), les gardes-côtes de la marine haïtienne dont le quartier général est à Lamantin, et les membres du fameux corps de sécurité SSP (Service de sécurité de la préfecture de Port-au-Prince). C'est un immeuble de trois étages avec des escaliers aux planches pourries. Au troisième, les chambres minuscules et crasseuses des commis voyageurs, occupées durant la morte-saison par les maîtresses des tontons macoutes et les épouses (rarement des mulâtresses) de certains opposants au régime encore en prison, que le gouvernement, pour humilier ces hommes qui ont osé se dresser contre lui, a mises à la disposition des officiers méritants. Elles partagent aussi l'étage avec des prostituées de deuxième classe qui sont les favorites des plus importants commis voyageurs, essentiellement ceux qui ont loué leur chambre pour toute l'année. Les prostituées de première classe, elles, travaillent dans les bordels de luxe de la zone rouge, dénommée La Frontière, et s'acoquinent plutôt avec les membres du haut état-major de l'armée. Malgré une intense campagne de valorisation de la part du gouvernement qui veut mettre en relief les vertus du macoutisme (dont la première est sa totale loyauté au régime), allant jusqu'à embrigader de plus en plus d'intellectuels dans ce corps, les prostituées de haut vol ont toujours regardé les tontons macoutes avec un mépris de moins en moins dissimulé, les prenant, même ceux parmi les plus haut placés, pour des bouseux et leur préférant ostensiblement les officiers, bien parfumés, fraîchement sortis de l'Académie militaire. Au deuxième étage de l'immeuble, on trouve, paraît-il (je tiens ces informations sociologistiques de Gasner, qui se faisait un point d'honneur de visiter tous les quartiers généraux des tueurs en place), des cellules privées où les tontons macoutes enferment leurs prisonniers personnels, c'est-à-dire des individus dont les agissements ne constituent pas forcément une menace directe pour le gouvernement, mais touchent les hommes au pouvoir sur un plan, dirons-nous, privé (par exemple, un type qui couche avec la femme d'un colonel). On trouve aussi, sur cet étage, des salles de torture et des chambres d'interrogatoire. Au rez-de-chaussée, si on veut bien continuer cette visite guidée au purgatoire (l'enfer reste toujours Fort-Dimanche), on a la possibilité de prendre un verre à ce bar bien fourni en boissons locales (le seul alcool étranger toléré ici étant le Chivas Regal). Pas de tables, ni de chaises, seulement quelques tabourets autour du bar. C'est une très vaste salle presque nue. Quelques photos de Papa Doc et de Baby Doc sont accrochées aux murs. Dans le fond de la salle, étrangement, une robe de mariée est exposée dans une très large armoire aux portes vitrées. Est-elle à vendre ou a-t-elle été simplement placée là pour rappeler aux tontons macoutes comme aux prostituées qu'une vie chrétienne est encore possible ? Ce qui est sûr, c'est que cette robe de mariée commence à jaunir, signe qu'aucun tonton macoute ne l'a jamais offerte à une prostituée, ce qui donne une idée assez précise des manières goujates de la clientèle du *King Salomon Star* (le nom de l'hôtel). Au *Copacabana*, au *Casa Blanca* ou même au *Brise-de-Mer*, cette robe aurait été depuis longtemps mise aux enchères. « Il ne s'agit pas de demander une prostituée en mariage », aurait déclaré quelqu'un comme le capitaine Harry Tassy ou le lieutenant Sonny Borge, mais plutôt d'une affaire de simple galanterie. Voilà la différence entre un tonton macoute bouseux et un officier formé à l'Académie militaire. En réalité, les deux groupes travaillent pour le même pouvoir sanguinaire et se vautrent dans la même vase : l'un le faisant seulement avec plus de grâce que l'autre. Cette distinction n'est toutefois plus aussi nette qu'avant. Pour ceux qui analysent les nuances plus infimes entre les groupes et les sous-groupes à l'intérieur du système dictatorial, il y a lieu de s'alarmer ou de se réjouir. On voit arriver depuis un certain temps une nouvelle classe intermédiaire, encore assez floue, sur l'échiquier politico-militaire, dans laquelle on observe des officiers agissant d'une manière aussi vulgaire que les plus vulgaires tontons macoutes, et des tontons macoutes qui tendent vers le raffinement qui, il n'y a pas si longtemps, était l'apanage des officiers issus de l'Académie militaire. Naturellement, on note en même temps un rejet véhément de la part des officiers qui tiennent à garder leur distinction à l'égard de ces officiers dénaturés. Tandis que les tontons macoutes plus primitifs regardent avec une suspicion croissante leurs frères qui ont adopté ces manières trop raffinées à leur goût. Les tueurs qui jouent avec la beauté, selon le professeur De Castro, finissent par attraper une conscience. La solution serait, dans un premier temps, que les membres de ces deux groupes (les tontons macoutes raffinés et les officiers vulgaires), rejetés par leurs pairs respectifs, puissent s'allier pour former un troisième groupe relativement distinct des deux premiers, ce qui apporterait du sang neuf au régime. Une telle alliance est impossible pour le moment, du fait simplement que le tonton macoute raffiné méprise au plus haut point l'officier sans manières. Selon Gasner, cette fracture dans les deux (l'armée et la milice) des trois plus importants piliers du régime (le troisième étant l'Église) est à prendre au sérieux parce qu'elle annonce, tôt ou tard, une dégénérescence du pouvoir. Le ver est dans le fruit. Et le ver est le style. Et nous savons que dans n'importe quel système, le débat fondamental reste celui de l'esthétique. C'est le genre de détail interne, assez révélateur, qui poussait Gasner à fréquenter si assidûment ces milieux glauques à haut risque. Nombre de fois, il a voulu m'entraîner dans des rencontres douteuses, mais j'ai toujours refusé, d'abord par simple peur (l'issue d'une réunion de fascistes armés et ivres morts est toujours imprévisible), mais aussi parce que ce n'était pas dans mes goûts d'aller patauger, même pour la bonne cause, dans les marécages du pouvoir. Il faut dire que je ne croyais pas beaucoup en ses analyses subtiles de la dégénérescence du pouvoir par l'esthétique. Alors, il me demandait de l'attendre sur le trottoir ou dans le bar d'en face, le temps qu'il aille converser avec ces individus à la mine patibulaire (sûrement des tueurs), le genre qu'on ne voit jamais le jour. Après quelques minutes, il revenait vers moi, affichant un large sourire, fier d'avoir pu une fois de plus manipuler ces gens à sa guise (Gasner jouait constamment avec le feu) et, la plupart du temps, rapportant une information inédite sur la situation dans les prisons (à savoir ceux qui étaient battus, malades, transférés ou morts), le quota mensuel de meurtres exigé par le gouvernement de ses fonctionnaires de la mort (une information très attendue qui pousse à l'occasion tous ceux qui exercent un métier un peu subversif, le journalisme entre autres, à rentrer se coucher à l'heure des poules durant tout un mois au grand étonnement de leur mère), et un commentaire sur la qualité des instruments de torture reçus dans la semaine, ou sinon simplement une bonne blague comme « un tortionnaire, ayant battu sévèrement un opposant au régime tout en faisant attention à préserver ses mains, affirme à Amnesty International que, dans ce pays, on respecte les doigts de l'homme ». Des nouvelles de l'enfer, quoi ! Me voilà, ici, cette nuit, sans Gasner. J'entre au *King Salomon Star* en pensant à lui. Je veux vraiment savoir ce qui pouvait l'intéresser ici. Qu'est-ce qu'il voyait ? Que ressentait-il ?

Pourquoi aimait-il venir humer ces odeurs fortes (un mélange de chair brûlée, de sang et de boue) ? J'avance prudemment dans la grande pièce du rez-de-chaussée. Quelques hommes en chapeau en train de danser, exhalant ce relent de sueur et de parfum bon marché. Malgré la présence des femmes (quelques prostituées se tenant le long du mur du fond), ils préfèrent danser entre eux. Quand des hommes dansent entre eux, dans une semblable ambiance brumeuse (la fumée des cigarettes), c'est qu'ils sont en train de fêter la mort. La mort, c'est la fête des hommes armés. Les femmes, dos au mur, gardant les lèvres serrées face à l'injure, assistent à ce bal funèbre. Je me dirige vers le bar, tout excité (l'adrénaline de la peur) à l'idée de plonger enfin dans la mare aux crocodiles. La proximité du danger est un puissant stimulant. Je suis à la limite de jouir. La musique s'est arrêtée depuis un moment, mais les hommes continuent à danser. Quelques vivats secs. Ils doivent célébrer un événement important. Peut-être la mort de Gasner. Ou quelque chose de plus terrible à venir. Un bain de sang. Leur rêve absolu. Si j'avais le moindre bon sens, je filerais d'ici tout de suite. C'est ce que je compte faire. La porte de sortie est derrière moi. Je n'ai qu'une trentaine de pas à faire pour traverser toute la salle. Ils ne font pas attention à moi, mais j'ai l'impression qu'ils sont conscients de ma présence. Comment atteindre la porte avant que l'un d'eux se décide de me mettre la main au collet ? Brusquement, j'ai les jambes lourdes, comme si je faisais un cauchemar. Mon esprit fonctionne au ralenti. Je n'arrive pas à avancer. Les hommes viennent de quitter la piste de danse. Ils circulent normalement, comme dans n'importe quel dancing. Sauf que je me trouve parmi les plus célèbres tueurs de cette ville. Je reconnais plusieurs d'entre eux, que j'ai l'habitude de voir dans les journaux et surtout à la télé, à l'occasion des grandes manifestations du 22 mai commémorant la fête des Volontaires de la Sécurité nationale (les tontons macoutes). Je vois aussi des tontons macoutes de la base, ceux qui n'ont aucune chance de rencontrer un jour Papa Doc, celui pour qui ils tuent et celui aussi qu'ils n'arrêtent pas d'évoquer chaque minute de leur vie. Une fête sans rires. Une fête sombre. Avec des hommes qui dansent sans musique, sous le regard désœuvré des prostituées de deuxième classe, des maîtresses des commis voyageurs de province et de quelques épouses des opposants au régime encore en prison, enfin toute la bande du troisième étage. J'imagine qu'on a fait descendre ici les femmes dans un but quelconque. Elles devaient avoir une participation. Au moins les prostituées. Chacun son métier. Eux, la mort. Elles, le sexe. Éros et thanatos. Peut-être qu'il y a plus de sexualité dans la mort que dans le sexe lui-même. Au Moyen Âge, on appelait l'orgasme « la petite mort », alors la mort doit être le grand orgasme. Lequel des deux jouit ? Celui qui donne ou celui qui reçoit la mort ? On connaît la relation entre le bourreau et la victime, mais on sait très peu de choses de ce qui se passe entre deux bourreaux. Deux bourreaux en train de danser, en sueur, les yeux fermés. Ils sont tout à côté de moi. Aucun son. La musique est en eux. Finalement, ils se séparent. L'un d'entre eux, le petit gros, sort un large mouchoir et s'essuie la nuque, une puissante nuque, passe devant moi, s'arrête, puis se retourne lentement pour me dévisager.

— Je ne t'ai jamais vu ici, toi !

— Je suis de province, dis-je d'une voix étrangement calme.

— D'où exactement ? Je connais tout le pays.

Seigneur ! D'où est-ce que je viens ? Je ne vais pas dire de Petit-Goâve.

— De Savane Désolée.

— Je connais tout le monde à Savane Désolée. Qui est ton père ?

Qui est mon père ? La question que je redoutais le plus. Si je prononce ici le nom de mon père, je suis un homme mort. L'inquisiteur m'observe attentivement de ses petits yeux porcins. Aucune humanité dans cet être-là. Je n'arrive pas à desserrer les mâchoires. Ma vie ne tient qu'à un fil. Au moindre faux pas, ils m'éventreront. Soudain : bruit, mouvement, distraction. Qu'est-ce qui se passe ? Juste avant que le couperet ne me tranche la tête, une jeune femme vient l'enlacer par-derrière. Elle lui chuchote quelque chose à l'oreille. Il me regarde et sourit.

— Je ne savais pas que t'avais un frère. Pourquoi ne me l'as-tu pas présenté ?

— Maintenant, je te le présente. Voilà, c'est mon petit frère, et arrête de lui faire peur avec tes yeux méchants.

Il s'approche d'elle.

— Sache, ma fille, que je ne fais jamais peur aux gens. Je les tue ou pas, mais je ne perds pas mon temps à faire des menaces.

Un vague éclair de panique traverse les yeux de la jeune femme.

— Je te taquinais...

— Heureusement que c'est toi, dit-il en lui enfonçant son pouce dans la bouche.

Je regarde spontanément ses ongles durs et noirs. La jeune femme recule jusqu'à ce que son dos touche le bar. Il lui enfonce alors trois doigts jusqu'au fond de la gorge. Ses yeux s'agrandissent de terreur. Je regarde la scène sans bouger, me demandant ce qui se passera quand il tournera cette violence vers moi. Les feux de la géhenne. En attendant, la jeune femme tente vainement d'échapper aux doigts qui violent l'intimité de sa bouche, frétillant comme un poisson hameçonné. Soudain, on entend une espèce de rire gras, profondément vulgaire même selon les critères de cette société. Le rire de quelqu'un habitué à voir les gens blêmir de peur en sa présence. Il était déjà en train d'embrasser un long type maigre qui venait d'arriver et semblait son égal. Satan rencontrant Lucifer. La jeune femme fait un quart de tour, attrape une bouteille de rhum, prend une bonne gorgée et s'en gargarise longuement avant de cracher violemment le liquide brun contre le mur jaune d'œuf.

— Le salaud ! siffle-t-elle.

Elle me remarque enfin.

— On peut dire que t'es chanceux, toi.

— C'était qui ? je demande candidement.

Elle me regarde avec de grands yeux.

— Tu dois être la seule personne dans ce pays qui ne connaît pas Anthénor Bobo. Il terrorise même les tontons macoutes. Ce type ne connaît qu'un seul chef : Duvalier.

— Je le connais de réputation. Pourquoi es-tu venue à mon secours ?

Elle éclate de rire.

— Tu ne me reconnais pas ?

Je la regarde attentivement. Je n'arrive pas à me la rappeler. On doit bien se connaître si elle a pris le risque d'affronter Bobo pour voler à mon secours.

— Non, dis-je finalement.

— Tu te souviens qu'une fois, tu étais venu te cacher quelque part, croyant que des tontons macoutes te poursuivaient ? Ce que j'ai ri quand on m'a raconté toute l'histoire après ton départ.

Je commence à me rappeler, mais c'est encore assez vague dans mon esprit.

— On était plusieurs filles dans cette grande maison.

Soudain, la lumière.

— Chez Miki ! Et tu dois être Choupette ! Oh là là ! tu as changé, hein ?

— J'espère en mieux.

— Oh oui !...

Elle sourit. On s'embrasse. C'est vrai qu'elle est devenue un peu plus raffinée. Toujours le même milieu.

— On peut dire que tu es chanceux, toi. Je connais bien Bobo. Tu n'avais pas beaucoup de chances de t'en sortir avec lui.

— Il m'avait posé une question et j'allais lui répondre.

Elle rit bruyamment.

— Il s'en fout de ta réponse… Tu l'as vu avec moi qui le connais depuis longtemps. Un prédateur. Dès que ses yeux tombent sur toi, dis-toi que tu es en danger de mort. Ta seule chance, c'est qu'il ne te voie pas. C'est le plus féroce de la bande. Plus terrible même que François Dixon.

— C'est qui, François Dixon ?

Les connaître, afin de les éviter.

— C'est lui, le grand maigre qui vient d'arriver. Quand il sourit, c'est parce qu'il a visualisé ton cadavre. Les gens l'appellent Boss Peintre.

— Bien sûr, Boss Peintre…

— Un tueur froid. Tout le monde est là, ce soir. Je vois Justin Bertrand, Pierre Novembre, Estinval… C'est une réunion au sommet. Il ne manque que Lorius Maître et Mme Max Adolphe. Quelque chose d'important se prépare. Dès qu'ils dansent entre eux comme ça, c'est qu'il se passe quelque chose de grave et qu'ils ont reçu le mot d'ordre de serrer les rangs.

— Et toi, qu'est-ce que tu fais ici ?

— Je suis avec les autres. Papa et Frank. Ils sont là-bas, tu ne veux pas nous rejoindre ? T'inquiète pas, ils ne te reconnaîtront pas. Je dirai que tu es le petit frère de Bobo. Toi, tu es toujours le frère de quelqu'un. Tu étais le frère de Miki, tout à l'heure le mien et, maintenant, celui de Bobo. C'est drôle ! Ils vont te lécher les chaussures. Tout le monde a peur de Bobo.

Je n'aime pas ce jeu. Finalement, Frank et Papa s'amènent vers nous.

— Choupette, dit Frank sur un ton brutal, faut qu'on aille à la fête de Mme Max.

— Je suis fatiguée… C'est où ?

— À Fort-Dimanche.

Je frémis. J'essaie d'imaginer ce que peut être une fête dans cette sinistre prison. Ici, c'est l'entracte. Les choses sérieuses vont se passer là-bas. Je me demande quelle sera la participation des prisonniers à la fiesta. Soudain, Choupette me prend dans ses bras pour me faire ses adieux, me serrant fortement. Je sens chez elle une pointe de nostalgie. Peut-être que je lui rappelle un temps meilleur, une époque où elle avait plus d'emprise sur les hommes.

— Ne reste pas là. Ce n'est pas ta place, ici, me chuchote-t-elle à l'oreille avant d'aller rejoindre Frank et Papa qui l'attendaient en causant avec Bobo.

Tout à l'heure, quand Bobo la violait par la bouche, ils ne se sont pas précipités à son secours. La hiérarchie est encore plus stricte dans le monde du crime officiel que partout ailleurs. Où est passée la jeune femme si insolente que j'ai connue, il y a huit ans ? La Choupette si sûre d'elle qui me faisait terriblement peur ? Broyée dans l'infernale machine du pouvoir absolu. Elle continue avec eux, Papa et Frank, j'ai l'impression, parce qu'elle ne sait pas où aller. Choupette n'a connu que ça : les hommes de main du pouvoir. Le bas de gamme. Elle fait désormais partie de ces femmes qu'on voit dans le sillage des tontons macoutes. Le genre qui vieillissent toujours mal, amères, jalouses (il y a toujours une nouvelle fille plus jeune, plus agressive, plus sexy qui débarque quand on s'y attend le moins, un soir où l'on avait gardé ses bigoudis), ombrageuses, devenant plus féroces que les hommes. Plus avides de sang. Ce sont elles d'ailleurs qui poussent le plus souvent les hommes à tuer. Ce n'est pas encore le cas de Choupette, mais ça ne saurait tarder. J'ai lu une ancienne fatigue dans ses yeux. Une certaine tristesse aussi. Elle regarde ses coéquipières plus âgées et pense à ce qui l'attend dans une dizaine d'années. Frank et Papa ne seront peut-être plus là pour la protéger (quelle protection !). Et elle devient de moins en moins attirante. Elle n'est déjà plus cette bombe sexuelle que j'ai connue il y a huit ans. La vie est dure pour tout le monde, quel que soit notre domaine d'activité. Les choses sont en train de changer dans tous les secteurs. Rien n'est plus comme avant, disent déjà les vieux tontons macoutes, les vétérans de l'époque héroïque de Papa Doc, du temps où l'on pouvait tuer n'importe qui, n'importe où et n'importe quand. On peut toujours tuer encore, grâce à Dieu, mais pas n'importe qui, ni n'importe quand. Le gouvernement, se plaignent les vieux tontons macoutes, laisse trop les étrangers mettre leur nez dans les affaires intérieures du pays. On veut plaire aux Blancs. On leur fait même visiter les prisons. À cause de l'aide économique, disent les jeunes technocrates qui dirigent le pays. Où étaient-ils quand il fallait plonger nos mains dans le sang pour garder ce régime en place ? ruminent les tueurs de la vieille garde. Ils étudiaient à Paris, à New York, à Rome ou à Bruxelles, et aujourd'hui ils viennent nous dire quoi faire. Ils ne parlent que d'argent, ignorant que ce n'est pas avec l'argent qu'on garde un régime en place, que c'est avec le sang, le sang des opposants, le sang de tous ces communistes, le sang de ceux qui veulent notre place. Les technocrates ont vendu ce pays aux puissances étrangères pour une poignée de dollars. Papa Doc n'aurait jamais permis cela. Le fils n'a pas les couilles du père. Voilà ce que soupirent, tout bas, les vieux tontons macoutes. L'État haïtien commence à devenir trop sophistiqué pour ces hommes de main, souvent analphabètes. Ils regardent l'avenir avec beaucoup d'inquiétude. Les voilà qui fêtent la moindre victoire comme si c'était un événement aussi capital que l'élection de Papa Doc en 1957. Ou comme les grandes messes politiques du 22 mai (la fête des tontons macoutes) au début du règne de Papa Doc. Ils sont tous là, ce soir, comme vient de me le signaler Choupette, et beaucoup plus inquiets que rassurés. Le petit groupe vient de quitter finalement Bobo pour se diriger vers la sortie. Au moment où elle passe devant lui, Bobo flanque une bonne tape sur les fesses encore bien rebondies de Choupette qui se retourne vivement (ah ! ma tigresse) et… lui sourit. Je regrette de ne pas lui avoir demandé des nouvelles des autres filles. Que font-elles ? Où sont-elles ? Comment ont-elles traversé ces dernières années parmi les plus tordues d'une dictature dont on a l'impression qu'elle n'a plus aucune logique ? Le danger était partout et pour tout le monde, même les plus fervents du régime. Les plus gros tontons macoutes dévoraient facilement les plus petits. Ce n'est pas à ça que je pense en ce moment. Je pense surtout à ces filles qui ont occupé, à un moment si précieux de ma vie, mes quinze ans, le centre de mon univers fantasmatique.

Ces lumineuses actrices de mon cinéma intérieur. *Flashback.* Des fois, la nuit, je les entendais arriver en voiture (elles se réunissaient chez Miki, dans la maison de l'autre côté de la rue), j'entendais leurs éclats de rire de filles chatouillées, les cris aigus de Marie-Flore, les crises de larmes de Marie-Erna ou les feulements de Choupette. Je les entendais dans ma chair, dans mon sang, et je n'arrivais plus à me rendormir. Je me levais alors pour aller les observer de ma fenêtre. Elles descendaient de la Buick 57 de Papa en hurlant leur bonheur d'être au monde, leur joie d'avoir dix-sept ans pour toujours et leur jouissance de pouvoir faire ce qu'elles voulaient de n'importe quel homme dans cette ville. Et je me disais que, heureusement elles existaient, sinon la ville n'aurait été que terrorisée par les hommes armés circulant la nuit dans leurs jeeps DKW. Ma mère les détestait, les considérant comme des putes. Pour moi, elles étaient le symbole de la liberté, du désir sexuel et du plaisir de vivre. Elles m'ont empêché de crever d'ennui dans la capitale zombifiée par la dictature de Papa Doc. Ma mère me mettait constamment en garde contre elles. J'étais fou de Pasqualine. Je faisais remarquer à ma mère que Marie-Michèle était toujours en train de lire. Elle adorait Sagan. Ma mère aussi, mais cela ne lui a pas fait changer d'avis à propos de sa moralité. Elle me disait : « Tu verras, dans dix ans, il ne restera plus rien d'elles. Elles vont se faire dévorer par les léopards du régime. » Avait-elle raison ? Je ne sais pas. Je n'ai vu que Choupette. La voilà justement sur le point de disparaître, à jamais peut-être, de ma vue, en franchissant la porte du *King Salomon Star.*

Éloge de la torture (4 h 07)

Malgré le conseil pressant de Choupette, je n'arrive pas à me décider de quitter ce marécage nauséabond. Les crocodiles se croisent silencieusement. Des requins entrent. Des léopards sortent. Des tigresses bâillent. Une musique mexicaine complètement démodée en fond sonore. Cette constante fausse gaieté. L'alcool coulant à flots. Du rhum surtout. Quelques bouteilles de Chivas Regal au garde-à-vous contre le mur. À un certain moment, j'ai eu l'impression que n'importe quoi pourrait arriver. L'ennui s'est installé dans le bar, et l'ennui est le meilleur allié des imbéciles. Je surveille plus attentivement la salle, me disant qu'il serait temps de partir. Cette ambiance fonctionne comme une bombe à retardement. Tic tac tic tac tic tac… Cela pourrait sauter n'importe quand. Qui sera le détonateur ? On ne peut pas le prévoir. Je regarde les gens plus en détail. L'une des prostituées quitte son poste (elle était debout dans le même coin, près de la fenêtre, depuis mon arrivée) pour aller se planter devant la grande armoire vitrée où jaunit la robe de mariée. À quoi pense-t-elle ? Subitement, un brouhaha venant de la porte d'entrée, je me retourne et vois arriver un tonton macoute tenant par le cou un homme couvert de sang. Ils traversent une foule indifférente, pour monter directement au deuxième étage, vers les cellules voisinant les chambres de torture. Les bavardages continuent comme si rien ne s'était passé. Et moi, je continue ma promenade, longeant le mur jaune sale, évitant tout de même d'attirer l'attention sur moi en ne restant pas trop longtemps au même endroit. Quelques tontons macoutes, des intellectuels surtout, discutent de la réflexion idéologique du jour : Papa Doc est peut-être avec ses frères haïtiens (il commence toujours ses discours en saluant ses « frères haïtiens ») mais, comme on le sait, qui aime bien châtie bien. En termes plus crus : mieux vaut se faire torturer par un frère haïtien que par un étranger. Le débat fait rage dans le coin du bar où se tiennent une poignée d'officiers dégénérés accompagnés de prostituées de troisième classe et de quelques épouses décaties faisant les mijaurées en se bouchant les oreilles chaque fois que la conversation dérive sur un sujet scabreux. Autant dire qu'elles gardent les oreilles toujours bouchées. Le capitaine Harry Tassy raconte l'histoire de ce lieutenant qui s'amenait chaque samedi soir au Cercle Bellevue avec de magnifiques prostituées dominicaines ramassées au *Copacabana* ou au *Casa Blanca*, en leur recommandant de ne jamais ouvrir la bouche de peur que l'on puisse identifier leur accent espagnol et découvrir ainsi le pot aux roses. Le lieutenant veut qu'on croie que ce sont plutôt des bourgeoises mulâtresses haïtiennes et non des prostituées dominicaines. Le lieutenant agit ainsi parce que, étant noir (le Cercle Bellevue n'est pas interdit aux Noirs, mais il favorise les mulâtres), il se sert de ces fausses mulâtresses comme ticket d'entrée. Un soir, comme cadeau d'anniversaire à sa femme, noire comme lui, il l'amène danser au Cercle et le lieutenant Sonny Borge lui crie du fond de la salle : « Qu'est-ce qui t'arrive, William ? C'est la première fois que je te vois avec une pute laide ! » Tout le monde rit de la blague du capitaine

Harry Tassy, surtout les prostituées. Mais connaissant son goût pour les blagues un peu salaces, les épouses avaient pris soin de se boucher les oreilles dès que le capitaine avait commencé son histoire. Je continue mon chemin, ne m'insérant jamais totalement dans un groupe, rôdant toujours dans la zone grise qui sépare deux groupes, de manière à ce qu'on n'arrive pas à savoir à quel groupe j'appartiens. Dans un coin plus loin, à côté de la grande armoire vitrée, la discussion roule sur les interprétations possibles de la notion de torture. Selon Bobo, il n'y a aucune raison de torturer les gens. Oui, lui répond Boss Peintre (le seul à pouvoir lui tenir la dragée haute), si on ne voit pas d'autres possibilités d'obtenir une information vitale pour le gouvernement. Quelle sorte d'information ? s'informe Bobo. Toute information, rétorque Boss Peintre, pouvant conduire à l'arrestation d'un terroriste communiste préparant un attentat contre la vie du président à vie. Oh ! crie une femme comme si c'était une information et non une argumentation. C'est ainsi dès qu'on prononce le nom du président. Le cœur de l'assemblée arrête de battre pendant une bonne minute, montre en main. C'est Bobo qui reprend les hostilités tout de suite après la minute réglementaire. Bon, si on tient un type, eh bien, on le tue. Et c'est comme ça, réplique Boss Peintre, qu'on ne saura pas qui étaient ses complices. Ses complices, dit sereinement Bobo, ce sont toutes les personnes à qui il a adressé la parole durant les trois dernières années. Bobo, dit Boss Peintre, cela fait beaucoup de gens. Mets-tu aussi dans ce groupe ceux à qui il a simplement dit bonjour ? Bien sûr, et leur famille aussi. Boss Peintre sourit, mais personne d'autre n'ose sourire des réponses de Bobo. La torture fait perdre du temps au président, conclut Bobo. Deux balles dans la nuque pour tous ceux qui n'acceptent pas Duvalier comme leur dieu. Quelqu'un, un idéologue du régime (un homme à la voix très basse et au ton grave) fait remarquer, doctement, que l'idée de Bobo ne nous ferait pas seulement gagner du temps mais, peut-être aussi, de la sympathie car, comme on le sait, l'opinion internationale ne tolère plus les pays qui pratiquent la torture. On pourrait donc leur prouver qu'on ne torture plus les prisonniers en Haïti en leur montrant des cadavres au corps sain, sans la moindre trace de mauvais traitements. Pourquoi des prisonniers ? intervient brutalement Bobo. Je suis contre la prison aussi. Je vous l'ai dit : on arrête, on tue et on enterre. Vous ne voulez pas comprendre ou quoi ! Ah ! répond l'idéologue, si vous réglez aussi la question des prisons, qui restent un casse-tête pour le régime et donnent la migraine au président (une dame qui n'avait pas suivi la discussion s'écrie : « Mais si le président a la migraine, c'est des aspirines qu'il lui faut ! ») à cause de tous ces organismes humanitaires s'occupant principalement des droits de l'homme, qui n'entendent visiter que les prisons, alors qu'on essaie, par tous les moyens, de leur montrer les réalisations du gouvernement, je crois que pour toutes ces raisons, et d'autres encore (il fait allusion à la montagne de cadavres qu'il a empilés au nom du régime), monsieur Anthénor Bobo, d'ailleurs vous portez le nom de deux de nos grands héros nationaux, je veux parler d'Anthénor Firmin, ce héros intellectuel si cher à mon cœur, et on peut facilement comprendre pourquoi… Pourquoi? demande étourdiment la dame aux aspirines. L'idéologue sourit, comme on le fait à un enfant, avant de continuer sa péroraison. Et Rosalvo Bobo, votre parent sûrement, un homme au courage indomptable et un grand esprit qui a fait face aux Américains, au moment de l'occupation, de 1915 à 1934, une occupation honteuse pour le pays qui a tout de même duré dix-neuf ans (c'est incroyable le genre de phrase sans fin que ces types peuvent débobiner en un rien de temps!), pour faire brièvement (aurait-il entendu ma critique?), je disais que, plus que tout le monde, d'ailleurs je vais en parler au président dès que je le verrai au prochain conseil des ministres ou peut-être avant, à l'occasion de l'inauguration des nouveaux bâtiments de la Croix-Rouge haïtienne, je lui indiquerai combien il serait nécessaire et juste de vous donner la médaille de Grand Commandeur de l'Ordre Jean-Jacques Dessalines qui, comme vous le savez, est la plus haute distinction de la République d'Haïti. La dernière fois, c'était le président Estimé qui l'avait accordée à nul autre que le docteur François Duvalier. Voilà ce que je voulais dire tout simplement. Tout le monde applaudit. Même Bobo semble ému, surtout après avoir entendu que cette médaille a été précédemment accordée à son seul maître sur Terre : Papa Doc. Bon, dit Bobo, retrouvant sa bonne humeur et voulant être généreux à l'égard de Boss Peintre, si quelqu'un veut s'amuser, rien ne lui empêche de torturer un prisonnier, c'est une question de goût et, comme on le sait, les goûts et les couleurs ne se discutent pas. Tout le monde rit et Bobo lance alors une joyeuse tape sur l'épaule de Boss Peintre. Je voudrais ajouter aussi, intervient l'idéologue, que ce que Bobo a dit tout à l'heure montre l'extrême modernité de la réflexion haïtienne en matière pénale. Des cadavres au corps sain, sans aucune trace de torture. Et il va plus loin : pas de prison. Peut-on comprendre l'importance d'une telle réflexion pour nous qui nous débattons sans cesse avec les accusations les plus dures sur la scène internationale ? Nous serons le seul pays sans prison de la planète. Quel pas pour l'humanité ! Évidemment, la torture, utilisée comme arme de dissuasion, peut rendre de grands services à un gouvernement comme le nôtre. Les gens conçoivent facilement la mort, toujours prêts à mourir pour ce qu'ils croient être une bonne cause, le communisme par exemple ; par contre, ils ont une certaine réticence face à la torture. Disons que ça les fait un peu réfléchir. L'être humain est encore réfractaire à la douleur. Pour terroriser une population, rien ne vaut un bourreau expérimenté, car un bourreau qui connaît son travail peut être considéré, d'une certaine façon, comme un artiste, au même titre que Picasso ou Mozart. Mais là encore, nous sommes loin du compte. On n'a même pas encore expérimenté la torture psychologique, la torture morale. Il y a tellement de sortes de tortures. C'est quoi, la torture morale ? demande encore la dame. Donnez-nous un exemple, monsieur, de la torture morale. L'idéologue réfléchit un bref instant. Bon, vous arrêtez un père et un fils. Vous les mettez dans la même cellule en leur disant que la mort de l'un libérera l'autre. Oh ! dit la dame. Et quand l'un d'eux meurt, que faites-vous? demande un Boss Peintre fortement intéressé par la tournure du débat. Eh bien, vous dites à celui qui reste que ce n'était qu'une plaisanterie. Généralement, il se pend dans sa cellule dès le lendemain. Et vous recommencez l'opération, cette fois, avec deux frères jumeaux. C'est vraiment méchant, dit la dame, qui ne sait pas que son commentaire sera reçu comme le plus bel hommage rendu à ce sordide savoir-faire. À voir Boss Peintre tant saliver, on peut imaginer qu'il va, dans un très bref délai, essayer cette technique qui n'exige la présence d'aucun bourreau supplémentaire. Mais Bobo fait la fine bouche en déclarant que ce sont des méthodes trop perverses à son goût. Bobo, il faut le dire, a gardé les goûts sains de ses origines paysannes. Pour lui, la torture, qu'il compare aux préliminaires dans l'acte sexuel, ne fait que mettre en lumière un esprit tortueux, malsain et pervers. Donner du plaisir à une femme lui semble relever de la même source empoisonnée que faire souffrir un homme. Un homme doit être tué froidement, sans enthousiasme, juste parce qu'il n'est pas avec vous, pour aucune autre raison. Pour Boss Peintre, l'affaire est plus complexe. Pour lui, torturer est un acte intellectuel. On touche à l'esprit. Alors que tuer ne s'adresse qu'au corps. Bobo est un simple d'esprit. Regarder un homme en train de souffrir procure à Boss Peintre une jouissance plus riche et plus complexe qu'aucune femme, si experte soit-elle, ne pourrait lui faire connaître. Ce qui fait qu'il passe plus de temps dans la chambre de torture que dans la chambre à coucher. Mais l'idéologue reprend le flambeau. Nous nous dirigeons de plus en plus vers une culture technologique des plus performantes — déjà, certains pays européens et quelques riches pays arabes se servent des robots pour remplir certaines tâches jusque-là réservées aux bourreaux — qui exigera des hommes, comme des institutions, une adaptation rapide si l'on veut survivre dans ce monde. J'ajoute que, dans la société de demain, la torture telle que nous la concevons ne fera pas long feu, surtout de manière artisanale comme nous la pratiquons ici (il lève les yeux vers le deuxième étage). J'ai vu passer tout à l'heure un homme en sang. Messieurs, ça ne se fait plus ! Boss Peintre, étant un adepte de cette méthode d'arrestation spectaculaire, baisse la tête. Il me faut confesser, continue l'homme sur le même ton méprisant, que j'ai trouvé cela inutilement écœurant et folklorique. Nous devons comprendre que le progrès concerne tout le monde et touche tous les savoirs humains. La torture est une chose trop importante pour la laisser aux mains des bourreaux. Monsieur, vous parlez si bien, comment vous appelez-vous ? Gérard Daumec, madame. Ah ! c'est donc vous, Gérard Daumec. Je me sens très honorée de vous rencontrer.

Un esprit subalterne (4 h 21)

Tout le monde félicite Bobo, encore une fois, pour la pertinence de ses vues en matière criminelle. La netteté de ses analyses impressionne. Juste au moment où je me dirigeais vers la grande armoire vitrée pour tenter d'avoir une conversation avec la prostituée debout devant qui n'arrête pas de fixer avec un regard halluciné la robe de mariée, je zoome du coin de l'œil un homme en pleine conversation avec un groupe d'officiers parmi les plus dégénérés. J'ai l'impression de l'avoir déjà vu quelque part. J'attends que, se tournant dans ma direction, il me livre son visage en entier afin que je puisse l'identifier. C'est lui ! Le gardien de la station de radio où travaille Ézéquiel. Il sourit largement à un officier aux dents jaunies par le tabac et aux yeux rougis par l'alcool et le manque de sommeil. Ces dégénérés connaissent tout Baudelaire par cœur et pleurent chaque fois qu'ils entendent une chanson de Javier Solis ou de Daniel Santos. Si c'est lui, j'avais raison : Ézéquiel est en grand danger. Comme il semble différent du gardien ronflant que j'ai croisé il y a quelques heures à peine. C'est un homme frais, dispos et souriant que j'ai devant les yeux. Mon Dieu ! j'ai peur qu'Ézéquiel ait été pris, peut-être à sa sortie de la station de radio, et qu'il soit déjà à Fort-Dimanche. Peut-être est-il ici, au deuxième étage ? Je m'approche du groupe où se trouve le traître. Je n'arrive pas à saisir ce qui se dit. Des visages rayonnants. Cela fait frémir de voir des bourreaux heureux, à nos dépens. Mon intuition était donc juste, mais à quoi bon avoir le nez fin si cela ne vous aide pas à sauver un ami ? J'aurais perdu deux amis, deux frères, en moins de vingt-quatre heures ? Le vent souffle fort devant ma porte. La tempête fait rage autour de moi. Mes amis tombent comme des mouches. On tire dans nos rangs. Sus aux abris. Mais où aller ? Comment s'abriter dans une ville où une bonne partie de la population se compose de tontons macoutes, d'officiers dégénérés, de léopards fous et d'informateurs pourris ? Où se cacher pour être à l'abri quand on parvient difficilement à différencier les bons des salauds ? On ne peut faire confiance à personne dans ce pays. Même à ceux qui nous sont les plus proches. Ma mère m'a bien recommandé de ne révéler mon départ à personne. Car celui qui était un bon, hier, peut devenir un salaud, aujourd'hui. Et cela pour mille bonnes raisons, mais particulièrement à cause de l'extrême misère qui accable ce pays. La faim peut pousser quiconque à la délation. Ce gardien, j'en suis sûr, aurait agi différemment dans d'autres conditions. Bon, je sais que c'est aussi une question de nature profonde, mais je ne peux pas me résoudre à croire qu'on puisse être un délateur de naissance. Il doit y avoir des circonstances qui permettent la germination de certaines qualités, comme de certains défauts. La délation est l'acte humain le plus vil. Le délateur est le seul criminel qui n'affronte pas, même de dos, sa victime. Un monstre lâche. Je regarde le gardien. Il ne peut pas me voir d'où il est. Je l'observe attentivement. À quelques mètres de moi, le visage nu du délateur. Les yeux mobiles, le sourire fuyant, l'esprit subalterne, l'index toujours dressé, prêt à dégainer les mots qui trahissent. Le délateur tue avec son index. Le gardien de la radio était peut-être, il y a quelques années à peine, un homme ordinaire qui parvenait, après maints sacrifices, à faire vivre sa famille avec son maigre salaire. Aujourd'hui, il hurle avec les loups. Le voilà qui murmure quelque chose à l'oreille de Sonny Borge, l'un des rares officiers à être à la fois raffiné et dégénéré, un homme dont le pire défaut est la principale qualité, à la manière de certaines viandes qui ne plaisent aux gourmets que lorsqu'elles deviennent faisandées. Sonny Borge sourit, ce qui est très mauvais, quel que soit l'angle d'où l'on regarde la chose. Je vois luire ses dents pointues de carnassier. Borge tue par pur plaisir. Il doit privilégier la torture la plus lente et la plus raffinée, au contraire de l'impulsif Bobo. On raconte dans certains milieux qu'il est un des rares vrais connaisseurs en matière de torture. Il serait à la pratique ce que Gérard Daumec est à la théorie. Je suis perdu dans cet univers fangeux. Je vois des fantômes. J'entends des voix. Je viens de remarquer que depuis un certain moment (qu'est-ce que j'ai bu tout à l'heure au bar ?), je mélange les hommes, les générations, les styles. Je confonds les tueurs de Papa Doc avec ceux de Baby Doc. Papa Doc a entraîné avec lui dans la tombe son cortège de tortionnaires formés à l'ancienne manière (les tenailles et les seaux d'eau glacée). Avec sa mort s'est achevée l'époque primitive et jouissive de la terreur. Ses hommes travaillaient dans l'enthousiasme et la candeur des pionniers. Un monde nouveau s'ouvrait à eux. Le monde de la nuit, les ténèbres. Papa Doc rêvait de prendre possession de l'âme haïtienne. Ses hommes opéraient plutôt la nuit, se confondant avec les démons intimes qui hantaient nos pires cauchemars. Alors que Baby Doc, en homme moderne, entend régner le jour. Il installe une terreur diurne, moins pesante, plus bureaucratique, plus acceptable surtout pour les organismes humanitaires, qui vont de ce pas donner enfin le signal pour que l'argent entre. « Mon père a fait la révolution politique, dit Baby Doc. Moi, je ferai la révolution économique. » Et l'argent arrive. De partout : des États-Unis, de la France, du Canada, de Taiwan, d'Israël. Baby Doc en met la moitié de côté pour les mauvais jours à venir, car on ne sait pas ce que nous réserve le futur, et utilise l'autre moitié pour corrompre la jeunesse en la gavant de plaisirs. On sait qu'il reste dans la salle quelques nostalgiques de Papa Doc, de cette époque où l'on pouvait encore tuer sans avoir à en rendre compte à personne. Alors que dans cette ère bureaucratique de Baby Doc, quand on tue quelqu'un, un simple ouvrier ou même un communiste, on risque de passer le reste de la semaine à remplir des papiers afin de préparer un bon dossier susceptible d'être approuvé par les organismes humanitaires. « C'est ainsi qu'il faut procéder maintenant, confirment les technocrates du ministère du Plan, si on ne veut pas que l'aide économique extérieure soit coupée. » Le monde de la terreur a tranquillement mais inexorablement tourné sur ses gonds rouillés, passant de la nuit au jour, de l'époque primitive à la modernité technocratique, c'est-à-dire de Papa Doc à son fils.

La mariée était en rouge (4 h 27)

La prostituée, debout devant la robe de mariée, commence à se déshabiller. Personne ne la remarque. Peut-être qu'elle a l'habitude de se déshabiller ainsi ici. En tout cas, elle a l'air complètement perdue, comme un zombie.

J'observe son profil dur. Je passe mon temps à observer. J'observe les gens, les animaux et les objets. Je suis une caméra qui enregistre tout ce qu'elle capte. Ses mâchoires serrées. Elle est complètement nue maintenant. Elle s'est déshabillée si discrètement que personne ne remarque sa nudité. Les gens continuent à boire et à bavarder, comme dans n'importe quel bar du monde entier. Le bar de l'hôtel. Elle se balance de droite à gauche. Un joyeux rire éclate du côté de la porte d'entrée. Sonny Borge s'en va, suivi d'un groupe parmi les plus fêtards. Soudain, elle s'élance contre la vitre de l'armoire de toutes ses forces. Un bruit sec. Les têtes se tournent enfin de son côté. Elle pénètre dans l'armoire, s'empare de la robe de mariée et la passe avec une grâce étonnante. Les gens sont tétanisés. Elle se retourne vers nous afin de sortir de l'armoire. Oh ! le sang. Du sang partout. Sur son visage complètement tailladé. Sur la robe devenue toute rouge. Elle traverse la salle plongée dans un silence de mort. La foule s'écarte pour la laisser passer. La mariée en rouge. Elle franchit enfin la porte dans sa robe de mariée avec un sourire radieux. C'était la seule façon d'avoir cette robe qui la fascine depuis si longtemps. À force de rester enfermée dans l'armoire, la robe devenait jaune. La vraie couleur de la prostituée, c'est le rouge. Le rouge de l'amour vif. Un amour au singulier. Elle n'a pas trouvé de marié, mais elle a la robe. Les gens dans la salle : il n'y a plus ici de tontons macoutes, de léopards, de délateurs, de maîtresses d'officiers dégénérés, d'épouses d'opposants en prison, de prostituées de première, de deuxième ou de troisième classe, de tueurs, il n'y a plus rien de tout cela, simplement des gens, étonnés, complètement sous le choc. On peut bien être habitué au sang mais rester impressionnable, surtout par l'aspect théâtral d'un tel événement. Tout le spectacle : le visage spectral de la prostituée, la robe couverte de sang, la démarche lente et solennelle de la mariée vers la sortie. Tout cela nous a fait basculer pendant trois minutes et vingt-huit secondes dans un monde parallèle. Brusquement, je me sens épié. Mon corps a reçu le message avant mon cerveau. Quand cela vous arrive dans une jungle, cela indique que vous êtes en très grand danger. J'avais baissé ma garde, à cause de la scène. Je situe le félin. Il me regarde avec insistance. Je garde les yeux fixés au sol, sachant bien que ce n'est pas du tout ce qu'il faut faire. Je n'arrive pas à bouger. Pris dans la toile d'araignée. Du coin de l'œil, je le vois qui se déplace dans ma direction. Je vois ses chaussures. La porte n'est pas trop loin mais, si je fais le moindre geste, il m'abattra illico. Il s'arrête à trois pas de moi. Peut-être que c'est la fatigue qui me fait délirer. Au fond, je n'ai pas quitté mon lit. Ma mère dort dans la pièce à côté. Je n'aurais qu'à l'appeler pour qu'elle accoure avec une compresse d'eau froide qu'elle poserait sur mon front, ce qui ferait descendre la fièvre. Non, je suis véritablement au *King Salomon Star,* le quartier général de la racaille d'un des pouvoirs les plus corrompus de la planète. Je fais semblant de m'intéresser à une photo de Papa Doc. Voilà un truc qu'il ne fallait pas faire. Personne ici ne s'intéresse à ces photos punaisées au mur. Tous portent Papa Doc dans leur âme. Ils sont possédés par Baron Samedi, le maître des cimetières. Il faut être un touriste ou un espion d'un autre camp pour regarder ces photos. Pourquoi, dans les cas extrêmes, on s'obstine toujours à faire ce qu'il ne faut pas faire. Je le sais pourtant très bien ce qu'il faut faire. Je le sais, mais je n'arrive pas à bouger. Qu'est-ce que je devrais faire maintenant ? Je devrais me diriger droit vers lui, le frôler même, en passant, et prendre ensuite n'importe quelle direction opposée à la porte de sortie afin qu'il voie bien que je n'ai aucune intention de m'enfuir, pour ensuite me mêler à un groupe de personnes que je pense beaucoup plus importantes que lui (ce n'est qu'un délateur) et, d'une manière ou d'une autre, attirer l'attention sur moi en riant très fort à la plus banale plaisanterie, jusqu'à ce qu'il se dise que j'ai peut-être un protecteur ici. D'ailleurs, qu'est-ce que je ferais ici, dans la gueule du loup, si je n'avais pas dans la pièce un puissant protecteur ou un amant ? Voilà, c'est ça, un amant. C'est le genre de rapports qu'ils comprennent bien. Mais je n'ai pas bougé de mon coin. Je sens déjà son souffle dans mon cou.

— Je t'ai déjà vu, toi.

— Moi ?

— Oui, toi. Et je sais où je t'ai vu ! Tout à l'heure, à la station de radio. Tu étais avec Ézéquiel.

Il rit. Un rire de coyote. Je ne dis rien. Tout est de ma faute, j'aurais dû écouter Choupette. Pourquoi suis-je resté ? Je me souviens que, tout petit, quand je faisais un cauchemar, je ne me réveillais pas en pleurant comme les autres enfants, je restais dans le mauvais rêve jusqu'à la fin. Je tenais à savoir comment il finirait. Le lendemain, je racontais mon cauchemar à ma mère et ça la faisait tellement frémir qu'elle me demandait d'arrêter mon histoire. Je lui disais que, moi, j'avais tout vu, et elle me regardait avec des yeux étranges, comme si elle avait senti que quelque chose n'allait pas chez moi, que son fils était différent des autres parce qu'il voulait aller au bout de ses cauchemars.

— Ton ami Ézéquiel est à la fête.

— Quelle fête ?

La question m'est sortie spontanément de la bouche.

— La fête à Fort-Dimanche. T'inquiète pas, tu vas venir avec moi.

Je pensais me cacher ici (quand tu veux perdre une aiguille, tu la mets dans une boîte d'aiguilles), dans l'œil du cyclone. C'est le meilleur endroit où se tenir quand la tempête fait rage. Le point le plus calme. Le centre de l'œil. Et il faut faire attention parce que, de temps en temps, il arrive à l'œil de bouger et alors on se retrouve au centre de la tempête sans y être préparé. Le gardien me prend par le col et m'emmène avec lui. Personne ne fait attention à nous. Au moment où nous allons franchir la porte, j'entends un bruit de pas.

— Il est avec moi, dit une voix derrière nous.

Je me retourne. C'est le Frère-de-la-nuit que j'ai vu hier après-midi.

— Comment ça ? demande le gardien, tremblant de rage contenue.

— Je dis qu'il est avec moi.

Son ton est sec. L'autre me tient toujours par le col.

— Je ne sais pas de quoi tu parles. Je l'ai vu cette nuit avec Ézéquiel. Je le jure. Je l'ai vu de mes yeux.

— Je le sais, dit calmement le Frère-de-la-nuit. C'est moi qui lui ai demandé de surveiller Ézéquiel.

— C'est mon territoire.

— C'est Mme Max qui m'a demandé de m'occuper de ça.

Ils se regardent un long moment. Finalement, l'autre consent à me lâcher mais change d'avis au dernier moment :

— Non, on va aller tous ensemble à Fort-Dimanche afin de tirer cela au clair avec Mme Max.

Je frémis à l'idée de comparaître devant la maîtresse des douleurs. Notre-Dame-de-la-Torture. Ses exploits sont connus de tout le monde. Elle n'a pas hésité à fourrer un rat vivant dans le vagin d'une femme enceinte. À l'époque, elle venait d'arriver à Fort-Dimanche, comme directrice des enfers, et elle voulait prouver aux hommes de la prison (gardiens comme prisonniers) qu'elle n'était pas à ce poste à cause de son joli cul (en effet, elle est considérée, même par ses plus farouches adversaires, tant du côté du pouvoir que de l'opposition, comme l'une des femmes les plus troublantes, du point de vue strictement sexuel, de l'univers de la dictature). Malgré ce titre, elle entendait mériter sa nomination de chef de la plus sauvage bande de tueurs du pays. Mme Max aime par-dessus tout faire claquer ses talons aiguilles dans les mares de sang des prisonniers durant les interrogatoires nocturnes. Son parfum fétiche est *L'Air du temps* de Nina Ricci. Le prisonnier qui le respire de près respire sa mort, car la dame ne vous approche de si près qu'au moment de donner le coup de grâce. Et le coup de grâce est son privilège exclusif. Une mort parfumée lui semble être le cadeau ultime offert à un opposant dont elle admire le courage. On arrive à deviner son sort, et surtout l'estime qu'elle vous porte, au parfum qui flotte dans la salle de torture. *Heure bleue* de Guerlain n'annonce rien de bon. *Florida,* un parfum très bon marché, exprime son mépris pour un prisonnier. Quand Papa Doc l'invite à une cérémonie vaudou dans les sous-sols du Palais national, son mélange d'élégance raffinée et de brutalité primitive crée à lui seul la terreur sacrée qui s'empare de la plupart des gens à la simple évocation du nom de cette femme. Elle arrive en troisième position dans l'ordre diabolique, justement précédée de Papa Doc et de Luc Désir, un cran au-dessus de Bobo et de Boss Peintre, et laissant nettement en arrière le boulanger Lorius Maître. Luc Désir a atteint la gloire parce que, paraît-il, il n'arrête pas de lire la Bible, même dans les chambres de torture. Sa Bible est maculée de gouttelettes de sang, car son plus grand bonheur dans la vie, c'est de voir gicler le sang quand il frappe le prisonnier au front avec la crosse de son revolver. Papa Doc, lui, n'a pas besoin de présentation, mondialement connu pour avoir créé — avec quelques maçons, un boulanger, un peintre en bâtiment, deux épiciers, une épouse délaissée et quelques maîtresses, deux ou trois évêques catholiques, quelques pasteurs protestants, un sénateur américain, une bonne douzaine de prêtres vaudou, des prostituées, des bourgeoises, des intellectuels de la classe moyenne, et quelques centaines de milliers d'affamés à qui il a fourni un uniforme vert olive, une paire de lunettes fumées et un revolver détraqué — l'organisation la plus ouvertement diabolique du XXe siècle, naturellement, bien après le nazisme (Hitler est son idole). Papa Doc a déclaré une fois, le plus sérieusement du monde : « Je suis le peuple haïtien. » Ce qui distingue Mme Max des autres, c'est le vent intempestif d'élégance (tailleur Chanel et parfum de prix) qu'elle a fait souffler au-dessus de la puanteur de Fort-Dimanche. Fort-Dimanche se trouve près de la plage. La mer pénètre, à marée haute, jusque dans les cellules, pour laisser dans la prison, lorsqu'elle se retire, la boue et les crabes carnivores, mangeurs de chair humaine. Mais ce qui étonne, chez Mme Max, c'est que cette élégance si contrastante avec son milieu de travail n'ait en rien amoindri l'admiration teintée de crainte que lui vouent ses collègues et ses subordonnés. Pour simplifier les choses : Bobo fait peur parce qu'il tue, souvent sans raison. Mme Max fait peur même quand elle ne tue pas.

— D'accord, dit froidement le Frère-de-la-nuit. Allons-y tout de suite. Tu expliqueras à Mme Max pourquoi tu as osé contester ses ordres.

Face-à-face. Durée : trente-six interminables secondes. L'étau se desserre enfin.

— Je laisse faire pour cette fois, jette le gardien en crachant par terre, mais toi (s'adressant à moi), je ne veux plus te voir sur mon territoire. Et toi (s'adressant au Frère-de-la-nuit), je me demande si tu n'es pas en train de monter une milice parallèle puisque, chaque fois que je te vois, tu es accompagné d'une nouvelle recrue et tu ne te donnes même pas la peine d'avertir les autres.

— Mme Max sait toujours tout ce que je fais, et je ne reçois d'ordres que d'elle.

Le gardien grogne encore quelques expressions codées, dont seul le Frère-de-la-nuit peut comprendre le sens, avant de s'en aller.

— Merci, dis-je au Frère-de-la-nuit.

— C'est pour Gasner que je l'ai fait.

— Qu'est-ce qui pourrait vous arriver quand on apprendra qui je suis ?

En guise de réponse, il éclate d'un rire lugubre de chat, selon le poète Saint-Aude, avant de grimper dans le train de la HASCO (Haïtian American Sugar Company) qui rentre tranquillement à la centrale sucrière.

Face à la mort (4 h 35)

Je me dirige vers la plage. L'aube est un moment si émouvant qu'il nous rend fragiles. Je marche en essayant de deviner si ce petit voilier vient dans notre direction ou va vers l'île de la Gonâve. Soudain, une détonation sèche, juste derrière moi. Pendant une seconde, j'ai cru que c'était moi qu'on visait. Deuxième détonation. Le vent m'apporte l'odeur du soufre. Je me retourne. Un gendarme, planqué derrière un camion, est en train de canarder quelqu'un. Qu'est-ce qui se passe ? On se croirait en plein Far West. Je vois Bobo, accroché à la porte de l'hôtel, qui demande sa mitraillette. Au lieu de rentrer lui chercher l'arme, le gardien, qui arrivait au même instant, bifurque vers la place Sainte-Anne. Les rats quittent le bateau. Bobo a déjà un grand trou dans le ventre. Avec sa main gauche, il tente d'empêcher ses tripes de sortir de sa panse, tout en s'accrochant, avec l'autre main, à la porte. Personne dans les environs. Les quelques rares individus qui vaquaient déjà à leurs occupations se sont vite cachés. Personne n'est sorti de l'hôtel pour lui porter secours. Bobo se retrouve seul devant le gendarme. Face à l'envoyé de la mort. Ses jambes commencent déjà à trembler. Qui êtes-vous ? demande-t-il avec force, en regardant dans la direction d'où venaient les coups de feu. Aucune réponse. Je veux savoir qui vous êtes. Il insiste, faisant gronder une dernière fois la voix qui faisait trembler Port-au-Prince. Il semble tendre l'oreille, mais aucun son ne lui parvient. Il est prêt à mourir, mais il voudrait savoir qui est venu le tuer. Comme ça, il pourrait argumenter, parlementer, implorer le pardon. Qui êtes-vous ? Cette fois, sa voix s'est faite plutôt implorante. Pas plus de réponse. Que le bruit du vent venant de la mer. Les yeux implorants. Le visage déjà hagard. Un air naïf. On dirait un enfant qui a peur de rester tout seul dans le noir. Il veut sa mère. Le ventre maternel. Tel un saumon, il tente de remonter, par la pensée, jusqu'aux eaux originelles. Bobo tourne lentement son visage dans la direction du gendarme. Il voudrait voir son visage. Il ne veut pas mourir sans avoir au moins vu le visage de l'archange de la mort. C'est un droit. Mais le gendarme ne bouge toujours pas. Il entend lui faire sentir qu'il ne le tue pas pour une raison précise. C'est la mort qui frappe à sa porte. Bobo se met à sangloter. Il supplie qu'on l'épargne. Il raconte qu'il n'a pas été le pire des hommes, qu'il a même épargné des gens. Il cite des noms. J'entends ne pas perdre une miette de ce spectacle. Le plus grandiose qui soit. Celui de la mort d'un être humain. Et je pense à Gasner. Je me demande si, au moment de mourir, cela se passe de la même manière pour le juste comme pour le salaud. Je parle de l'instant précis où la vie quitte le corps. Y a-t-il à ce moment-là une différence, si minime soit-elle, entre un homme qui a fait du bien toute sa vie et un tueur comme Bobo ? Bobo continue à plaider sa cause, à défendre sa vie, mais la justice, représentée ce matin par ce petit gendarme, est sourde, aveugle et muette. Dis-moi au moins pourquoi vous voulez me tuer ! Que vous ai-je fait ? Je ne vous connais pas, je ne connais pas votre visage, je ne me souviens pas de vous avoir rencontré. Il commence à perdre beaucoup de sang. Ses yeux se voilent. Il sanglote. Parle-moi. Dis quelque chose. Ne me laisse pas mourir comme une bête. Le voilà à quatre pattes, pataugeant dans son sang. Le train de la HASCO est déjà de retour, ou est-ce un autre train ? Finalement, Bobo baisse la tête. On entend quelques secondes plus tard une troisième détonation. La tête vole en éclats. Anthénor Bobo, celui qui devait recevoir la plus haute distinction du pays, la médaille de l'Ordre Jean-Jacques Dessalines, du nom du fondateur de la nation haïtienne, vient de mourir, abattu comme un chien. Sans même avoir pu voir le visage de son exécuteur. J'ignore combien de temps cette scène a duré : cinq secondes ou une heure ? Le temps est une convention. La preuve : le temps de la douleur n'a pas la même durée que celui de la jouissance. On espère abréger l'un, on aimerait faire durer l'autre. L'un nous paraît toujours trop long ; l'autre, trop court. Ce n'est que maintenant qu'apparaît prudemment un officier (je ne me souviens pas de l'avoir vu à l'hôtel). Le gendarme sort de derrière le camion, jette le fusil par terre et pose ses deux mains sur sa tête. L'officier procède mollement à son arrestation. Puis les deux hommes entrent dans l'hôtel. On ferme la porte derrière eux. Deux faits me semblent assez étranges pour me tenir encore cloué sur place. D'abord, je pensais qu'une escouade de tontons macoutes allaient bondir sur le trottoir en hurlant des obscénités tout en déchargeant leurs mitraillettes sur le gendarme qui venait de jeter les armes, donnant l'impression de n'avoir pas attendu ce geste de reddition pour riposter, mais son arrestation s'est déroulée dans le calme et m'a paru presque amicale. Ensuite, à mon grand étonnement, personne n'est sorti de l'hôtel, ne serait-ce que pour jeter un drap sur le corps de Bobo. Les gens du voisinage commencent à peine à sortir de leur cachette pour courir à leurs commissions. Il leur faut du lait, des œufs, du pain, du café et du beurre afin de préparer le petit-déjeuner de ceux qui s'en vont au travail ou à l'école. Ils changent de trottoir afin d'éviter le corps de Bobo, encore agité de soubresauts. Le barman finit par sortir pour recouvrir Bobo d'une nappe blanche. Une large tache rouge macule immédiatement le milieu de la nappe. Je reste à regarder la scène, assis sur le capot d'une vieille Chevrolet complètement déglinguée, jusqu'à l'arrivée de la première mouche, qui se pose orgueilleusement sur le front de Bobo, prenant ainsi possession de son cadavre.

Une tonne d'ordures (4 h 45)

Je marche jusqu'à la plage. Pas celle où Gasner est mort. Plutôt une des plages polluées de Port-au-Prince. Je longe un moment la mer turquoise du petit matin. La mer d'ici, quand elle n'est pas couverte de boîtes de conserve, de sachets en plastique, de petites bouteilles de jus, de déchets d'animaux et d'humains, peut être vraiment magnifique le matin. Surtout quand il n'y a personne sur la plage. D'une certaine façon, je suis content que Gasner ait pu voir la mer avant de mourir. Le soleil et la mer. L'éternité, selon Rimbaud. Une plage n'est jamais totalement vide. Même quand vous ne voyez personne, il y a toujours quelqu'un qui vous voit. De toute façon, on n'est jamais seul dans cette ville surpeuplée. Quelqu'un a sûrement assisté à l'assassinat de Gasner. Quelqu'un que les meurtriers n'ont pas remarqué : un enfant (les enfants passent si facilement inaperçus) ou un pêcheur. Il est difficile de distinguer un pêcheur de la mer. C'est un couple si naturel qu'il devient invisible. On regarde un instant la plage : elle est vide. C'est ce que vous croyez. Essayez donc d'y jeter un cadavre. Beaucoup de gens, dans les jours qui suivront, vont commencer à parler. Et nous saurons ce qui s'est passé, et surtout qui était dans la voiture avec Gasner. « On vous a vu », c'est la devise de cette ville. Brusquement, cette odeur pestilentielle. Peut-être un animal mort non loin de là. Ou un homme. Mères haïtiennes, venez chercher vos fils sur la plage. La mer est gentille, elle vous les rendra. Mais personne ne sort vivant des griffes de la mer. Mère mer.

Quelques gamins jouent au loin. Déjà, à près de cinq heures du matin. Gasner aurait ri de moi. Ce genre de réflexion, si typiquement petite-bourgeoise d'après lui (c'est sa terminologie), montre à quel point je suis ignorant des choses de mon pays. Tout le monde ne dort pas à la même heure dans ce pays. Certaines gens vivent dans des conditions si difficiles qu'on doit se poser honnêtement la question d'humanité dans leur cas. L'identité humaine ne peut-elle pas être touchée dans son essence quelquefois ? Faut-il un minimum de confort pour accéder au titre d'humain ou est-on humain quelle que soit la condition dans laquelle on vit ? Ces graves questions méritent mieux qu'une réponse émotive ou idéologique. Les faits doivent parler. Ils ne sont pas innocents et ils dépendant surtout de ceux qui les manipulent, mais c'est tout ce que nous avons pour comprendre le monde. Un homme qui a bien mangé toute sa vie, bien bu aussi, qui sent bon et qui passe près de la plage dans sa belle voiture croit-il vraiment que l'homme maigre, presque nu, qu'il aperçoit en train de faire ses besoins dans le sable est un être humain comme lui ? J'ai des doutes. Au fond, je n'ai aucun doute. Pour lui, cet homme n'est même pas un animal. C'est une honte en train de chier. À trois pas de moi, ce sosie de Gandhi en train de chier. Selon Cioran, certains abusent de l'instinct de conservation. Je ne peux croire que cet homme soit de même nature que moi. Peut-on perdre son humanité ? Tant de questions. L'éternelle combinaison du soleil et de la mer pousse-t-elle à la méditation ? Je suis toujours enclin à jouer à ce jeu. Le jeu des perles de verre. Enfiler les pensées est une manie chez moi. Cela ne me rend ni plus intelligent ni plus sensible. C'est une manie, c'est tout. Je pense tout le temps. Ça énervait Gasner. Soudain, un vrombissement dans mon dos. Je me retourne. Un énorme camion à ordures s'amène difficilement. Le chauffeur cherche un endroit propice où jeter sa cargaison. Quelques adultes surgissent près du camion, sans que je les aie vus arriver. Un essaim de mouches forme une sorte de brouillard autour du camion, l'accompagnant dans un bourdonnement incessant. Le camion roule lentement, se cherchant péniblement un chemin à travers les petites collines et quelques montagnes d'ordures çà et là sur la plage. Les enfants lui font la fête, l'encerclant tout en chantant des comptines joyeuses. Ils montrent la route au chauffeur en sueur d'avoir tant tourné le volant si raide à chercher un endroit libre pour se délester de sa cargaison. Finalement, il trouve un espace. Applaudissements et cris de joie des enfants. Le chauffeur sourit. Les adultes regardent la scène sans bouger, avec une totale indifférence. Le chauffeur fait plusieurs manœuvres pour pouvoir jeter sa tonne d'ordures. Je ramasse un beau galet blanc, bien poli, et le lance de toutes mes forces de manière à le faire sautiller sur la surface de l'eau. La mer avait déjà changé de couleur. Déjà plus grise et plus uniforme. Un seul petit voilier, comme une tache blanche dans une peinture de Viard, vogue calmement vers La Gonâve. Je ne manque jamais, chaque fois que je me trouve sur une plage, même la plus polluée, à ce rituel qui remonte à mon enfance à Petit-Goâve. Tous les gamins qui vivent près de la mer savent jouer à ce jeu. Pendant des années, la mer polit les pierres et les gamins les découvrent avec joie, un jour, les gardent un moment avec eux, puis les relancent à la mer. C'est un jeu très ancien entre la mer et les gamins du monde entier. Ainsi va aussi le cycle de la vie. La terre nous produit, la vie nous polit puis elle nous rend à la terre. Quel est ce bruit ? La bascule du camion s'est finalement mise en marche et les ordures glissent lourdement vers le sol spongieux : pelures de bananes, d'avocats et de mangues, robes, vieilles machines à coudre Singer, viande avariée, fromage, os de poulet, jeans, chaussures racornies, sacs noirs hermétiquement fermés, boîtes de lait en carton, jouets cassés, vieilles chaudières cabossées, capotes usagées, petits matelas pour lits de camp, livres gonflés d'eau, sous-vêtements, magazines, vases, pots de chambre, assiettes en émail... Et les hommes se mettent directement sous la bascule, le visage rayonnant de bonheur quand ils trouvent un vieux pneu encore en état, un bon costume noir ou une clé anglaise. On court mettre son butin à l'abri, aux pieds de sa femme, et on retourne aussitôt sous la bascule. Le chauffeur s'amuse à arrêter et à faire repartir la machine. Cette manne vient de Pétionville, des beaux quartiers et de quelques ambassades, seuls endroits au pays où soit jeté quelque chose d'utilisable. Leurs ordures sont la seule contribution des riches à la société puisqu'ils ne paient pas de taxes, même les taxes douanières, et ne subventionnent jamais aucune initiative culturelle. Les hommes luisants de sueur et de liquides de toutes sortes (huile, jus, lait, urine) dansent en transportant qui un fauteuil éventré, qui une vieille armoire, qui une table à trois pieds. Ils vont et viennent, faisant allégrement l'aller-retour du camion à leur femme, de leur femme au camion. Les enfants ramassent ce qu'ils peuvent et accumulent leur lot à part. Le camion finit par se vider. Les hommes vont se laver dans la mer. Trois coups de klaxon, le camion repart. Les enfants l'accompagnent un moment. Les mouches restent sur place.

Un dernier café (5 h 08)

Je longe la plage, évitant la cohue des taps-taps bourrés d'écoliers et d'ouvriers. On s'épuise rapidement à marcher sur du sable. J'arrive enfin derrière le bordel. Mercedes m'aperçoit.

— Que fais-tu là ?

— Rien. Je me promenais.

— T'as une tête de déterré ! As-tu dormi au moins ?

— Non.

— Oh mon Dieu ! Tu ne vas pas me dire que tu as marché toute la nuit.

— Laisse-le en paix, lance Fifine. Passe par en avant, je ne veux pas te voir empalé sur ces pieux.

Une clôture de bambous pointus fait le périmètre du bordel. J'hésite un moment car je déteste passer pour une poule mouillée, mais je me sens trop fatigué pour tenter un tel exploit. Je fais donc comme elle me l'a conseillé. La petite barrière reste toujours ouverte. C'est la règle ici. Une bonne odeur de café m'accueille.

— Mets-lui beaucoup de sucre dans son café, dit Fifine sur un ton péremptoire.

— C'est fait, répond sèchement Mercedes.

Je me demande combien de temps il faudra pour que je me trouve là-bas un endroit où l'on saura combien de cuillerées de sucre je prends dans mon café. Ce sont aussi ces petites choses, sans grande valeur pour les autres mais si importantes pour soi, qu'on perd en quittant son univers. Une accumulation de ces minuscules pertes risque de vous laisser complètement désemparé. C'est étrange de penser que, dans très peu de temps, je serai dans un autre pays pour la première fois de ma vie. Je n'arrête pas de ressasser ce fait si singulier pour moi. Et ce pays possède sûrement des mœurs, des coutumes, une culture que j'ignore totalement. Des couleurs, des odeurs et des goûts différents de ce que j'ai l'habitude de voir, de sentir et de goûter. Comme chaque fois que je bois du café, je pense à Da. À Da, toujours assise dans le coin droit de sa galerie. Exactement à la même place que ma mère. Ma mère à Port-au-Prince ; Da à Petit-Goâve. Que fait Da en ce moment ? Naturellement, elle est en train, je pourrais le jurer, de déguster son premier café. En même temps que moi. À toi, Da, qui m'as appris qu'il n'y a rien de plus important au monde qu'une bonne tasse de café. Dans son cas, c'est le café des Palmes. Je me suis toujours demandé quand Da a bu sa première tasse de café. Sa vraie première tasse. Pas une eau de café. Du café pur. Il y a toujours la première fois, et on est sûr que ce goût et cette odeur nous accompagneront durant toute notre vie. Peut-être que, pour certains, c'est toujours la première fois. Da se ferme les yeux avec la même intensité, la même concentration chaque fois qu'elle boit du café. Le même plaisir. C'est étrange que les condamnés à mort demandent toujours une cigarette (peut-être que les grandes compagnies de tabac offrent un certain montant à la famille du condamné à mort pour cette monstrueuse publicité) et non une tasse de café. Da réclamerait sûrement son café. Pourquoi une cigarette ? Pour se donner une certaine contenance ? Il y a aussi la métaphore du feu qui se consume et qu'on écrase à la fin. Le feu de la vie, la chaise électrique, c'est riche en allusions. Il y a aussi le moment ultime où l'on doit jeter la cigarette, qui indique qu'on en a terminé aussi avec cette vie et, par conséquent, qu'on accepte le verdict. Le café, on le boit généralement jusqu'à la dernière goutte. Il risque donc de vous faire regretter la vie. Pourquoi est-ce que je pense à cela ? Suis-je un condamné à mort ? Est-ce ma dernière tasse de café ? Avec le bruit des vagues sous mes pieds. L'odeur du varech. La douceur de l'aube qui s'attarde. Un dernier luxe.

— À quoi penses-tu ? me demande brusquement Mercedes.

— Au plaisir que j'ai à boire cette tasse de café.

— Je ne sais pas… murmure-t-elle presque. Tu m'as l'air étrange.

— Comment ça ? je fais, sur le même ton doux.

— Comme si tu n'étais pas ici avec nous.

— Oh ! ça m'arrive d'être dans la lune.

— À moi aussi, ça m'arrive, mais tu m'as l'air plutôt soucieux.

— Peut-être…

— Tu ne veux pas me dire ce que t'as ?

— On a arrêté Ézéquiel cette nuit.

— Oh !

Silence.

— Sais-tu où il est ?

— Fort-Dimanche.

Elle se signe.

— Tu sais que le type n'est pas venu.

— Quel type ?

— L'officier qui devait me dire qui a tué Gasner.

— Ah bon !

— C'est ainsi que tu prends ça ?

— Je sais qui l'a tué.

Elle devient rouge d'excitation.

— Qui ?

— Eux.

— Qui eux ?

— Eux tous. Les tontons macoutes, les officiers dégénérés, les honnêtes pères de famille qui sont restés planqués chez eux la nuit dernière, les bourgeois de Pétionville qui n'ont jamais levé le petit doigt pour qui que ce soit dans ce pays, les lâches, les traîtres, les contrebandiers, les salauds, les chiens...

— Arrête, tu es devenu fou.

— Les belles femmes qui ne baisent qu'avec des officiers dégénérés, les femmes aigries que personne ne regarde et qui ne regardent plus personne, les hommes en costume gris, les poètes affamés, les philosophes en chômage...

— Qu'est-ce qui te prend ?

Je me mets debout, renversant dans le mouvement ma tasse de café.

— Tu crois que j'ai oublié quelqu'un, Mercedes ? Aide-moi, Fifine ! Ah, mais oui, j'avais quelqu'un, le plus important. Les amis, bien sûr les amis, surtout les amis…

— Comme qui par exemple ?

— Moi ! Je fais partie de ceux qui ont tué Gasner !

— T'est-il arrivé quelque chose cette nuit, Vieux Os ? me demande Mercedes.

Sa voix douce et caressante, comme celle d'une mère.

— J'ai la tête qui tourne. Je crois que je vais vomir.

Je cours dégobiller dans la mer. Fifine arrive tout de suite avec une cuvette d'eau. Mercedes m'enlève ma chemise. Les deux femmes me font une toilette.

— Comme tu es maigre ! me dit Fifine. Reste ici quelques jours et je m'occuperai de toi. Quand tu auras pris un peu de poids, tu pourras voler de nouveau de tes propres ailes.

La remarque de Fifine m'a fait rire.

— Pourquoi ris-tu ? me demande Mercedes, un peu inquiète.

— Je ris de ce que Fifine vient de dire. C'est le contraire, Fifine : pour pouvoir voler, il faut surtout perdre du poids et devenir très léger, très très très très léger.

Je fais mine de grimper la petite balustrade pour m'envoler, par-delà la mer, jusqu'à l'île de la Gonâve. Les filles se mettent à hurler et je dois redescendre.

— Il va s'évanouir, lance Fifine.

J'arrive difficilement à distinguer les traits de Fifine. Mercedes n'arrête pas de me gifler tout en criant mon nom.

— Je t'entends, Mercedes. Arrête de crier.

— C'est que tu nous as fait peur, dit Fifine en pleurant.

— Ce n'est rien, dis-je pour les rassurer. Je suis simplement épuisé. Complètement épuisé.

— Alors, viens te coucher, dit Fifine en me prenant par les aisselles.

— Non, Fifine, je dois partir.

— Je ne te laisserai pas partir ainsi ! crie Mercedes.

Je me lève. Mes jambes sont encore faibles. Je dois me rasseoir.

— Tu vois, dit Fifine en ravalant ses larmes, tu ne peux pas nous quitter.

— Ulysse doit partir.

— C'est qui, Ulysse ? demande candidement Fifine.

— Tu ne vois pas qu'il délire encore ? jette furieusement Mercedes.

— Mais non, dis-je en riant, Ulysse est un héros de la guerre de Troie… Il court d'île en île, mais il ne peut s'arrêter nulle part car il lui faut absolument rentrer chez lui.

— Pourquoi ? demande Fifine, de sa jolie voix si chantante.

— Sa femme l'attend.

Les deux femmes se mettent à rire comme des démentes.

— C'est ce qu'on nous dit chaque matin, finit par m'expliquer Mercedes.

— Mais toi, me dit Fifine avec une voix fluette d'adolescente attardée, tu n'es pas marié que je sache.

— Non. J'ai tout simplement faim.

— Ah ! tu n'avais qu'à le dire, lance-t-elle joyeusement.

Voilà enfin un langage qu'elle comprend. Un homme a faim. Elle doit, toutes affaires cessantes, le nourrir. « C'est le ventre qui parle », dit Homère. Fifine et Homère se seraient bien entendus. La même conception terre à terre de la vie : boire, manger, aimer. Déjà, elle s'élance vers une grosse chaudière et la met immédiatement au feu. Tout se déroule avec rapidité, précision et savoir-faire. Elle jette un peu d'huile dans la chaudière et, quand l'huile est assez chaude, elle y fait brunir une rondelle d'oignon et une gousse d'ail (ah ! le bonheur de l'ail), et tout de suite après un joli poisson rose tout frais. L'odeur du poisson en train de frire. Le plat est déjà sous mon nez, avec avocat, tomate et cresson. Je reprends des couleurs au fur et à mesure que je dévore ce tendre poisson. Un grand verre de jus de grenadine achève mon dernier repas à Port-au-Prince. J'embrasse les deux filles de feu qu'un dieu généreux a placées sur mon chemin et, comme Ulysse, je pars sans jeter un seul regard derrière moi. Comme je fais d'habitude. Je ne pourrais les embrasser sans fondre en larmes, ce qui les amènerait à se douter de quelque chose. Un homme qui attire la tendresse des femmes peut vivre sous toutes les latitudes. J'aurais dû m'en douter. Il y avait des signes, mais ce n'était jamais tout à fait clair. Cela s'est enfin clarifié tout à l'heure. Il n'y a plus de doute à propos de leur identité. Les filles d'Agoué m'ont secouru. Me voyant la tête appuyée contre la table, Fifine croyant que je dormais, a oublié de prendre les précautions d'usage, comme faire semblant d'aller chercher le poisson dans le petit congélateur. Je l'ai vue pousser un cri si aigu que mon oreille n'a pas pu capter le son, mais j'ai bien vu sa bouche s'arrondir et sa gorge se gonfler. Presque au même moment, j'ai aperçu dans sa main droite un poisson rose encore tout palpitant et ruisselant d'eau de mer. Le poisson avait sauté de la mer à sa main. Je n'oublierai jamais que j'ai été nourri par les filles du puissant Agoué. Adieu Fifine, adieu Mercedes, filles du dieu de la mer.

La gifle (6 h 06)

Je grimpe dans le premier tap-tap qui va du côté de l'aéroport. Foule. Des gens attendent depuis une demi-heure. Pas assez de taps-taps pour tout le monde. On se lève très tôt dans cette zone. Martissant, Carrefour, Fontamara, Gressier, Rivière-Froide, ces quartiers qui fournissent la moitié des ouvriers du parc industriel, près de l'aéroport. Les taps-taps débordent d'ouvriers et d'élèves. Les élèves vont, pour la plupart, du côté du Champ-de-Mars où se concentrent un bon quart des écoles de Port-au-Prince. Chaque matin, entre cinq et huit heures, les taps-taps régurgitent plus de deux à trois cent mille personnes sur Port-au-Prince. Et ça crie, ça parle, ça hurle, ça se bat, ça chante, ça prie, ça s'insulte. Tout le peuple des quartiers du sud débarque à Port-au-Prince. La pagaille totale. Une énergie incroyable. Tous les espoirs sont permis. Chaque jour apporte sa ration de chances à prendre. Si ce n'est pas aujourd'hui, ce sera demain. Hier ne compte déjà plus, n'a jamais compté. Hier n'existe pas. Tout se passe entre aujourd'hui et demain. La vie roule, dans cette région, à une vitesse infernale. Cette foule enterre ses morts à un rythme de carnaval. En dansant. On pleure, on danse, puis on passe à autre chose. La vie n'attend pas. À cinq heures du matin, tout le monde est déjà en sueur. Et la conversation n'est plus sur Gasner, comme hier. Ils ne savent pas encore pour Ézéquiel. Je vois passer la petite Honda noire avec mes camarades de l'*Hebdo.* Ils vont sûrement au local du journal, à Fontamara, préparer un numéro spécial sur Gasner. Et moi qui prends la direction opposée, en route vers un autre destin. Ils ont la tête pleine des projets à mener, des enquêtes à faire, des pistes à suivre, des monstres à affronter. Ont-ils trouvé celui qu'ils cherchaient tant cette nuit ? Dire que moi, qui ne voulais rien chercher, je suis tombé dans l'antichambre du diable, le réseau des tueurs du régime (Papa et Baby Doc). Je regarde un long moment la petite Honda noire se faufiler à travers la multitude de taps-taps bariolés. À partir de cette seconde, elle n'existera plus que dans mon imagination. J'ai l'impression qu'elle cheminera longtemps encore dans mon esprit avec, dans son sein, mes quatre camarades, trois vivants et un mort : Clitandre, Jean-Robert, Carl-Henri et Gasner. Il fut un temps où je voulais changer le pays, à ma manière. Maintenant, il me faut changer de pays. Changer Haïti à partir de l'étranger ? Voilà la première illusion qu'il me faudra extirper de moi. Ce sera plutôt à moi de changer. Qu'est-ce qui est le plus difficile : essayer de changer un pays ou essayer de se changer soi-même ? Je n'ai pas la réponse à cette terrifiante question. Tout ce que je peux dire c'est que, si on peut fuir un pays, il est impossible d'échapper à soi-même. Haïti est devenu un pays qui change de pôle d'intérêt chaque matin. Hier, c'était Gasner (pour moi, ce sera Gasner toute ma vie). Ce matin, c'est le gendarme qui a tué Bobo.

— Que s'est-il passé ? demande d'une voix voilée d'anxiété la dame assise en face de moi. On m'a dit qu'ils partageaient la même maîtresse. C'est toujours une histoire de femme, lance-t-elle sans lever la tête du mouchoir qu'elle est en train de broder.

— Ah non ! dit un homme assis à l'autre bout, ce n'est pas du tout cela. Bobo avait giflé le gendarme dans l'après-midi, sans accorder trop d'importance à son acte. C'est normal pour lui de gifler les gens. Il passe son temps à gifler même les marchandes.

— Pourquoi les marchandes ? demande la femme.

— C'est lui qui s'occupe de taxer tous les marchés de Port-au-Prince.

— Tu veux dire de les saigner, corrige une autre dame en train de lire la Bible.

— Il détruit avec son bâton, un vrai cocomacaque, les marchandises de celles qui refusent de payer une troisième fois des taxes pour les mêmes marchandises.

— Ô Babylone, trois fois Babylone, s'écrie la femme à la Bible.

— Raconte vite l'histoire, je vais descendre dans cinq minutes, dit un homme.

— Que fait le gendarme ? demande la femme en face de moi.

— Madame, dit l'homme qui s'apprête à descendre, laissez-le raconter l'histoire.

— Ne me bousculez pas, répond celle-ci du tac au tac, si vous voulez entendre toute l'histoire, vous n'avez qu'à descendre un peu plus loin.

— Le gendarme n'a rien fait, pour répondre à votre question, madame. Il est simplement allé déposer une plainte au grand quartier général contre Bobo. Son colonel lui a fait comprendre qu'il devait s'estimer heureux de n'avoir pas reçu deux balles dans la tête au lieu d'une innocente gifle.

— C'est ce qu'il a dit ! s'étonne la grosse dame en train de broder.

— Mais Seigneur ! est-ce qu'on va le laisser finir l'histoire.

En guise de réponse à cette agression, la grosse femme se contente d'un long soupir.

— Malgré tout, continue l'homme qui rapporte les faits, un sergent a pu enregistrer sa plainte. Le gendarme n'a rien dit de plus. Il est rentré chez lui, n'a pas touché à son repas et a passé tout l'après-midi à lire sa Bible.

— *Amen !*

— Il s'est levé vers huit heures du soir, il a bu simplement une grande tasse de café, très noir et très amer, s'est rasé et, vêtu de son uniforme militaire, il est sorti vers onze heures.

— Excusez-moi, dit l'homme pourtant pressé, j'aimerais savoir comment vous avez fait pour connaître tous ces détails.

— C'est ce que j'allais justement lui demander, dit la grosse femme en train de broder.

— C'est que mon cousin habite en face de chez lui.

— Ah bon ! je comprends maintenant, dit la femme en train de lire la Bible.

— Où ça ? demande l'homme à l'autre bout du banc, qui écoutait attentivement l'histoire.

— À Carrefour-Feuilles.

— Moi aussi, j'ai habité à Carrefour-Feuilles, dit la grosse femme en train de broder. D'ailleurs, ma sœur y habite toujours et, ce soir, je saurai tous les détails de cette histoire, des choses que personne ne peut savoir parce que ma sœur, c'est quelqu'un qui…

— Mais arrêtez donc ! On n'a pas envie de connaître votre vie, madame. On parle du gendarme qui a tué Bobo. C'est lui la vedette, aujourd'hui, pas vous, lance l'homme assis au fond de la fourgonnette.

— Quand est-ce qu'il va le tuer pour qu'on en finisse une fois pour toutes avec ces suppôts de Satan ? jette rageusement la dame en train de lire la Bible.

— Attendez, madame, lui réplique celle en face de moi. On sait maintenant qu'il va le tuer. Ce qu'on ignore, ce sont les détails de l'affaire et moi, c'est tout ce que j'aime dans une histoire, les détails bien juteux.

— Elle se croit au cinéma, celle-là ! lance une adolescente en uniforme à carreaux blanc et noir du collège classique qui prêtait une oreille distraite à la conversation.

Tout le monde rit.

— Ce n'est pas une plaisanterie, dit l'homme assis

au bout du banc, c'est un véritable drame. Vous autres, Haïtiens, vous prenez tout à la rigolade. Le gendarme qui nous a sauvés de ce monstre est en ce moment en prison…

— Je ne savais pas qu'on l'avait arrêté, dit la dame en refermant sa Bible. On ne devrait pas mettre en prison un tel homme. Au contraire…

— C'est la procédure, madame, dit un homme qui n'avait pas jusque-là pris part à la discussion.

Silence de mort dans le tap-tap. Tout le monde pense, en ce moment, la même chose : cet homme est un tonton macoute en civil.

— Oh ! dit l'homme pressé, sonnez le chauffeur pour moi, je dois descendre ici.

— Moi aussi, dit la grosse dame en rangeant dans une petite boîte en fer-blanc ses accessoires de broderie.

— Moi aussi, je dois descendre ici, dit l'autre femme en glissant sa Bible dans son sac noir.

— Je viens de me rappeler que je dois voir un ami dans le coin, dit en descendant l'homme qui était assis au fond du tap-tap.

Il ne reste plus que nous trois : l'adolescente du collège classique, moi et le tonton macoute. Brusquement, celui-ci se met à rire en se tenant le ventre, tombant presque du banc.

— Ils ont tous pensé que j'étais un tonton macoute. Ce pays ne changera jamais, car les gens sont trop lâches. La souris danse seulement quand le chat dort.

Le tap-tap continue son chemin en direction de l'aéroport. L'adolescente compte descendre au coin de la rue

Pavée, j'ai l'impression, pour remonter ensuite à pied vers le Champ-de-Mars. Je ne fais aucun commentaire quant à la remarque sur la lâcheté des Haïtiens, parce que, on ne sait jamais, peut-être que ce type est vraiment un tonton macoute. Je fais toujours confiance au flair des gens du peuple. Ce sont eux qui vivent constamment avec ces gens-là. Le pseudo-tonton macoute fait un sourire engageant à l'adolescente qui baisse les yeux sur le manuel d'histoire générale qu'elle vient d'ouvrir sur ses genoux. Elle n'a aucune intention d'étudier, ça se voit. Elle vient simplement de remarquer que sa jupe est trop courte et que cet homme cherche visiblement, sans aucune gêne, à reluquer entre ses cuisses. J'avais baissé les yeux, un peu gêné par cette forme d'agression à laquelle j'assistais, mais, pris d'un doute, je lève les yeux et découvre un sourire de Mona Lisa flottant sur le visage de l'adolescente. Faut dire que la zone respire la guerre. On dirait un quartier bombardé. Je parle de Carrefour et de ses environs. La plupart des adolescentes font une concurrence déloyale aux prostituées établies qui doivent payer des taxes à l'État et leurs tests médicaux mensuels. Les médicaments et les injections sont à leurs frais. Alors, les prostituées voient d'un très mauvais œil les jeunes filles qui travaillent dans les bordels clandestins de Port-au-Prince, ces maisonnettes au fond des cours des immeubles publics. Les fausses collégiennes, qui n'ont que l'uniforme et quelques manuels scolaires achetés bon marché devant la cathédrale, juste pour la frime, passent la journée chez les maquerelles de l'aire du Champ-de-Mars. Ma dernière image de Port-au-Prince, avant d'arriver à l'aéroport, est à l'essence de cette ville, capitale du faux-semblant et de l'apparence trompeuse : un pseudo-tonton macoute, qui est peut-être un vrai, faisant la cour à une pseudo-collégienne, qui est en fait une vraie prostituée.

Un dieu m'ouvre la barrière (6 h 58)

Ma ceinture est déjà bouclée. Je m'apprête à faire face au plus terrifiant des monstres : l'inconnu. Que va-t-il m'arriver ? Je suis né en 1953, Papa Doc est arrivé au pouvoir en 1957, je n'ai donc connu qu'un seul système politique : la dictature. La faim, la peur, l'urgence m'ont formé. Que vais-je devenir à présent que je quitte cette constante agitation ? Le confort ! Cette idée m'a obsédé toute la nuit dernière. Que faire de tout ce temps que j'aurai à moi ? Combien de temps cela prend pour changer de système mental ? Et que va-t-il m'arriver entretemps ? Ma tête fourmille de questions sans réponses. Légère panique. On annonce le départ. C'est la première fois de ma vie que je prends l'avion. Que va devenir ce jeune tigre efflanqué, habitué à se débrouiller dans la pire jungle de la Caraïbe, maintenant qu'il va vivre dans un tel confort ? Le confort, selon moi, c'est toute ville où ma vie n'est pas menacée à chaque coin de rue. Le moment le plus dangereux dans une jungle, c'est la nuit, parce qu'on ne voit pas l'ennemi arriver. Qu'en est-il alors quand on n'arrive pas à repérer l'ennemi même le jour ? C'est ce qui m'arrivera, du moins au tout début. Comment distinguer un ami d'un ennemi quand on ignore la psychologie profonde des gens d'un pays ? À partir de maintenant, je ne sais plus rien. Ne plus penser. Attendre pour voir venir. C'est tout. Quand je suis arrivé à l'aéroport, tout à l'heure, j'ai tout de suite repéré ma mère cachée derrière un pilier. Elle tenait à la main une petite valise en tôle qu'elle m'a glissée dans la main quand je suis passé près d'elle, un peu comme font les mafiosi quand ils doivent confier à des passeurs une valise remplie de cocaïne ou de narcodollars. La mienne contenait quelques pantalons et trois chemises, des bouquins qu'elle savait me tenir à cœur, une médaille de la Vierge qui me servira de police d'assurance en attendant d'avoir un travail là-bas, et une lettre écrite en gros caractères dont chaque mot est important et que je dois lire chaque jour (elle a souligné trois fois « chaque jour ») durant mon séjour à l'étranger, en attendant que les choses se soient calmées en Haïti. C'est ce que j'ai vu quand je suis allé vérifier dans les toilettes le contenu de la valise. J'avais peur qu'elle soit bourrée de nourriture que la douane aurait interceptée. Je savais qu'elle serait là même si cela impliquait un grave danger pour elle, et elle était là. Je ne l'ai pas embrassée pour ne pas attirer sur nous l'attention des tontons macoutes, toujours aux aguets à l'aéroport, surveillant les gens qui auraient sur eux une interdiction de départ et qui tenteraient d'une façon ou d'une autre, en changeant de nom le plus souvent, de passer entre les mailles du filet du système de sécurité. Les hommes partent. Les femmes et les enfants restent. Ma dernière rencontre avec ma mère n'aura pas duré plus de dix secondes. Je suis parti vers la cabine de l'officier d'immigration, qui a longuement cherché mon nom dans un grand cahier noir, sur la liste de ceux à qui il est interdit de quitter le pays. J'ai vu son index descendre interminablement puis s'arrêter à un nom. Le mien ? Je commençais à suer. Finalement, il a refermé le cahier tout en me jetant un regard dur, simplement pour ne pas que j'oublie que son rôle, ici, c'est d'être méchant et bête. Il m'a finalement dit : « Bon voyage. » Ma mère, qui a sûrement assisté à tout mon périple depuis le hall d'entrée de l'aéroport, devait être sur le point de s'évanouir. Tant que je n'aurai pas franchi la dernière porte, celle qui donne sur la piste, je ne me sentirai pas à l'abri d'un rebondissement. Et voilà qu'au moment même où je vais franchir cette porte (celle qui donne sur un autre monde), je sens une main sur mon épaule. Je reste figé un moment. Devrais-je m'élancer vers l'avion que je vois à quelques mètres de moi ? Ce n'est jamais une bonne idée de courir. La balle est toujours plus rapide que toi. Mon corps s'est comme vidé de son sang, quand une voix familière me glisse à l'oreille : « Bon voyage, mon ami. » Je me retourne et me retrouve face au visage rayonnant de Legba. Ce Legba, qui m'a sauvé des chiens, est le dieu qui se tient à la porte du monde invisible. « Vous ne passerez jamais dans l'autre monde, disait toujours Da, si Legba ne vous ouvre pas la barrière. » C'est chose faite. Je peux respirer. À partir du moment où Legba en personne est venu m'ouvrir la dernière porte, j'ai été hors d'atteinte de tout mal. Je n'appartiens plus au monde de la dictature. Je suis dans un autre univers. Sous la protection d'un dieu puissant. Les dieux du vaudou ne voyagent pas dans le Nord. Ces dieux sont trop frileux. Je serai donc seul pour affronter ce nouveau monde. Comme ça, du jour au lendemain. Un univers avec ses codes, ses symboles. Une ville nouvelle à connaître par cœur. Sans guide. Ni dieu. Les dieux ne m'accompagneront pas. L'ancien monde ne pourra m'être d'aucun secours. Au contraire, il me faut tout oublier de mes dieux, de mes monstres, de mes amis, de mes amours, de mes gloires passées, de mon éternel été, de mes fruits tropicaux, de mes cieux, de ma flore, de ma faune, de mes goûts, de mes appétits, de mes désirs, de tout ce qui a fait jusqu'à présent ma vie, si je veux continuer à vivre dans le présent chaud et non sombrer dans la nostalgie du passé (ce présent que je vis encore et qui deviendra passé dans moins de trente secondes, au moment où l'avion quittera le sol d'Haïti). Et Montréal ne m'attend pas.

Dix ans plus tard, à Montréal, un coup de téléphone coupe la nuit en deux.

— Allô…

— Monsieur Laferrière ?

— Oui, c'est moi.

— Votre père vient de mourir.

Je m'assois sur le lit.

— Qui parle ?

— L'hôpital de Brooklyn… Votre père vient de mourir, il y a une heure. Nous avons trouvé votre numéro de téléphone sur lui… Nous sommes vraiment désolés.

Je ne savais pas que mon père était malade, et je n'imaginais pas non plus qu'il avait mon numéro de téléphone. Je suis allé voir mon père une fois, à New York, mais il ne m'a pas ouvert sa porte. Il affirmait qu'il n'avait pas d'enfant puisque Duvalier a fait de tous les Haïtiens des zombies. C'était aussi la seule fois que j'avais vraiment entendu sa voix. Elle venait de cette minuscule chambre où il s'était barricadé. Une voix sans visage.

J'ai appelé ma mère vers six heures du matin, pour lui annoncer la nouvelle de la mort de l'homme de sa vie. Elle a simplement remarqué que j'avais une voix étrange.

— C'est l'émotion, maman.

— Non… On dirait que tu as déjà pris un accent, m'a-t-elle dit doucement avant de raccrocher.

La mort de mon père. La douleur de ma mère. L'accent de l'exil. Ma vie d'homme commence.

CRÉDITS ET REMERCIEMENTS

Les Éditions du Boréal reconnaissent l'aide financière du gouvernement du Canada par l'entremise du Programme d'aide au développement de l'industrie de l'édition (PADIÉ) pour leurs activités d'édition et remercient le Conseil des Arts du Canada pour son soutien financier.

Les Éditions du Boréal sont inscrites au Programme d'aide aux entreprises du livre et de l'édition spécialisée de la SODEC et bénéficient du Programme de crédit d'impôt pour l'édition de livres du gouvernement du Québec.

Couverture : Michèle Drouin, *Ce qui est caché est visible*, Galerie Orange.

MISE EN PAGES ET TYPOGRAPHIE :
LES ÉDITIONS DU BORÉAL

ACHEVÉ D'IMPRIMER EN MARS 2010
SUR LES PRESSES DE TRANSCONTINENTAL GAGNÉ
À LOUISEVILLE (QUÉBEC).